FAIRE L'AMOUR AVEC AMOUR

Dagmar O'Connor

Couverture
- Conception graphique:
  Violette Vaillancourt

DISTRIBUTEURS EXCLUSIFS:

- Pour le Canada et les États-Unis:
  LES MESSAGERIES ADP*
  955, rue Amherst, Montréal H2L 3K4
  Tél.: (514) 523-1182
  Télécopieur: (514) 521-4434
  * Filiale de Sogides Ltée

- Pour la Belgique et le Luxembourg:
  PRESSES DE BELGIQUE
  96, rue Gray, 1040 Bruxelles
  Tél.: (32-2) 640-5881
  Télécopieur: (32-2) 647-0237

- Pour la Suisse:
  TRANSAT S.A.
  Route du Grand-Lancy, 2, C.P. 125, 1211 Genève 26
  Tél.: (41-22) 42-77-40
  Télécopieur: (41-22) 43-46-46

- Pour la France et les autres pays:
  INTER FORUM
  13, rue de la Glacière, 75624 Paris Cédex 13
  Tél.: (33.1) 43.37.11.80
  Télécopieur: (33.1) 43.31.88.15
  Télex: 250055 Forum Paris

FAIRE L'AMOUR AVEC AMOUR

Dagmar O'Connor

**Traduit de l'américain
par Madeleine Fex**

le jour,
éditeur

Données de catalogage avant publication (Canada)

O'Connor, Dagmar

   Faire l'amour avec amour

   Traduction de: How to put the love back into making love.

   ISBN 2-7619-0878-3

   1. Sexualité.   2. Sexualité dans le mariage.   3. Amour.
4. Intimité (Psychologie).   I. Titre.

HQ21.02614 1990   613.9'6   C90-096087-6

Édition originale: *How To Put The Love Back Into Making Love*
Doubleday
(ISBN 0-385-24063-5)
© 1989, Dagmar O'Connor

© 1990, Les Éditions de l'Homme
Division de Sogides Ltée
Pour la traduction française

Bibliothèque nationale du Québec
Dépôt légal — 1er trimestre 1990

ISBN 2-7619-0878-3

Introduction

«Il n'y a plus de tendresse.»

J'entends ce refrain de plus en plus souvent dans mon cabinet ces temps-ci. Des gens qui viennent me consulter affirment qu'ils n'ont aucun mal à «avoir des rapports sexuels». Leur équipement fonctionne toujours, le problème, disent-ils, c'est de «faire l'amour».

Et ce problème peut être déchirant.

En cours de route, l'*acte sexuel* et l'*amour* se sont dissociés et tous les livres visant à améliorer les techniques sexuelles et à atteindre le «super orgasme» ne peuvent les réunir à nouveau. Nous pouvons devenir experts en matière sexuelle; du point de vue des émotions, nous restons tout de même sur notre appétit.

Une chose manque toujours: un lien nous unissant l'un à l'autre, un sentiment partagé. *L'intimité.*

Mon but, en tant que thérapeute sexuelle, a toujours été de trouver la voie menant à la véritable relation sexuelle amoureuse, c'est-à-dire de découvrir le moyen de faire en sorte que les sentiments amoureux jaillissent à nouveau et d'intégrer ces sentiments dans une vie sexuelle satisfaisante. Se contenter de «régler» un problème sexuel ne suffit pas à ramener des émotions dans notre vie sexuelle. Bien souvent, les rapports sexuels ne sont qu'une autre façon de fuir les sentiments intimes.

Mon premier livre, *Comment faire l'amour à la même personne pour le reste de votre vie,* démontrait comment préserver une vie sexuelle active dans le cadre d'une relation affective durable. J'y décrivais la multitude de façons dont le quotidien d'une relation à long terme peut entraver une vie sexuelle libre, détendue et riche. *Faire l'amour avec amour* est l'envers de ce livre. Il étudie les raisons pour lesquelles nous séparons l'amour de la sexualité — comment nous réprimons nos émotions pour «accomplir» l'acte sexuel et comment nous utilisons les rapports sexuels purement génitaux pour fuir les sentiments amoureux. Mais surtout, cet ouvrage livre ma «recette» de base pour réunir à nouveau l'amour et la sexualité.

ಬಿ

Faire l'amour avec amour s'adresse à cette jeune femme qui m'a confié ceci: «Ces temps-ci, les rapports sexuels ne font qu'amplifier mon sentiment de solitude. C'est comme s'ils accentuaient le fait qu'il n'y a presque plus rien entre mon mari et moi.»

Il répond également à cet homme d'âge mûr qui m'a demandé: «Comment puis-je me forcer à faire l'amour alors que j'ai l'impression qu'il ne reste plus d'amour à faire?»

Cet ouvrage constitue un guide pour les centaines d'hommes et de femmes qui viennent me consulter pour savoir s'ils pourront un jour encore connaître une véritable intimité sexuelle.

Ma réponse est un «oui!» retentissant. Si vous êtes prêt à l'essayer, le programme décrit dans ce livre peut vous conduire dans un univers d'intimité sexuelle que vous n'avez probablement jamais connu jusqu'ici.

Je suis même convaincue que mon programme fera encore plus pour vous. En apprenant (ou en réapprenant) comment faire l'amour avec un sentiment véritable, je suis persuadée que vous pourrez améliorer tous les aspects de votre relation — *à l'intérieur comme à l'extérieur de votre chambre à coucher*. En puisant directement dans vos sentiments les plus intimes, vous pouvez diminuer considérablement la culpabilité, les récriminations, la dépendance et la rancune qui peuvent s'être accumulées entre vous et votre partenaire pendant des années.

Depuis quelque temps, un nombre croissant de psychothérapeutes conventionnels connaissant des problèmes sexuels viennent me «consulter» en compagnie de leur conjoint. En effectuant les exercices sensuels progressifs décrits dans cet ouvrage, ces couples ont été étonnés de découvrir tout un éventail de changements dans leurs relations: ils ont commencé à s'écouter l'un et l'autre avec plus de patience, ils communiquent plus facilement, ils se disputent moins et rient davantage. Mais ce qui a vraiment ébahi ces thérapeutes, c'est qu'ils grandissaient également sur le plan individuel, qu'ils ressentaient plus de joie, de spontanéité et de romantisme dans tous les aspects de leur vie.

«Je me sens merveilleusement bien sauf pour une chose, m'a dit en riant un psychanalyste qui en était à la fin du programme. Comment puis-je retourner à mes thérapies purement verbales maintenant que je sais qu'un contact vaut mille mots?»

En effet, de nombreux couples de ma connaissance qui ont «discuté de leur relation» d'aussi loin qu'ils se souviennent en arrivent finalement à un contact vraiment intime l'un avec l'autre lorsqu'ils suivent mon conseil: «Taisez-vous et laissez vos corps devenir amis.»

Après avoir lu mon premier ouvrage, des gens de partout dans le monde m'ont écrit pour me dire à quel point j'avais bien compris leurs problèmes. Un grand nombre d'entre eux terminaient pourtant leur lettre en déplorant que je dise tout *au sujet* de leurs problèmes, mais pas suffisamment sur la *façon* de les régler. «*Comment* pouvons-nous changer? me demandent-ils. Que pouvons-nous *faire* précisément pour améliorer notre vie amoureuse?»

Comme mon premier livre, *Faire l'amour avec amour* repose principalement sur les témoignages, tant de couples que d'individus, que j'ai accumulés depuis dix-sept ans que je travaille en tant que sexothérapeute dans un hôpital, dans une université et en cabinet privé. Pour la deuxième partie en particulier j'ai puisé dans des expériences vécues à l'intérieur de mes ateliers d'épanouissement sexuel par des couples qui n'avaient pas de problèmes graves mais qui, quand même, désiraient retirer davantage — davantage de sentiments surtout — de leurs relations sexuelles. À nouveau, j'aborde dans ce livre la vie sexuelle de la seule façon que je connaisse: avec la conviction que la plupart d'entre nous ont sensiblement le même problème bien que leurs symptômes soient différents, et que la chaleur, la patience et l'humour contribuent largement à les aider à surmonter ces problèmes.

Dans la première moitié de cet ouvrage, «Qui a dérobé aux ébats amoureux tout leur amour?», je décris les raisons pour lesquelles tant de gens dissocient l'amour de la sexualité. Vous y apprendrez tout sur «l'anxiété amoureuse», sur les différentes peurs dans lesquelles elle est enracinée et sur la distinction entre «avoir des rapports sexuels» et «faire l'amour». J'y explique comment notre préoccupation de «tout avoir» nous a donné des «mariages minute» au programme desquels nous réussissons efficacement à ne ménager qu'une petite place aux rapports sexuels, chassant du même coup les sentiments de nos relations. À l'aide d'exemples, vous verrez comment les mythes sexuels, tant anciens que nouveaux, continuent de dissocier amour et sexualité; pour les hommes, le mythe selon lequel «les durs ne dansent pas» et pour les femmes, le mythe selon lequel «les femmes libérées ne sont pas émotives». Je montre dans cette première partie comment le fait de troquer les rapports sexuels contre l'amour et l'amour contre les rapports sexuels peut priver une relation de tout sentiment, tant affectif que sensuel. Puis, dans «Infidèlement vôtre», j'explique comment le fait de confondre rapports sexuels et amour peut aggraver le dilemme de l'infidélité. En ces temps de peurs sexuelles légitimes, les relations sexuelles sans danger prouvent qu'«à quelque chose malheur est bon» en favorisant la franchise sexuelle et un intérêt accru pour l'aspect émotionnel de la sexualité. Enfin, j'examinerai comment se traduit, des points de vue émotionnel et pratique, la réunion de l'amour et de l'acte sexuel.

La deuxième partie vous guidera, étape par étape, à travers ce que j'appelle les «exercices sensuels progressifs», une thérapie «manuelle» qui réveille les émotions; une route à travers les sens menant directement au cœur. Ce sont là des exercices qui libèrent notre capacité de ressentir et d'exprimer l'amour en explorant notre sensualité. C'est un programme efficace; si vous le voulez, il fera des merveilles. Dans le premier chapitre, «Passons sur cette partie du livre, d'accord, mon amour?», je parlerai de votre réticence naturelle, à vous et à votre partenaire, à essayer ces exercices, et vous montrerai combien vous avez à gagner en triomphant de cette réticence. Dans «Je veux que tu me caresses, maintenant», j'exposerai en détail la semaine numéro un de ces exercices et dans «À chacun ses préférences», je passerai en revue les différentes joies que vous pourrez avoir connues et les différents alibis auxquels vous aurez eu recours au cours de cette première semaine. Puis, dans «Faites un gâchis de votre vie amoureuse», je vous montrerai comment amener, au cours de la semaine numéro deux, ces exercices au stade suivant de sensualité, comment vous pouvez mettre fin à vos inhibitions en changeant de simples habitudes et comment vous pouvez faire frissonner votre corps tout entier en expérimentant de nouvelles façons de vous toucher l'un et l'autre. Dans «Partagez votre secret le plus intime», je vous montrerai comment franchir l'ultime barrière émotionnelle et sexuelle vers l'intimité véritable. Puis dans «Comme un beau fruit» et dans «Je te montre les miens si tu me montres les tiens» je vous conduirai, étape par étape, dans des aventures génitales qui sont érotiques sans être menaçantes. Enfin, dans «L'amour que vous faites», je vous montrerai comment ce que vous avez vécu au cours de ces exercices s'intègre dans une relation affective durable.

Une jeune femme m'a révélé récemment qu'elle avait cru défaillir à la vue d'un homme et d'une femme dans un taxi qui s'embrassaient passionnément et amoureusement.

«Une fois passée la révolution sexuelle, c'est toujours pareil, me dit-elle. Je désire toujours ce genre de sentiments, ce genre d'amour.»

Je sais exactement ce qu'elle voulait dire.

Nous avons tous lu un nombre incalculable de livres sur la mécanique des rapports sexuels génitaux qui prétendent parler de faire l'amour. Mais je crois, et c'est là l'opinion de la plupart des gens que je connais, que ces livres se sont trompés de direction. Ce sont de nos cœurs dont nous sommes inquiets, pas seulement de nos organes génitaux. Et c'est pourquoi j'ai écrit ce livre.

PREMIÈRE PARTIE

Qui a dérobé aux ébats amoureux tout leur amour?

Chapitre premier

Avez-vous des rapports sexuels ou faites-vous l'amour?

«C'était bon pour toi?

— C'était bien.

— Seulement bien? Mais j'étais certain que tu avais eu un ... tu sais.

— Un orgasme? J'en ai eu deux.

— Super! Qu'est-ce qui ne va pas alors?

— C'est seulement que je me sens plutôt vide. Et plus seule qu'avant que nous commencions.

— Oh. Peut-être devrions-nous le faire encore.»

Quoi de mieux que d'avoir des rapports sexuels pour réprimer nos sentiments profonds et feindre l'intimité du même coup? Nous pouvons nous y jeter à corps perdu, chair contre chair, atteindre des orgasmes prodigieux, puis nous convaincre que nous avons eu un vrai contact intime l'un avec l'autre. Après tout, nous venons tout juste de faire «l'amour», n'est-ce pas?

Mais la plupart d'entre nous ne sont pas dupes très longtemps. Bien souvent, nous sentons qu'il manque quelque chose, quelque chose d'essentiel, et nous commençons à nous sentir isolés, émotionnellement sous-alimentés et terriblement seuls.

Alors nous essayons une nouvelle fois. Nous *avons des rapports sexuels* avec encore plus d'enthousiasme et de compétence.

Nous étudions le point G et les zones érogènes. Nous collectionnons les livres érotiques et maîtrisons les techniques qui nous inciteront à avoir des relations sexuelles plus souvent et à avoir des orgasmes encore plus exaltants. Si tout échoue, nous cherchons un nouveau partenaire sexuel.

Et, tout ce temps, nous nous sentons encore plus seuls.

Car, en fin de compte, avoir des rapports sexuels ne pourra jamais être aussi satisfaisant que *faire l'amour*. En nous concentrant sur les sensations génitales et sur l'orgasme — nous faire jouir l'un l'autre et en finir au plus vite —, nous perdons notre seule chance de nous sentir comme des êtres humains entiers.

Dans notre monde d'adultes, nous passons nos journées à refouler nos émotions; nous agissons comme des êtres civilisés au lieu de hurler notre colère, de bâiller d'ennui ou de pouffer de rire devant l'absurdité de tout cela. Nus et seuls avec notre partenaire, nous voulons nous sentir entiers à nouveau, donner libre cours à nos sentiments. Nous languissons surtout après les sentiments tendres, amoureux — sentiments qui nous accordent la magie de nous fondre l'un dans l'autre ne serait-ce que quelques heures.

«Ne jouez pas les mystiques avec nous, Dagmar, protesterez-vous. Tout ce que vous dites au fond, c'est qu'il existe une grande différence entre le faire rapidement et le faire lentement, n'est-ce pas?»

J'ose espérer qu'il y a beaucoup plus que cela. Je n'aurai pas trop de tout ce livre pour décrire la différence entre avoir des rapports sexuels et faire l'amour et pour faire en sorte que cette différence soit tout à fait claire. Mais, oui, il est vrai qu'il faut du temps pour faire l'amour. Il faut d'abord adopter une attitude qui nous permette de nous concentrer sur autre chose que nos organes génitaux et nos orgasmes et de nous toucher l'un l'autre d'une façon langoureuse en éprouvant toute une gamme de sensations tant sensuelles et émotives que sexuelles.

Ce sont les sensations dont l'amour est fait.

Ce sont aussi les sensations qui nous font affreusement peur.

La sensuothérapeute

Pendant toutes les années au cours desquelles j'ai pratiqué la thérapie, je n'ai jamais vu autant de personnes venir me consulter en déplorant que l'amour manquât dans leurs relations sexuelles. Les hommes me disent qu'ils se sentent «engourdis» avec leur partenaire, qu'ils ont l'impression d'être des observateurs éloignés dans leur propre chambre à coucher, qu'ils ne sont «excités» que lorsqu'ils fantasment sur quelqu'un d'autre. «Quelque chose ne va vraiment pas chez moi, confessent-ils d'un air affligé. Je suis incapable d'éprouver quoi que ce soit.»

Pourtant, en même temps, je n'ai jamais rencontré autant de couples dont la vie est construite de telle façon qu'il est pratiquement impossible pour eux d'entretenir un contact sensuel durable et suivi. Sans s'en rendre compte, ils ont mis de côté la principale source des sentiments dont ils ont tant besoin.

Ces couples voudraient que je leur fasse retrouver leurs sentiments amoureux en *réglant* un problème sexuel ou en leur apprenant à mieux *faire*.

«Oubliez les rapports sexuels, leur dis-je. Pour l'instant, cela ne fait que barrer la route à vos sentiments. Ce dont vous avez besoin — ce dont nous avons vraiment besoin — c'est d'apprendre à établir un contact sensuel l'un avec l'autre. Une fois que cela fait partie de notre vie, la sexualité et l'amour suivent naturellement.»

Une sexothérapeute qui dit: «Oubliez les rapports sexuels»?

C'est moi. Je devrais peut-être changer mon titre pour «Dagmar O'Connor, *sensuo*thérapeute». Car d'après mon expérience, les sensations sexuelles, aussi merveilleuses soient-elles, ne sont qu'une fraction de la gamme infinie de sentiments que nous pouvons ressentir en faisant véritablement l'amour.

Lorsque nous faisons vraiment l'amour, nos sentiments et nos sensations physiques sont libres des *idées* en matière sexuelle. Il est facile de comprendre comment la sexualité et l'amour furent séparés à l'époque victorienne: la première était *sale,* le second était divin, et les deux étaient irréconciliables. Cette même distinction existe toujours, mais d'une façon différente, à notre époque. La sexualité n'est plus immorale — en fait, c'est bien vu d'être sexuellement athlétique et compétent —, pourtant, l'érotisme n'a toujours que peu à voir avec notre sentiment d'intimité.

Lorsque nous nous autorisons à nous caresser tranquillement l'un l'autre de la tête aux pieds, lorsque nous faisons durer l'excitation au lieu de nous empresser de passer à *l'étape suivante,* l'engourdissement fait place aux sensations et les obstacles qui nous séparent se mettent à s'écrouler. Nos défenses tombent les unes après les autres, notre colère et notre méfiance s'estompent. Nous nous retrouvons l'un face à l'autre dans une nudité nouvelle et étonnante. Nous avons découvert le sentiment qui manquait, la véritable intimité qui mettra fin à notre sentiment de solitude. Cela évoque à notre inconscient la plus grande proximité que nous ayons éprouvée avec un autre être humain: nous sommes comme des bébés sensuels ne faisant qu'un avec leur mère.

C'est alors que commence la terreur que j'appelle «anxiété amoureuse».

«Au secours, je me sens trop bien!»

Chaque fois qu'un couple entame sa première séance de thérapie en me parlant de «ces vacances merveilleuses» qu'ils ont passées — de ces longs après-midi d'amour dans leur chambre d'hôtel donnant sur la mer —, je crains le pire. Immanquablement suit l'histoire d'une dispute cruelle pendant le vol de retour, de semaines ou de mois sans aucun contact physique sinon des rapports sexuels impersonnels, pour la forme, ou pire, une infidélité la semaine même du retour à la maison.

«Comment a-t-il pu me faire ça? m'a demandé une patiente en pleurant. Nous venions de passer la semaine la plus merveilleuse de toute notre vie, une semaine remplie d'amour et de tendresse, nous avions fait l'amour pendant des heures et, deux jours plus tard, il était au lit avec cette femme qu'il connaissait à peine. Il n'a aucun sentiment!»

Je lui ai répondu: «Au contraire. Après avoir fait l'amour avec autant d'intensité, il éprouvait probablement plus de sentiments qu'il n'est capable d'en supporter. *Avoir des relations sexuelles* avec une étrangère a été sa façon de fuir ces sentiments étouffants.»

De même, rentrer à la maison et retrouver un quotidien vide de sexualité ou dans lequel les rapports sexuels sont dépourvus de sentiments constitue un moyen courant d'étouffer les sentiments envahissants qui ont été libérés d'un seul coup alors que nous avons fait l'amour d'une façon inhabituelle pendant un certain temps. C'est malheureux, mais naturel. Tant que vous ne serez pas familiarisé avec ces sentiments nouveaux et puissants, tant que vous ne serez pas sûr qu'ils sont sous votre gouverne, vous reculerez automatiquement devant eux. L'anxiété amoureuse fait vraiment très peur.

L'envers de ce merveilleux rapprochement que nous ressentons lorsque nous faisons l'amour, c'est la vulnérabilité terrifiante que nous éprouvons. Nous nous sentons vraiment comme un nouveau-né dans les bras de sa mère, mais cette sensation de confort rassurant s'accompagne de la peur que la mère nous engloutisse, nous dépouille de notre indépendance et de notre identité. Nous craignons de perdre la maîtrise de toutes nos émotions. Ou, pire encore, qu'elle nous abandonne.

La plupart d'entre nous sont familiarisés avec ce réflexe qui peut nous amener en un éclair à reprendre conscience juste au moment où nous allions glisser dans le sommeil. Cela nous arrive probablement lorsque nous sommes exténués et que nous sombrons si vite dans l'inconscient que nous avons l'impression de tomber d'une fenêtre. Un réflexe similaire peut nous ramener à la réalité juste au moment où nous commençons à flotter sur un nuage de sensualité avec notre partenaire; nous revenons brusquement à nous, terrifiés à l'idée de perdre les commandes. Quelque part dans notre préconscient, nous sentons que si nous ne reprenons pas rapidement les commandes, nous ne sortirons jamais de ce lit; nous ne ferons que nous caresser et nous enlacer, nous sucer et nous accrocher l'un à l'autre pour toujours. Nous serons éternellement pris au piège de cette relation. Nous sentons que notre besoin de ce contact intime est si grand que si nous allons jusqu'au bout, nous ne serons plus jamais capables de vivre de nouveau comme des adultes. *«Comment moi, femme abandon-née et voluptueuse, pourrai-je jamais me remettre à diriger le service juridique ou à préparer les repas pour cinq per-sonnes?»*

Alors nous tuons dans l'œuf les sentiments puissants qui nous envahissent en revenant immédiatement aux rapports sexuels. Nous nous concentrons sur nos sensations génitales et visons directement l'orgasme. L'orgasme devient une façon de mettre un terme à toute l'expérience, de reprendre la maîtrise de nos émotions.

«Oh, mon Dieu, qu'est-ce que je faisais là à flotter sur ce nuage sensuel? Il est temps de me remettre au travail. Où en étais-je? Ah oui, j'essayais de faire des orgasmes.»

Contrairement au mythe populaire de la sexualité et de l'amour, lorsque vous jouissez, la communion est terminée. C'est un fait physiologique. Lorsque vous êtes en plein orgasme, vous ne pouvez *pas* vous concentrer sur votre partenaire ou sur quoi que ce soit d'autre. Vous êtes seul. Comme le dit si bien Woody Allen, notre sage sexuel le plus en vue, «l'amour engendre le stress, l'acte sexuel le soulage».

Le paradoxe amoureux: se retenir en se laissant aller

Je crois que très peu d'entre nous savent comment faire l'amour intimement. Le processus comprend de nombreuses étapes, et nous passons outre la plupart d'entre elles, physique-ment et émotivement.

C'est terriblement dommage. Car la plupart d'entre nous sen-tent plus que jamais le besoin de se sentir proches de quelqu'un. Dans notre monde d'adultes où règne une cruelle compétition, nous aspirons ardemment à la consolation et aux plaisirs que nous procurent les ébats amoureux intimes.

Eh bien, voici une bonne nouvelle: nous pouvons apprendre à tout avoir: le contact intime l'un avec l'autre et le sentiment pro-fond de notre propre individualité. Nous pouvons apprendre à

être en communion pendant un long après-midi sensuel sans succomber à notre peur d'être engloutis. Le truc, c'est d'apprendre
comment laisser aller complètement nos émotions *tout en conser-
vant* la certitude que nous les dominons totalement. Ce n'est que
quand vous saurez cela que vous pourrez revenir encore et encore
aux plaisirs intimes *sans* succomber aux terreurs de l'anxiété
amoureuse.

Vous devez commencer par reconnaître votre besoin de rentrer
dans votre coquille lorsque vos sentiments menacent de vous
étouffer. C'est un instinct de conservation. Oui, après ces merveilleuses vacances pendant lesquelles, jour après jour, vous avez
fait l'amour langoureusement et desquelles vous émergez avec les
émotions à fleur de peau, il est parfaitement sensé de ne pas vouloir échanger un mot, encore moins une caresse, sur le chemin du
retour. Car, pour un temps, les frontières qui vous séparaient se
sont vraiment écroulées, vous vous êtes vraiment perdus. Vous
avez donc tous les deux besoin de reprendre contact avec vous-
mêmes — de respirer un peu. Vous avez besoin de vous isoler,
de commencer à planifier un voyage d'affaires, de détourner la
tête et de lire le journal, de parler à un étranger. Et vous devez
également reconnaître à votre partenaire le besoin de faire la même
chose sans interpréter son attitude comme un rejet, une trahison
ou de la froideur.

Une fois que cela sera établi, une fois que vous pourrez sincèrement admettre l'un et l'autre qu'une trop grande intimité peut
être effrayante, vous ne retrouverez plus à la maison un purgatoire
que vous aurez vous-mêmes créé: des mois sans contact sexuel
sinon pour la forme, ou pire, une réelle trahison sexuelle.

Mais tout d'abord, comment pouvons-nous apprendre à faire
intimement l'amour?

Grâce à une série d'exercices sensuels progressifs qui réveillent doucement nos sentiments amoureux et qui, par la même occasion, éloignent de nous les terreurs de l'anxiété amoureuse.
Étape par étape, nous permettons à ces sentiments de s'intensifier,
de couler en nous et entre nous. Et comme chaque jour nous sor-
tons intacts du lit sensuel — avec la totale maîtrise de nos émotions —, il nous sera plus facile de communier intimement la pro-

chaine fois que nous y entrerons. Au cours des mois, nous apprenons le grand art de nous retenir en nous laissant aller. Cette expérience peut changer la vie de ceux qui ont la chance d'avoir une relation durable en y ajoutant beaucoup de sentiments et de sensualité.

«*Un instant, Dagmar,* s'exclameront des dizaines d'entre vous. *Pendant des années vous nous avez sermonnés pour que nous cessions de prendre les rapports sexuels trop au sérieux et que nous nous amusions au pieu au lieu de toujours tout charger de signification. Maintenant, tout à coup, nous sommes censés* faire l'amour *au lieu d'avoir simplement des rapports sexuels. Qu'est-ce qui se passe? Vous commencez à parler comme un animateur de pastorale plutôt que comme une sexothérapeute!*»

Comprenez-moi bien. La dernière chose que je veuille est de faire de votre vie sexuelle une affaire mortellement sérieuse. Je ne crois pas du tout non plus que vous deviez laisser tomber ces adorables petites séances occasionnelles ou ces batifolages érotiques. Mais, quelque part en chemin, nous sommes trop nombreux à avoir abandonné nos émotions les plus intimes, à les avoir sacrifiées en échange de rapports sexuels vides de sensibilité, ce qui nous a laissés sur notre faim et seuls.

Et ce n'est qu'en faisant l'amour que nous pourrons retrouver ces sentiments.

Chapitre 2

Le mariage minute

Craig C. entra dans mon bureau devant sa femme Elizabeth, d'un pas dynamique et décidé. Son métier de réalisateur à la télévision l'obligeant à voyager beaucoup, Craig avait insisté au téléphone pour que l'heure de notre rendez-vous soit flexible en raison des exigences de leurs emplois respectifs. Elizabeth est directrice de rédaction dans un magazine.

«Qu'est-ce qui vous amène? leur ai-je demandé dès qu'ils ont été assis.

— Je jouis trop vite, m'a lancé Craig en me regardant droit dans les yeux.»

J'acquiesçai en hochant la tête, pas le moins du monde surprise. Après avoir pratiqué la thérapie sexuelle pendant plus de dix-sept ans, je détecte assez facilement ce symptôme particulier chez les hommes. Craig correspondait parfaitement au profil de l'éjaculateur précoce: il marchait et parlait rapidement, c'était un homme pressé qui en venait directement à l'essentiel. Apparemment, il se comportait au lit comme pour le reste. Sauf que la chambre à coucher était le seul endroit où Craig n'était pas récompensé pour son efficacité et sa rapidité.

«Vous jouissez trop vite par rapport à quoi? lui ai-je demandé.

— Pour elle, évidemment, a répondu Craig, sur un ton quelque peu ennuyé. En général, j'en ai terminé après quelques minutes seulement, et il lui faut plus de temps pour avoir un orgasme.

— Au moins cinq minutes de plus, a dit Elizabeth, d'une voix neutre. Sans quoi, ça me laisse une impression d'inachèvement.»

Je les ai regardés tous les deux. Ils étaient exceptionnellement séduisants, dans la trentaine, énergiques, puissants, talentueux, de ces couples ultraperformants dont on parle souvent dans les magazines comme celui d'Elizabeth. Ils étaient du genre productif et cela s'appliquait également aux rapports sexuels, bien sûr. Même Elizabeth parlait de leur vie sexuelle comme d'une tâche à accomplir: elle avait évalué à cinq minutes le temps nécessaire pour avoir l'impression de l'avoir «achevée». Tous deux semblaient me dire: «Réglez le problème de notre vie sexuelle et réglez-le vite!»

Je me suis tournée vers Elizabeth. «J'imagine que la solution la plus efficace serait que vous appreniez à jouir aussi rapidement que Craig, lui ai-je dit avec l'ombre d'un sourire. Peut-être qu'avec un peu d'entraînement, vous pourriez jouir tous les deux en moins d'une minute.»

Ils m'ont dévisagée tous les deux d'un air incrédule puis, Dieu merci, ils ont pouffé de rire. Ce rire marquait le premier pas vers une relation plus heureuse. Ils commençaient à se rendre compte que la super-efficacité sexuelle n'a pratiquement rien à voir avec le plaisir de faire l'amour.

«Vous souvenez-vous du temps où faire l'amour signifiait une journée complète au lit?»

Après le livre *The One Minute Parent* (Parents minute) dont la publicité nous a rebattu les oreilles, je crois que ce n'est qu'une question de temps avant que soit publié un livre intitulé *Le Mariage minute,* un manuel de référence qui nous dira comment insérer les rapports sexuels et une intimité de qualité dans la vie d'un couple dont le programme est très chargé. Il y aurait un chapitre sur la façon de communiquer efficacement entre partenaires — comment discuter des enfants, des factures, et de votre amour éternel l'un pour l'autre à l'aide de phrases concises et accrocheuses — et un autre qui vous expliquerait comment faire en sorte que votre conjoint devienne un travailleur plus productif dans la *minicorporation* conjugale. Et, bien entendu, le chapitre le plus important vous dirait comment faire l'amour en allant directement à l'essentiel: comment avoir des rapports sexuels minute. Dieu sait que la moitié des couples qui viennent me consulter ces temps-ci semblent chercher ce genre de conseils, du moins jusqu'à ce que j'intervienne.

La notion de relations *efficaces* me fait parfois vraiment sortir de mes gonds. S'il est une chose qui me fait perdre mon sang-froid thérapeutique, c'est de voir deux personnes intelligentes et instruites qui me déclarent qu'ils travaillent chacun soixante-dix heures et plus par semaine (souvent ce ne sont pas les mêmes heures), qu'ils dînent séparément plus souvent qu'ensemble, qu'après le travail ils se relaxent à des clubs de santé différents et qui ne comprennent pas pourquoi leur vie sexuelle va de travers. Et ils me demandent avec impatience comment je peux régler ça pour eux le plus rapidement possible.

Je voudrais leur crier: «Faire l'amour n'est pas seulement un autre point à l'ordre du jour. Ce n'est pas une autre tâche à accomplir. N'y a-t-il donc personne qui se souvienne du temps où faire l'amour signifiait passer la journée entière au lit?»

Cela me donne l'impression d'être terriblement démodée et, Dieu merci, très romantique.

«Je ne sais pas ce qui nous arrive, m'a confié Christine, jeune directrice dans une firme d'informatique. Bob [son mari] et moi avions l'habitude de faire l'amour deux ou trois fois par semaine, même lorsque nous étions très occupés. Aucun problème. Mais depuis environ six mois, nous l'avons fait de moins en moins puis nous ne l'avons plus fait du tout.»

J'ai vite appris que ces jeunes mariés passaient moins d'une heure ensemble chaque soir de la semaine. Au début de leur mariage, ils arrivaient à ménager une place pour les rapports sexuels dans le peu de temps qu'ils se consacraient, mais ensuite, comme le dit Bob, il en a «simplement perdu l'envie».

«Je ne crois pas que ce soit l'envie qui vous ait laissé tomber. C'est vous qui l'avez laissée tomber, lui ai-je dit. J'ai l'impression que vous ne vous êtes pas accordé suffisamment de temps pour ressentir quoi que ce soit. Votre corps a simplement décidé d'en rester là.»

Plus tard, Christine a avoué qu'elle était si préoccupée par son emploi du temps qu'elle se mettait à penser à ce qu'elle ferait après les rapports sexuels avant même qu'ils aient commencé.

«Je pensais à toutes les choses que je devais faire avant le lendemain, puis je m'inquiétais de savoir si j'aurais suffisamment de sommeil, disait-elle. Bientôt mon esprit s'évadait complètement de ce qui se passait. Je ne pouvais tout simplement pas être vraiment présente.»

Malgré tout ce qu'on raconte prétendant que les couples menant des vies productives et indépendantes ont des relations plus détendues et exigent moins l'un de l'autre, les couples productifs et indépendants que je connais ont les même vieilles exigences l'un envers l'autre — ils ont simplement moins de temps pour les satisfaire. Avec un œil sur l'horloge, ils doivent s'efforcer de trouver du temps pour les discussions intimes et les contacts physiques en plus de s'occuper de tout ce qu'il y a à faire pour faire fonctionner le petit monde de la maison et de la famille. Et le fait est que nos émotions les plus intimes et nos sensations les plus profondes refusent de se laisser bousculer.

Lorsque l'intimité est soumise à des restrictions temporelles, il faut laisser tomber quelque chose, et c'est souvent notre corps qui abandonne le premier. De plus en plus, les problèmes d'ordre sexuel que j'ai à traiter sont les résultats négatifs d'un mode de vie obsessionnel-compulsif. Ces hommes et ces femmes sont bien résolus à être productifs, à ne pas perdre une minute, mais l'enfant en eux a tellement soif d'amour véritable qu'il se rebelle. Résultat: ou bien les rapports sexuels diminuent jusqu'à disparaître, ou bien il jouit trop vite, ou bien elle ne jouit pas du tout.

Craig et Elizabeth avaient programmé leur vie de telle façon que Craig avait l'impression de ne pas pouvoir se permettre de prendre le temps de savourer l'excitation; il la court-circuitait donc complètement en éjaculant quelques minutes seulement après le début de la relation. L'éjaculation précoce est presque toujours un symptôme de rapports sexuels pleins d'anxiété et chronométrés. De même, les femmes anorgastiques sont souvent victimes de ce qu'elles perçoivent comme des pressions temporelles: elles sont tellement sûres qu'il leur faudra trop de temps pour atteindre l'orgasme qu'elles laissent tomber et n'en ont pas du tout. Auparavant, ces deux symptômes trouvaient leur origine sur la banquette arrière des voitures et dans les salles de jeu des sous-sols où plus vite la séance était terminée, moins il y avait de chances que les jeunes amoureux se fassent prendre en flagrant délit. Mais de nos jours, ils semblent trouver leur origine dans les écoles de commerce et les salles de conférences; vouloir atteindre l'objectif aussi rapidement que possible est une façon de voir de plus en plus répandue, et il est difficile de changer cette vision des choses dès qu'on passe la porte de la chambre à coucher.

En particulier si votre partenaire est également pressé.

Depuis le début, je soupçonnais Elizabeth d'être aussi responsable que Craig de la vitesse qui caractérisait leur vie sexuelle. Lorsque je me suis mise à lui poser des questions sur leurs habitudes sexuelles, en particulier sur ses préférences pour atteindre l'orgasme, elle m'a donné des réponses brèves sur un ton quelque peu irrité pour me dire finalement que, de toute façon, rien de tout cela ne «s'appliquait» vraiment à la question.

«Je veux bien apporter mon appui, m'a-t-elle dit, mais ne devriez-vous pas plutôt vous pencher sur Craig?

— Pendant que vous observerez? ai-je répondu. Ça ressemble un peu à ce qui se passe dans votre chambre.»

À la fin de la première séance, je leur ai demandé de tenter une expérience: «Lorsque Craig sera en Californie cette semaine, je veux que chacun de vous se masturbe au moins une fois.»

Comme nous l'examinerons plus en détail dans un prochain chapitre, le seul fait de mentionner la masturbation peut causer des paroxysmes de gêne et de honte chez la plupart des couples: c'est là notre dernier petit secret obscène.

«Vous n'avez pas à en discuter, leur ai-je assuré. Contentez-vous de le faire. Vous n'avez même pas à y consacrer beaucoup de temps.»

J'ai constaté, dès leur entrée dans mon cabinet la fois suivante, qu'il y avait moins de tension entre eux. Craig, en particulier, semblait plus détendu.

«Je me sens moins coupable d'être l'amant instable, m'a-t-il dit en souriant. Comme si je déléguais une part de responsabilité.»

Il avait effectivement délégué une part de la responsabilité des orgasmes d'Elizabeth à cette dernière. Et Elizabeth, non sans une certaine hésitation, a avoué se sentir mieux elle aussi. En n'ayant pas à dépendre de Craig pour ses orgasmes, elle n'avait plus à éprouver ces sentiments d'«inachèvement», de frustration ou de colère. En reconnaissant que le coït n'était pas la seule façon pour Elizabeth de jouir, ils étaient désormais libres *tous les deux* de se concentrer sur l'excitation et sur toutes les sensations qu'elle peut faire naître. La vérité est que, en tant que thérapeute, je ne travaille pas vraiment au niveau des orgasmes; je ne me soucie guère de savoir quand et comment les gens jouissent ou ne jouissent pas. Il semble que la question de l'orgasme s'arrange d'elle-même une fois que l'on a appris à profiter pleinement des sensations qui le précèdent.

«Maintenant que vous n'avez plus à vous soucier de vos orgasmes, leur ai-je dit, vous pouvez passer à ce qu'il y a de plus important: *faire l'amour*.»

Mais pour faire l'amour, Craig et Elizabeth devaient passer beaucoup de temps à «ne rien faire» ensemble, ce qui n'est pas chose facile dans un *mariage minute*.

De l'amour ultra-efficace à l'amour puéril

Un ami suédois se plaisait à raconter cette histoire à propos d'un homme, Sven, qui travaillait dans un important bureau de Stockholm. Un printemps, le patron de Sven se mit à quitter le bureau chaque mercredi à midi. Au bout de quelques semaines, tous les collègues de Sven filaient en douce dès que le patron était sorti, mais pas Sven. Il restait toujours consciencieusement à son bureau jusqu'à dix-sept heures pile. Les collègues de Sven le taquinèrent sans pitié à propos de sa loyauté servile et finalement, un beau jour, Sven se laissa convaincre et partit avec les autres. Il rentra chez lui et grimpa les escaliers. En ouvrant la porte il aperçut son patron au lit avec sa femme. Sven referma la porte sans bruit et s'empressa de retourner au bureau. Il y resta jusqu'à dix-sept heures. Le mercredi suivant, ses collègues lui demandèrent s'il prenait encore congé cet après-midi-là.

«Non, répondit Sven. J'ai failli me faire prendre la dernière fois!»

L'échelle des priorités plutôt bizarre de Sven ne me semble pas plus folle que celles de nombreux couples que j'ai rencontrés récemment. Je me retrouve continuellement en face de couples pour qui *le temps passé ensemble dans l'intimité figure en dernier lieu sur la liste des priorités.* Ils trouvent beaucoup plus facile de dire non à un rendez-vous au lit ensemble que de refuser une occasion d'affaires ou une invitation à une soirée.

Une patiente m'a confié: «J'avais l'impression qu'on pouvait toujours reprendre plus tard le temps que nous ne passions pas ensemble, jusqu'à ce qu'un jour je me rende compte que, année après année, les seules fois où nous passions une matinée complète au lit, c'était pendant les vacances. Nous avions pour ainsi dire reporté les rapports sexuels à plus tard jusqu'à ce qu'ils ne fassent plus partie de notre vie.»

Le mariage a toujours constitué le décor parfait pour fuir les rapports sexuels ainsi que la culpabilité et l'anxiété qui les accompagnent. Nous pouvons nous disputer au sujet des factures juste avant d'aller au lit; blâmer les enfants de nous priver d'intimité; regarder les informations de vingt-trois heures sur le téléviseur de la chambre. Mais de nos jours, les couples ont trouvé l'ultime solution au problème de l'intimité par consentement mutuel: *ils ne sont pratiquement jamais à la maison et réveillés en même temps.*

Craig et Elizabeth représentent parfaitement ces couples qui ont programmé les rapports sexuels de telle façon qu'ils ne font plus du tout partie de leur vie. Pour d'autres, le premier symptôme peut être différent — elle peut voir sa libido diminuer; il est peut être impuissant; ils peuvent tous deux «fonctionner normalement» sauf qu'ils n'ont eu qu'une seule relation sexuelle dans les huit derniers mois —, mais le dénominateur commun est qu'*ils répugnent à se donner le temps d'avoir simplement du plaisir.*

Jouir rapidement n'est qu'une des nombreuses façons «plus effi-caces» d'avoir des rapports sexuels et de fuir la plupart des senti-ments que l'on éprouve lorsqu'on fait l'amour de façon sensuelle. Tout est fini avant même d'avoir commencé: Hop là! c'est tout, les amis, et nous poursuivons avec l'activité suivante au pro-gramme.

À Craig et à Elizabeth, j'ai «prescrit» comme activité suivante le premier des exercices sensuels progressifs. Dans la deuxième partie de ce livre, je vous ferai connaître ces merveilleux exercices en détail, étape par étape, en vous guidant plus profondément dans le domaine de l'amour physique pur. Pour l'instant je me contenterai de vous dire que le but de ces exercices est de refaire connaissance avec les plaisirs délicieux des longs contacts physi-ques: les joies de se faire l'un à l'autre de longues caresses, d'explorer une oreille avec sa langue, ou de sentir des cheveux nous frôler le ventre ou les cuisses.

En outre, ces exercices sont conçus pour vous désensibiliser progressivement des anxiétés qui accompagnent l'intimité prolon-gée — la peur d'être *englouti* par votre partenaire, de perdre toute maîtrise de vos émotions, ou de ne plus jamais être capable de fonctionner comme une personne indépendante. Comme par magie, à mesure que nous redécouvrons les joies de la sensualité qu'on prend le temps de goûter, nous commençons à *trouver le temps* de faire l'amour. En fait, le temps que nous passons en-semble dans l'intimité prend *de plus en plus d'importance* dans le programme de nos journées.

Mais le plus difficile est de commencer les exercices. Les *per-sonnes minute* en particulier y opposent une résistance farouche.

Typiquement, les personnes minute concentrent leur attention sur ce qui se passe dans mon cabinet plutôt que sur ce qui se passe plus tard dans la chambre à coucher. Ils frappent à ma porte à l'heure exacte de leur rendez-vous, ils écoutent attentivement tout ce que je leur dis et jettent un coup d'œil à l'horloge pour s'assurer d'en avoir vraiment pour leur argent. Ensuite, pendant des semaines et des semaines, ils «ne trouvent jamais le temps» de faire les exercices sensuels à la maison. Une femme avait l'habitude d'arriver à mon bureau écritoire en main et de noter soigneusement tout ce que je disais (elle me faisait penser à ces futurs pères qui regardent la naissance de leur enfant à travers une caméra vidéo pour ne pas avoir à se concentrer sur l'accouchement du point de vue des émotions). Cette femme qui prenait compulsivement des notes *oublia* pendant un mois de faire le premier exercice que je lui avais prescrit.

Souvent, un couple protestera en disant que le fait que je leur assigne ces exercices comme des devoirs leur soustrait leur caractère spontané. Je leur rappelle, avec ménagement, que la spontanéité a disparu de leur vie aux horaires surchargés depuis belle lurette.

«Reprenez contact avec le plaisir. Alors la spontanéité reviendra spontanément.»

Souvent, tant le mari que la femme me harcèlent pour que j'accélère le processus. «Nous avons *déjà fait* cet exercice, me disent-ils. Pourquoi ne pouvons-nous pas passer au suivant?»

Comme répondit Thelonius Monk à l'homme qui lui demandait ce que son jazz *signifiait,* je dis: «Si vous devez poser la question, c'est que vous n'êtes pas prêts pour la réponse. Vous ne serez prêts que lorsque vous serez détendus au point que vous ne vous acharnerez plus à vouloir passer au stade suivant.»

D'autres couples sont plus directs: «Je ne peux me permettre de consacrer deux ou trois heures par semaine à ce genre de chose, disent-ils. Qui a le temps?»

Ce sont souvent des gens qui deviennent anxieux s'ils ne font pas au moins deux choses à la fois: ils ne peuvent pas faire de jogging sans écouter leur baladeur — de préférence un cours de macroéconomie. Je leur suggère donc d'envisager les exercices sensuels comme un *projet de recherche.*

«Tracez un graphique dans votre tête décrivant les endroits où vous êtes le plus sensible, dis-je à chacun d'eux. Notez par écrit ce que vous ressentez lorsqu'elle vous caresse.»

Cela commence comme une distraction, mais l'homme a vite fait de se concentrer sur lui-même, sur l'instant présent, et la caresse revêt plus d'importance que le rapport.

Pour motiver certains de ces couples ultraperformants à entreprendre leurs exercices, je dois être directe: «En voulez-vous pour votre argent?»

Qui aurait dit qu'il serait si difficile de faire accepter la sensualité aux gens?

❧

La façon dont un des partenaires résiste à un exercice permet souvent de découvrir un problème fondamental dans la relation. Pour la première semaine, j'ai demandé à Elizabeth d'être l'initiatrice — le partenaire qui décide quand le couple réalise les exercices. L'initiateur devient automatiquement le *caressé,* la personne qui est couchée sur le dos et qui reçoit les caresses aussi longtemps qu'il ou elle le désire. J'ai dit à Craig qu'il devait attendre — défendu de harceler — qu'Elizabeth ait eu son tour avant de demander le sien.

Lorsqu'ils sont arrivés pour la deuxième séance, Elizabeth m'a informé avec bonne humeur qu'elle et Craig avaient passé une semaine merveilleuse ensemble, qu'elle se sentait plus près de lui qu'elle ne l'avait été depuis des années. Mais, incidemment, ils n'avaient pas fait leurs devoirs.

«Aviez-vous peur de perturber ce sentiment de rapprochement en essayant ces exercices?»

Elizabeth leva les sourcils comme si je venais de débiter des absurdités. À la fin de la rencontre, je leur ai demandé d'essayer une nouvelle fois la semaine suivante, Élizabeth étant toujours l'initiatrice.

Encore une fois, rien ne s'est produit. À la rencontre suivante, Élizabeth m'affirmait qu'elle avait eu un horaire de travail complètement fou toute la semaine et qu'ils avaient eu des invités à leur maison de campagne pendant le week-end. J'ai poussé plus fort cette fois.

«Est-ce que l'idée d'être couchée là sans bouger et de vous faire caresser vous rend nerveuse?

— Non, dit-elle en frissonnant.»

J'ai regardé Craig. Au lieu d'avoir l'air malheureux — après tout, la résistance d'Elizabeth à avoir un contact sensuel avec lui pouvait facilement être interprétée comme un rejet —, il avait un petit sourire narquois de gamin. Son regard était vindicatif.

«Elle ne peut *jamais* prendre l'initiative de quoi que ce soit simplement pour le plaisir, a-t-il lancé d'une voix forte. C'est contraire à ses principes. Je dois la supplier pendant des heures pour aller à la plage ou pour regarder un film stupide. Elle n'a jamais le temps. Il y a toujours quelque chose de plus important à faire.»

C'est à ce moment-là qu'Elizabeth a fondu en larmes. Nous en arrivions enfin à l'essentiel.

Depuis le début, les agissements et l'attitude d'Elizabeth disaient à Craig: «Ne t'attends pas à ce que je me couche avec toi pendant une heure sans rien produire. Je suis une personne sérieuse, moi. Je ne perds pas mon temps à des choses aussi frivoles que le plaisir sensuel.»

Aussi, Craig, en travailleur efficace qui faisait toujours ce qu'on lui demandait, avait appris à jouir rapidement. Ainsi Elizabeth n'aurait pas à perdre son temps pour des plaisirs inutiles. Elizabeth avait communiqué son besoin à Craig de façon subtile. Elle n'était pas comme l'épouse d'un éjaculateur précoce de ma connaissance qui ne voulait faire l'amour que lorsqu'ils étaient sur le point de partir pour une soirée — *voilà* une femme qui savait comment régler un chronomètre qu'on n'oublie pas. Il avait fallu la résistance d'Elizabeth face aux exercices sensuels pour que Craig prenne finalement *conscience* du fait qu'Elizabeth chronométrait toute activité agréable.

Pourtant, Elizabeth ne voulait pas vraiment que Craig éjacule avant qu'elle n'ait commencé à ressentir quelque chose. C'est la frustration engendrée par cette situation qui l'avait poussée à chercher de l'aide. Elle était victime de sa propre contradiction: elle voulait *plus de temps* pour atteindre l'orgasme mais sans consacrer *de temps* à l'excitation. Mais ça ne fonctionne pas de cette manière. Si nous essayons de «comprimer» nos relations sexuelles pour qu'elles trouvent une petite place dans notre horaire surchargé, nous en ôtons inévitablement tout le plaisir. Pour qu'Elizabeth puisse seulement essayer le premier exercice, elle devait affronter sa peur intense de «capituler» devant la sensualité: elle était terrifiée; cela signifiait pour elle qu'elle allait perdre son énergie, son emploi, la maîtrise qu'elle exerçait sur la vie. Dans son esprit, elle faisait face à une alternative où la seule autre solution à son amour ultra-efficace était un amour puéril stupidement irresponsable.

Pourquoi Craig souriait-il donc?

Bien sûr, il s'était finalement rendu compte qu'il n'avait pas à assumer tout le blâme pour leur vie sexuelle insatisfaisante. Mais, d'une façon beaucoup plus significative, l'équilibre des forces s'était déplacé de façon spectaculaire. Au lieu d'être celui qui enlevait aux rapports sexuels tout leur attrait, il était maintenant devenu celui qui réclamait le plaisir. Après tout, Craig était celui qui avait essayé courageusement d'emmener Elizabeth à la plage, et elle, de toute évidence, était celle qui résistait. Elle ne pouvait même pas prendre l'initiative de l'exercice sensuel, n'est-ce pas?

Comme nous le verrons fréquemment dans les chapitres qui vont suivre, les couples ont le chic pour se cantonner l'un et l'autre dans les rôles du poursuivant: celui qui réclame du plaisir, contre le poursuivi: celui qui résiste au plaisir. «Il est collet monté, déclare la femme à l'allure sexy en traînant son mari dans mon cabinet. Et je suis si frivole.» Mais hélas, ces étiquettes ne tiennent pas longtemps lorsqu'on y regarde de plus près. Aussi longtemps qu'Elizabeth allait résister à tout plaisir que lui proposait Craig, il allait pouvoir maintenir sa position de *poursuivant* frustré sans avoir à faire face à sa propre anxiété.

Tout de même, le sourire de Craig et les larmes d'Elizabeth leur donnaient l'occasion de percer leur résistance. J'ai demandé à Craig d'être l'initiateur la semaine suivante et, bien entendu, il n'y avait aucune raison pour que le poursuivant refuse. Pour sa part, Elizabeth avait dû reconnaître sa résistance pour ce qu'elle était: de la peur. C'était déjà beaucoup.

Cette fois ça y était: chacun a été capable de se «soumettre» au plaisir pendant quinze minutes cette semaine-là. Et, par le fait même, ils ont commencé à comprendre les deux grandes leçons des exercices sensuels progressifs: le plaisir est sa propre récompense et il ne vous fait pas perdre tous vos moyens. Au cours des deux mois qui ont suivi, Craig et Elizabeth ont trouvé de plus en plus de temps dans leurs horaires pour permettre au plaisir futile d'entrer dans leur vie, pour ne rien faire ensemble. À mesure qu'ils ont ralenti l'allure avec laquelle ils faisaient l'amour et qu'ils ont commencé à apprécier le processus du contact sensuel sans se concentrer sur l'orgasme à atteindre, ils se sont mis à considérer le symptôme initial de Craig — maintenant guéri — comme un cadeau du ciel.

«Ça nous a vraiment réveillés, m'a dit Craig joyeusement. Mon pénis était la dernière partie romantique de mon corps. Il essayait de me dire: Holà! Ou bien tu ralentis ou bien je démissionne. Il savait que nous rations quelque chose de merveilleux.»

Bébé: le but ultime

Dans la comédie futuriste de Woody Allen, *Sleeper,* Woody découvre un monde dans lequel toute reproduction s'effectue en laboratoire et où toute la sexualité est réduite à de rapides visites en solo dans un «orgasmatron»: l'efficacité totale. Les spectateurs se tordent de rire.

L'avenir est à notre porte. Pour venir en aide aux couples dont un sur six souffre de stérilité, la technologie reproductive a créé une variété d'options étonnantes: insémination artificielle, fertilisation *in vitro,* mères porteuses. Pour les personnes stériles, ce sont des miracles. Mais ces merveilles en laboratoire ne sont plus réservées à ces personnes. Elles sont devenues des options pour les couples qui vivent des mariages minute. Pour le couple ultraperformant, la fabrication des bébés en laboratoire garantit la livraison du produit à la date prévue sans désagrément — *ce qui inclut le* désagrément *de faire l'amour.*

La question de la reproduction est toujours soulevée en thérapie sexuelle. Je vois fréquemment des femmes qui sont si terrifiées à l'idée d'une grossesse qu'elles n'arrivent jamais à se laisser aller au lit, se privant d'un orgasme par la même occasion. De plus en plus, je vois des hommes et des femmes ayant des problèmes de fertilité pour lesquels les activités sexuelles se résument à faire un bébé: le seul rapport sexuel qu'ils se permettent est le coït et ils ne s'y livrent que lorsque la température de la femme est propice. Dans les deux cas, je conseille vivement aux gens de s'avouer d'abord qu'ils peuvent jouir d'une sexualité qui n'a rien à voir avec la reproduction. Pour un grand nombre d'entre nous, religieux ou pas, la sexualité par pur plaisir qui est *explicitement* distincte de la reproduction peut éveiller une sérieuse anxiété. C'est pourquoi tant de gens refusent d'essayer des pratiques sexuelles autres que le coït: au plus profond d'eux-mêmes, ils pensent qu'ils ne devraient pas faire ce genre de choses juste pour le plaisir. Ce ne serait pas *naturel*. De même, je connais de nombreuses femmes brillantes et raffinées qui ne se sont jamais vraiment bien renseignées sur la contraception, car cela les forcerait à admettre que, la plupart du temps, elle ne recherchent que le plaisir sexuel et non la conception d'un bébé.

J'ai donc toujours conseillé aux couples de faire une distinction entre la sexualité reproductive et la sexualité récréative, entre faire des bébés et faire la foire. Je leur dis: «Une fois que vous avez accepté le fait que vous n'essayez pas vraiment de faire un bébé chaque fois que vous faites l'amour, vous commencez à vous amuser sexuellement, d'une foule de façons.»

Puis sont arrivées les personnes minute, et j'ai commencé à avoir des doutes. Car pour nombre de ces couples ultraperformants, faire des bébés et faire l'amour sont des activités un peu trop distinctes. Ils voient la reproduction comme un autre problème d'*efficacité,* et le bébé, comme un autre *produit à produire.*

«J'ai trente-six ans, mon horloge biologique marque les heures et je suis sur le point d'obtenir une promotion importante l'an prochain, je veux donc avoir mon bébé avant cela, m'a dit Joanna, un agent de publicité. C'est pourquoi je vais aller dans une clinique d'insémination artificielle.

— Mais pourquoi êtes-vous ici?»

Son mari a baissé les yeux.

«Parce que nous ne faisons plus jamais l'amour», a-t-il dit.

J'ai secoué la tête, incrédule. C'était comme si leurs deux problèmes — faire l'amour et faire des bébés — exigeaient deux solutions totalement différentes. Est-ce que j'allais devoir expliquer à ce couple d'ultraperformants que les bébés ne naissent pas dans les choux?

«Voici ma règle, leur ai-je dit. Vous pouvez soit attendre d'avoir eu votre bébé par insémination artificielle pour commencer la thérapie, soit attendre un an après avoir terminé la thérapie pour aller de l'avant avec l'insémination artificielle, si vous en avez encore besoin. Mais vous ne pouvez pas travailler à résoudre vos deux problèmes en même temps comme des questions séparées.»

Joanna m'a lancé un regard furieux.

«J'espère que vous déciderez de travailler d'abord sur vos rapports sexuels. Faire l'amour dans l'espoir de concevoir un enfant peut être la façon la plus merveilleuse d'avoir des rapports sexuels. Mais ni l'amour ni les bébés ne peuvent se faire à la hâte.»

Ralentir était la meilleure chose qui pouvait leur arriver. Ils devinrent enfin capables de prendre contact avec leurs sentiments, et une vie sexuelle plus active s'ensuivit naturellement. Une autre chose s'ensuivit naturellement. Je suis heureuse de vous annoncer qu'un an et demi plus tard, Joanna devint enceinte — à la manière de nos grand-mères.

«C'est un miracle», m'a-t-elle dit joyeusement au téléphone.

C'en est vraiment un — à tout coup.

Fred, mon studio de santé

«Je n'y comprends plus rien, m'a confié récemment un collègue. La moitié des gens qui viennent me voir sont célibataires et sont terrifiés à l'idée de passer le reste de leur vie tout seuls. Et l'autre moitié sont des gens mariés qui ont organisé leur vie de telle façon qu'ils ne voient leur conjoint qu'un soir par semaine. Est-ce là tout ce que désire la première moitié: un mariage qui se résume à un rendez-vous de trois heures?»

En fait, je pense que les deux camps désirent beaucoup plus que cela. J'aime à penser que, au plus profond de leur cœur, ces personnes minute sont des romantiques incurables. Dans toutes ces unions où il n'y a jamais personne à la maison se cache un être sensuel qui désire vraiment rester chez lui toute la journée, de préférence au lit avec son conjoint. Nous courons si vite que nous aspirons à nous coucher sans bouger; nous vivons des vies extrêmement indépendantes même si nous aspirons à être caressés et rassurés comme des enfants. Et nous craignons, si nous cédons à ces désirs urgents, de ne plus jamais être indépendants de nouveau.

Pourtant, de nombreuses personnes minute que je connais ont finalement découvert qu'elles n'avaient acquis aucune indépendance en passant de moins en moins de temps ensemble; elles n'avaient acquis qu'une nouvelle forme de solitude et de frustration, dont la frustration sexuelle. Et maintenant qu'elles passent de plus en plus de temps ensemble, dont la plus grande partie à *ne rien faire* au lit, celles-ci se rendent compte qu'elles se découvrent un sentiment d'indépendance à la fois plus fort mais aussi plus paisible que lorsqu'elles sont hors de ce lit.

«Ce n'est pas comme si nous étions tout à coup devenus des gens de la campagne ou quelque chose du genre, me dit en riant une personne minute réformée. Mais pour commencer, nous avons tous les deux quitté notre studio de santé pour pouvoir consacrer plus de temps à simplement être ensemble. Fred est désormais mon studio de santé. Miam!»

Chapitre 3

Les durs ne dansent pas

Le scénario se répète presque chaque jour dans mon cabinet.

Elle (avec du feu ou des larmes dans les yeux): «Il ne m'embrasse jamais! Il ne me caresse jamais! Il ne veut même pas me tenir la main! Il veut toujours passer aux choses sérieuses, le bon vieux «entrez-sortez»! Il ne se soucie aucunement de moi. *Cet homme-là ne ressent absolument rien!*»

Lui (le regard perplexe ou plein de rancœur): «Mais bien sûr que je me soucie d'elle! *Mais il est tout simplement impossible de rendre cette femme heureuse!*»

Les variations sont infinies mais le thème est toujours le même: il est froid et égoïste et il a perdu contact avec ses sentiments, et elle manque tellement d'affection qu'il ne l'excite plus, qu'elle ne peut plus avoir d'orgasme avec lui, ou, pire, qu'elle a simplement laissé tomber tout rapport sexuel avec lui. *Et tout est de sa faute à lui.*

Je dois tout de suite admettre que je pense que les hommes ont été tenus coupables des problèmes de couple plus souvent qu'à leur tour ces derniers temps. Sans arrêt, de nouvelles théories psychologiques prouvent hors de tout doute que 90 p. 100 des hommes détestent les femmes ou du moins sont incapables de les aimer. Il s'agit là d'une théorie intéressée: nous les femmes pouvons alors faire porter le blâme aux hommes pour les relations insatisfaisantes que nous entretenons avec eux, notre seule culpabilité étant notre soi-disant besoin d'être des victimes. Je pense que ces théories sont dégradantes pour les deux sexes. Je me suis rendu compte que la plupart des hommes ont aussi soif d'amour que les femmes; et la plupart des femmes que j'ai vues ne sont pas masochistes: elles ont peur de leur propre agressivité. Il est vrai que la majorité des hommes que je vois dans mon cabinet n'expriment pas leurs émotions ou leur affection aussi facilement que leur partenaire — du moins au début de la thérapie. Il est vrai également que la plupart de ces hommes sont plus concentrés sur les parties génitales et sur l'orgasme que leur partenaire — du moins au début de la thérapie. Mais derrière chaque homme «froid et insensible» ne se trouve pas nécessairement une femme «paillasson» assoiffée d'amour; très souvent, ce paillasson est une femme qui tient sa propre anxiété amoureuse à distance en encourageant son «amant au cœur froid» à demeurer tel qu'il est.

«Non mais dites donc, je ne suis pas une tapette»

Arnold et Éva G. m'ont tout de suite fait penser au couple George Segal/Sandy Dennis dans la version cinématographique de *Qui a peur de Virginia Woolf?* Arnold était un homme de forte carrure, au début de la trentaine, à la beauté juvénile, dont l'assurance bourrue lui était très utile en tant que directeur des ventes pour une société de textiles. Éva était tout à fait le contraire: minuscule, délicate, jolie et timide, elle parlait d'une voix de petite fille et semblait continuellement au bord des larmes. En effet, ses yeux étaient humides lorsqu'elle m'a finalement confessé qu'elle avait perdu tout intérêt dans la sexualité après un incident bien précis survenu six mois auparavant.

«Arnold avait passé une semaine à Atlanta à une conférence sur les ventes, et dès qu'il a mis les pieds dans la maison, il s'est mis à me tripoter comme un morceau de viande. Il ne m'a pas embrassée, ni serrée, ni rien. Il m'a seulement traînée dans la chambre comme un homme des cavernes et m'a pénétrée. Cela n'avait rien à voir avec moi. J'avais l'impression qu'il se servait de moi, je me sentais humiliée. Comme s'il m'avait violée.

— C'était de la *passion,* pas un viol! a hurlé Arnold. Est-ce que je dois être puni toute ma vie parce que tu m'excites?

— De la passion? s'est écriée Éva. Tu ne prends même pas la peine de me regarder; le seul moment où tu établis un contact visuel, c'est quand tu es couché sur moi. Et tu ne dis pratiquement jamais un mot. Dieu sait que tu ne donnes jamais l'impression de m'aimer vraiment lorsque nous avons des rapports sexuels. Ensuite tu t'endors avec une jambe sur moi comme si j'étais un oreiller.

— Mais je t'ai dit que je t'aimais des centaines de fois, a crié Arnold. Nous faisons l'amour depuis dix ans et tu as toujours eu un orgasme. Qu'est-ce qui manque, pour l'amour de Dieu? *Les femmes ne sont jamais satisfaites.* Que veux-tu de moi?

— Je veux que tu sois plus romantique», a pleurniché Éva.

Arnold a levé les bras de désespoir. C'était assurément un *dur* qui ne pouvait même pas comprendre que quiconque puisse *vouloir* des caresses. Il ne se doutait pas le moins du monde qu'il puisse manquer quelque chose à sa relation; en fait, si seulement Éva pouvait cesser de se plaindre et recommencer à avoir des rapports sexuels avec lui, il serait parfaitement heureux.

Mais dans l'esprit d'Éva, cette nuit symbolisait désormais tout ce qui manquait à leur relation. Pour elle, la sexualité sans affection était l'équivalent d'un viol et, par conséquent, elle avait cessé de désirer tout rapport sexuel. Ils étaient pris au piège, polarisés: Arnold était le satyre et Éva, l'éternelle insatisfaite. Et pendant les six mois qui avaient suivi cette nuit traumatisante, le fossé qui les séparait s'était creusé de plus en plus.

«C'est comme si j'avais peur de lui tourner le dos, m'a confié Éva. Il me pince toujours les fesses ou m'agrippe les seins ou se frotte sur moi comme un chien. Je ne cesse pas de le repousser.

— Et vous en redemandez toujours? ai-je demandé à Arnold. J'ai l'impression que vous aimez être repoussé. Autrement, vous l'aborderiez plus doucement.

— Écoutez, m'a dit Arnold, maussade, je ne suis simplement pas du genre sentimental et elle le sait.»

Ce cadre de trente-quatre ans aurait tout aussi bien pu dire: «Non mais dites donc, je ne suis pas une tapette.»

«Soyez sensible, mais soyez un vrai homme»

On ne naît pas *dur,* on le devient. Ça commence avec maman et ça continue dans la cour de l'école. Lorsqu'un jeune garçon fait ses premiers pas vers l'indépendance vis-à-vis de sa mère, il fait aussi ses premiers pas vers la négation de son besoin d'affection et de chaleur maternelles. À deux ou trois ans, il sent déjà qu'il doit rompre définitivement avec maman sans quoi il ne pourra jamais devenir un homme indépendant et actif, comme papa; sa sœur, quant à elle, peut continuer de s'identifier à la mère émotive pendant sa quête de l'indépendance. À peine sorti des jupes de sa mère, le garçon se taille une identité de *faiseur* qui s'oppose à celle d'*éprouveur* dépendant. Il commence à distinguer l'action du sentiment et, à mesure qu'il grandira, le fossé entre les deux s'élargira davantage. Avec le temps, la distinction sera transposée: c'est la Sexualité qui sera opposée à l'Amour.

Même à notre époque féministe, la plupart des petits garçons grandissent avec la conviction que se tenir la main, se serrer l'un contre l'autre et se donner de tendres baisers, c'est bon pour «le petit gars à sa maman» ou pour les tapettes. Une fois qu'il a atteint sa puberté, l'aversion d'un garçon pour les sentiments *féminins* fait en sorte qu'il lui est pratiquement impossible de donner ou de recevoir de l'affection et de la tendresse. Il est terrifié à l'idée que l'affection puisse l'émasculer — le rendre faible, féminin ou même gai. La sexualité, bien entendu, c'est autre chose. La première chose qu'il apprend dans la cour d'école à ce propos, c'est que la sexualité masculine est plus active et plus agressive; c'est ce qu'un homme *fait* à une femme. Un vrai homme passe directement — horizontalement — aux choses sérieuses: les rapports sexuels commencent avec son érection et se terminent par son orgasme. Peut-être que, s'il est vraiment prévenant, il accordera à sa partenaire quelques préliminaires; mais ce n'est qu'un moyen détourné pour parvenir à ses fins, la remontée du mécanisme, pas une chose qu'il aime faire pour elle-même. Les sentiments n'ont rien à voir là-dedans.

Mais depuis sa petite enfance, l'homme a réprimé ses sentiments, refoulé son besoin d'affection si rassurante, si nourrissante. Et plus il y a longtemps qu'il le refoule, plus ce besoin grandit. Un peu comme une personne au régime qui nie sa faim depuis si longtemps que la seule vue d'un gâteau au chocolat la fait paniquer. Souvent, le besoin refoulé d'affection d'un homme adulte devient si grand qu'à la minute où il se retrouve au lit avec sa femme, il panique à l'idée d'être submergé par son besoin. La seule solution est de prendre des mesures, et vite: *avoir un rapport sexuel!*

Traditionnellement, la masculinité se définit comme étant le contraire de la féminité: les hommes sont durs, et *non* tendres; forts, et *non* faibles; actifs, et *non* passifs; raisonnables, et *non* émotifs; ils ont toujours la situation bien en main, tandis que les femmes sont vulnérables. Étant donné cette définition, un vrai homme ne peut se permettre le luxe féminin du *plaisir futile*: des baisers et des câlins sans fin, sans viser l'orgasme; rester étendu passivement dans un lit pendant toute une heure et se faire caresser doucement; se laisser bercer comme un enfant dans les bras de sa partenaire; partager cette intimité tellement plus intense que les orgasmes partagés, celle des larmes partagées. Tous ces plaisirs sont interdits aux vrais hommes — *ils pourraient les transformer en femmes.* C'est là leur plus grande peur. Un homme qui se permet ces *plaisirs féminins* est terrifié à l'idée que son côté féminin prenne le dessus. Il deviendra tendre et faible: impuissant. Ou même pire, il deviendra gai. Ces deux paniques — la peur de l'impuissance et la peur de leur homosexualité inconsciente — se trouvent juste sous la surface de la plupart des hommes *normaux.*

À un niveau primaire, un pénis en érection demeure la source et le symbole fondamentaux de la puissance d'un homme. Il est son sceptre et son épée. Le mot «puissant» lui-même fait référence à tous ses pouvoirs, tant politique et financier que sexuel. Alors qu'un pénis mou demeure le symbole de tout le contraire: la faiblesse et l'incompétence. Je suis toujours frappée de voir comment un homme peut se sentir totalement humilié par le fait que son pénis soit flasque même *lorsqu'il n'y a absolument aucune raison que son pénis soit dur*. L'humiliation que certains hommes ressentent tout de suite après l'éjaculation lorsqu'ils perdent naturellement leur érection en est un exemple. Ils connaissent alors ce que les Français appellent «la petite mort» à mesure que la tour de leur force masculine s'effondre et disparaît. Leur puissance est partie, épuisée. L'épée n'est plus qu'un ver.

Paradoxalement, la plupart des hommes qui connaissent des problèmes d'impuissance avec leur femme tentent de se guérir en essayant de se livrer à l'acte sexuel avec une plus grande détermination au lieu d'essayer d'accepter ce qu'ils ressentent au sujet de leur femme. «C'est simplement que je m'y prends mal», pensent-ils, au lieu de: «Peut-être y a-t-il une raison pour laquelle je n'ai pas envie de le faire avec elle en ce moment.» Pourtant, c'est habituellement la distinction entre l'action et le sentiment qui les a mis dans cette fâcheuse position. Il est probable que leur impuissance est un symptôme de quelque colère profondément enracinée qu'ils ont été incapables d'exprimer de peur de perdre leur partenaire. Mais ce sentiment doit être extériorisé avant que leur pénis puisse «faire» quoi que ce soit.

La peur de l'homosexualité est tout aussi insidieuse et même plus contraignante que la peur de l'impuissance. Chaque fois que la *phallocratie* est à la hausse dans notre culture, comme elle l'est certainement de nos jours, la peur de l'homosexualité rôde. L'obsession des vertus de la masculinité — le combattant/patriote dur et intrépide, le corps fortement musclé et le visage couvert d'une barbe de plusieurs jours, le retour au cinéma du héros fort et silencieux — que nous connaissons maintenant a, je crois, un rapport avec la mauvaise réputation que le sida a redonnée à l'homosexualité. Les hommes hétérosexuels qui se sentaient sûrs d'eux-mêmes et à l'aise avec leur côté tendre s'éloignent à nouveau de tout comportement *féminin*. Il est maintenant dangereux d'être enjoué, sensible, vulnérable et sensuel. Un homme doit être un dur, ne serait-ce que pour survivre.

Finalement, on ne peut pas nier que la puissance des femmes, que ce soit au bureau, à la maison et même au gymnase, a eu le malheureux effet de pousser bien des hommes à refouler encore plus leur côté émotif, *féminin*. Comment peuvent-ils risquer d'être émotifs — et vulnérables — quand il est déjà si difficile de rester au sommet ? À mesure que les femmes embrassent les *vertus* masculines, de nombreux hommes se sentent forcés de devenir supermasculins et une fois de plus, les sentiments se trouvent sacrifiés.

ॐ

Arnold G. n'arrivait pas à reconnaître chez lui l'existence d'un côté doux et sensible ni son besoin d'affection et de tendresse. Lorsque je l'ai rencontré seul, je lui ai posé des questions au sujet de sa petite enfance et il m'a décrit son père, qui travaillait dans une fonderie, comme étant «continuellement occupé» et sa mère, femme au foyer, comme étant «continuellement seule». Il se rappelait que son père avait l'habitude de partir travailler dès que le repas était terminé et que sa mère le gardait, lui, à table et «se mettait à parler de tout et de rien. Elle disait toujours que je savais écouter; c'est assez ridicule quand on pense que, la plupart du temps, je faisais la sourde oreille.»

Assoiffée de contact émotionnel, la mère d'Arnold faisait porter par son jeune fils un fardeau incroyable en lui demandant d'être l'ami sensible que son mari n'avait jamais été. Arnold se souvenait que sa mère lui avait fait promettre de ne pas devenir un ouvrier d'usine qui ne serait jamais à la maison avec sa famille, ce qui n'avait fait qu'exacerber le sentiment qu'avait Arnold de trahir son père.

«Mais ce n'est pas comme si elle n'avait pas aimé le vieux, s'est empressé de m'assurer Arnold. Elle le vantait toujours en disant qu'il était encore plus fort que les plus jeunes à la fonderie.»

Je me suis représenté très vite la mère qui avait donné à son fils ce double message: *Sois sensible, mais sois un vrai homme!*

«Votre mère me donne l'impression d'être une femme difficile à contenter, lui ai-je dit.

— Impossible!» dit-il, en levant les bras, répétant ainsi le geste de résignation avec lequel il avait répondu aux exigences «impossibles» de sa femme.

Il s'est alors penché en avant et, comme s'il soulevait une question tout à fait différente, il m'a demandé: «Que puis-je faire pour amener Éva à réagir. Je suis désespéré. Je suis prêt à essayer tout ce que vous me proposerez.»

J'ai souri à Arnold. Sans s'en rendre compte, il avait intuitivement fait le lien entre sa mère et sa femme. L'homme qui ne pouvait jamais contenter sa mère voulait maintenant connaître le truc pour contenter sa femme. Il posait la question que les hommes me posent le plus souvent: «Comment puis-je amener ma femme à être moins réservée? Y a-t-il une *technique* secrète qui pourrait l'exciter?» Voilà une question touchante, les durs ayant beaucoup de mal à s'exprimer. Ma réponse est presque toujours la même.

«Pour commencer, arrêtez! ai-je dit à Arnold. Arrêtez de tripoter Éva. Et arrêtez d'essayer d'être son amant expert. Vous n'avez à plaire à personne d'autre qu'à vous-même.

— Un instant, a rétorqué vivement Arnold, incrédule. Je croyais qu'Éva voulait que je sois moins égoïste, pas davantage. De quel côté êtes-vous à la fin?

— Je suis du côté des sentiments. Les vôtres et ceux d'Éva. Tant que chacun de vous ne se sera pas concentré sur ses propres sentiments, vous ne serez jamais heureux l'un avec l'autre.»

Il était clair qu'Arnold n'avait jamais été du genre à faire durer l'excitation, et c'est pourquoi, lorsque j'ai vu Éva en privé, je lui ai demandé: «Vous êtes-vous déjà demandé pourquoi vous aviez choisi d'épouser un homme qui n'était pas affectueux?

— J'imagine que je ne savais pas vraiment ce que je voulais alors», m'a-t-elle répondu.

Je soupçonnais qu'il y avait autre chose encore. L'enfance d'Éva était le complément parfait de celle d'Arnold. Benjamine et seule fille d'une famille nombreuse, elle était un trésor auquel son père tenait comme à la prunelle de ses yeux. Elle racontait qu'il la faisait sauter sur ses genoux, qu'elle prenait son petit déjeuner seule avec lui dans le jardin, qu'elle dansait pour lui. Elle disait que c'était un homme très affectueux.

«Affectueux avec votre mère aussi?» lui ai-je demandé.

Éva haussa les épaules, comme si je venais de lui poser une question indiscrète.

Je soupçonnais qu'Éva avait grandi dans une maison à double message elle aussi: un père séducteur, mais une atmosphère de honte entourant la sexualité. Je me demandais comment elle réagirait si Arnold cessait soudainement d'être un dur. Après trois semaines d'exercices sensuels progressifs, j'ai eu ma réponse.

Pendant les deux premières semaines, Arnold avait résisté avec acharnement à ressentir quoi que ce soit lorsque c'était son tour de rester allongé passivement sur le lit pendant qu'Éva le caressait. C'était comme si chaque partie de son corps, à l'exception de ses organes génitaux, était engourdie. Éva se plaignait de ce que c'était sans espoir. Mais pendant la troisième semaine, Arnold avait finalement laissé tomber sa méfiance et pris part à l'expérience; il m'a déclaré par la suite que les sentiments qui l'avaient traversé étaient fantastiques.

«Je me suis senti planer, amoureux d'Éva et du monde entier, a-t-il dit. Jusqu'à ce qu'elle me fasse redescendre.»

Dès qu'ils avaient terminé l'exercice, Éva avait demandé brusquement à Arnold s'il avait fait les réservations pour le dîner ce soir-là; lorsqu'il avait répondu qu'il avait oublié, elle s'était mise en colère contre lui, disant qu'elle ne pouvait jamais se fier à lui pour quoi que ce soit.

«Vous avez drôlement choisi votre moment, ai-je dit à Éva. Arnold était enfin allongé près de vous, amoureux et sensible, et vous avez choisi ce moment pour lui reprocher de ne pas assurer le commandement!»

Éva a baissé les yeux, visiblement dans l'embarras. Oui, elle était véritablement assoiffée d'affection et de tendresse, mais dès qu'Arnold avait donné des signes de vulnérabilité, qu'il avait eu l'air différent de l'homme fort, à l'image de son père, qu'elle avait épousé, elle avait été submergée par l'anxiété et avait tenté de mettre fin à la situation. Son ambivalence avait transmis à Arnold le même double message qu'il avait reçu enfant: *Sois sensible, mais sois un vrai homme.* Dans mon cabinet, Éva a levé les yeux vers son mari et lui a souri tristement.

«Désolée, a-t-elle murmuré. Tout ça me fait un peu peur à moi aussi.»

Le Satyre et l'Éternelle Insatisfaite étaient maintenant prêts à commencer à faire l'amour.

Plus sexuel que toi

Les durs se présentent sous un éventail de déguisements, mais le plus trompeur est le pseudo-Roméo. Au début d'une liaison, il donne l'impression d'être une personne sensuelle, un homme qui peut lécher et sucer et caresser pendant des heures, mais une fois qu'il s'engage dans une relation durable, sa sensualité s'envole. Dans certains cas, sa sensualité du début se révèle n'être qu'une ruse, l'extension physique de son baratin de séducteur. Une fois qu'il a conquis une femme en lui faisant l'amour avec attention, avec romantisme et sans se presser, il peut oublier cela pour toujours et passer aux relations uniquement génitales. Pour lui, tout le reste n'était de toute façon que des préliminaires — une chose dont on se débarrasse avant que le plaisir commence. Quoi qu'il en soit, il n'a jamais vraiment ressenti quoi que ce soit, en se prêtant à ce jeu.

Pour la plupart des pseudo-Roméos cependant, la phase sensuelle de la relation n'est pas une ruse du tout: effectivement, ils y prennent plaisir tant que ça dure. Pourtant, tout romantisme est destiné à finir dès le moment où il s'engage dans une relation de longue haleine. Un homme de ce genre ne se permet de savourer longuement l'intimité sensuelle que lorsqu'il a un pied hors du lit. Il n'est sensuel que lorsqu'il se sent libre. Dans une relation où il y a un engagement, il est envahi par l'anxiété amoureuse et revient au comportement du dur: avoir des rapports sexuels au lieu de faire l'amour.

«Qu'est-il advenu de mon merveilleux amant latin? gémissait Manon, mariée depuis peu. Michel était si fantastique. Il pouvait faire l'amour pendant une heure rien qu'à mon orteil, nom d'une pipe! et j'en avais des frissons dans tout le corps. Puis nous nous sommes mariés, et soudain il est devenu ce robot sexuel. Un gémissement, une giclée, et c'est tout», m'écrivait-elle.

Son problème n'est que trop commun. Par le passé, nous avions tendance à expliquer le problème de Michel strictement par le complexe de la madone/dévergondée: dès qu'une femme devient l'épouse d'un homme, elle est sanctifiée, comme la mère de ce dernier, et la sexualité est soudainement limitée au mode reproducteur «convenable»: le coït, rapide et sporadique. Mais, ces dernières années, j'ai rencontré un certain nombre d'hommes mariés qui sont capables de se permettre des variations sexuelles «inconvenantes» avec leur épouse — y compris l'amour buccogénital — *et qui pourtant sont incapables de reprendre les longs ébats amoureux sensuels qu'ils aimaient tant avant leur mariage.* Expérimentation génitale érotique, oui; affection intime, non. Je suppose que cette inhibition est davantage reliée à la peur qu'ont les hommes de perdre leur pouvoir qu'au complexe madone/dévergondée. Sans attaches, ces hommes n'avaient pas aussi peur d'être ramollis, engloutis par la sensualité: ils savaient qu'ils pouvaient rentrer seuls à la maison, intacts et maîtres de la situation. Mais, une fois mariés, toutes les vieilles anxiétés refont surface: ils ont peur d'être pris au piège, de perdre les commandes, de ramollir, de redevenir les petits garçons impuissants de Maman.

Certains durs réagissent à leur anxiété en devenant des amants agressivement extravagants.

«Je veux goûter à tout, disent-ils à leur partenaire. Laissons tomber toutes nos inhibitions.»

J'admire généralement une telle audace, surtout parce qu'il y a tant d'hommes mariés qui se limitent à une sexualité monocorde. Mais ce genre de dur n'est pas vraiment un aventurier; c'est une petite brute qui harcèle sa partenaire pour qu'elle *dégèle* et *suive le courant* en la pressant d'essayer des variations sexuelles pour lesquelles elle n'est pas prête.

«Je finis toujours par me sentir coupable parce que je ne peux pas faire tout ce qu'il voudrait au lit, m'a confié une jeune femme. Je veux essayer de nouvelles choses, moi aussi, mais je dois m'y préparer, y aller progressivement.»

Chaque fois que cette femme allait au lit avec son mari, celui-ci assumait le rôle de professeur et de challenger. Il lui reprochait continuellement d'être une petite sainte nitouche qui a peur de la sexualité. Pourtant lorsque je leur ai demandé d'essayer des exercices qui exigeaient que cet homme fasse durer l'excitation, il est devenu plus prude qu'une jeune mariée encore vierge. Ce prodigieux athlète sexuel était terrifié à la simple idée de s'allonger sans bouger et de se laisser aller à ressentir. Toute son audace sexuelle n'était que le paravent de ses propres peurs. Comme Don Juan, il était maître de la situation mais ne ressentait pratiquement rien. En devenant l'ultime poursuivant, en intimidant sa femme avec sa supériorité («je suis plus sexuel que toi»), il n'avait pas eu à faire face à sa propre terreur de l'intimité. Pour lui, les gestes les plus simples étaient les plus effrayants.

Ils arrivent en lions, ils repartent en moutons

Les durs se font habituellement traîner de force par leur femme dans mon cabinet en hurlant et en protestant. Ils me font savoir dès qu'ils arrivent qu'ils ne sont là que pour faire plaisir à leur femme.

«Notre vie sexuelle ne me pose aucun problème, disent-ils. C'est elle qui a des problèmes.»

Ils se soumettent de mauvaise grâce à ma thérapie comme s'il s'agissait d'une sorte de baptême du feu qui les rendra acceptables aux yeux de leur épouse. S'ils *font* les exercices sensuels, peut-être qu'elle finira par cesser de se plaindre et qu'elle reviendra au lit.

Mais ces exercices fonctionnent de façon mystérieuse. Un dur ne peut caresser et être caressé (la tête ailleurs) autant de fois sans ressentir un petit quelque chose. Et ce petit quelque chose mène inévitablement au désir d'en ressentir davantage. Progressivement, les plaisirs de l'intimité sensuelle réduisent les anxiétés masculines. Surprise! Il n'est *pas* englouti par ce long baiser mouillé — en fait, c'est merveilleux. Il ne devient *pas* un enfant désarmé lorsqu'il se laisse bercer dans les bras de sa femme — en fait, il y avait longtemps qu'il ne s'était senti aussi paisible et rassuré. Il ne se transforme *pas* en femme s'il s'allonge passivement sur le lit pendant qu'elle le caresse — en fait, il se sent excité d'une façon plus personnelle qu'il ne l'a jamais été auparavant. Et non, il ne devient *pas* impuissant s'il laisse ses érections aller et venir en faisant l'amour longtemps — en fait, il se sent parfaitement rassuré pour ce qui est de sa puissance tandis qu'il se dirige vers la phase génitale/orgastique.

«Toute ma vie est plus riche maintenant, pas seulement ma vie sexuelle, m'a déclaré un homme d'âge moyen qui avait été traîné de force dans mon cabinet seulement deux mois auparavant. Ma nourriture a meilleur goût, mon jardin a meilleure apparence et, pour moi, le paradis c'est de prendre un long bain chaud. Voyez-vous, allongé là sur le lit pendant que ma femme me caresse un peu partout, j'ai fini par comprendre: le plaisir est partout.»

Chapitre 4

Une femme libérée
n'est pas émotive

*T*out d'abord il y eut les crises cardiaques. Les statistiques montrèrent que les femmes en avaient de plus en plus, surtout celles qui occupaient des emplois très stressants. Les médecins nous disaient que c'était l'apanage des emplois *masculins*: les longues heures, les martinis, les cigarettes, le stress impitoyable.

«Et les émotions maîtrisées, d'ajouter un cardiologue de ma connaissance. Lorsque vous occupez un poste nécessitant un haut rendement, vous devez maîtriser vos émotions à longueur de journée sous peine de devenir vulnérable à la concurrence. Mais maîtriser ses émotions est mauvais pour les artères — aussi mauvais que la viande rouge et la crème glacée.»

C'est également mauvais pour votre vie amoureuse. De nos jours, les femmes ont davantage de crises du cœur mais leur cœur bat moins souvent la chamade. Dans leur lutte pour le partage égal du pouvoir, certaines d'entre nous ont maîtrisé leurs émotions au point de ne plus en avoir du tout. Dans leur terreur d'être dominées par les hommes, tant au bureau qu'à la maison, certaines d'entre nous ont rendu leur cœur insensible à *tout* sentiment amoureux. On nous avertit de partout que, si nous aimons trop, nous allons perdre notre indépendance, alors nous laissons tomber l'amour complètement. Et alors, comme ces hommes que nous avons méprisés, nous devenons imperturbables et sexuellement détachées, nous perdons contact avec nos sentiments.

«C'est bien ce que je pensais, Dagmar — au fond vous êtes sexiste et antiféministe! protestent les femmes des premiers rangs. *Je suppose qu'ensuite vous allez nous dire de devenir de charmantes petites femmes d'intérieur passives.»*

Pas du tout. Mais lorsque semaine après semaine des femmes viennent me consulter en se plaignant de «ne plus rien ressentir» auprès de leur mari ou de leur amant, je sais que quelque chose s'est détraqué. Ces dernières années, j'ai entendu résonner toute une nouvelle gamme de plaintes de la part des femmes sur leur vie sexuelle et la plupart de ces plaintes, comme les crises cardiaques, étaient autrefois réservées principalement aux hommes. Si le fait de vouloir combiner la capacité d'aimer tendrement et un solide sentiment d'indépendance m'oblige à perdre ma position de féministe, qu'il en soit ainsi. Je suis toujours d'accord avec Freud sur l'essentiel: *et* le travail *et* l'amour sont indispensables à une vie heureuse.

Le complexe enfant de chœur/tombeur

«Je me sens complètement schizo, m'a dit Anna K., marchande d'œuvres d'art bien en vue. À la maison, avec Peter et les enfants, je suis la femme d'intérieur modèle, efficace et comme il faut, et ma vie sexuelle est à peu près aussi excitante qu'une partie de scrabble. Mais dans ma vie professionnelle, qui m'amène à voyager, je suis continuellement excitée. J'ai toujours des fantasmes fous à propos de l'homme qui se trouve à côté de moi dans l'avion ou derrière moi dans l'ascenseur. Honnêtement, il faut que je me retienne pour ne pas relever ma jupe et dire: «Hé, l'ami, que dirais-tu d'une petite séance de sexe avant que l'ascenseur s'arrête?» Tout ce qui me retient, c'est la culpabilité, mais étant donné la seule autre possibilité qui m'attend à la maison, cela ne me retiendra pas longtemps.»

Deux jours seulement auparavant, Anna était venue à mon cabinet en traînant son mari, se plaignant que leur vie sexuelle était si peu stimulante que c'était devenu une corvée intolérable et qu'elle n'atteignait plus l'orgasme que rarement. Elle m'avait décrit une routine sexuelle on ne peut plus typique: ils n'avaient de rapports que le samedi soir et s'embrassaient ou se touchaient rarement les autres jours; ces rencontres se limitaient toujours au coït dans la position du missionnaire avec Peter au-dessus d'elle; les préliminaires ne duraient jamais plus de dix minutes et se faisaient dans l'obscurité et en silence.

Pendant tout le temps où Anna résumait ces mornes samedis soir, Peter, professeur de droit, croisait et décroisait continuellement les bras et les jambes, les yeux collés au plancher. Il était visiblement mal à l'aise. Son seul commentaire, après qu'il eut attendu patiemment que sa femme eût terminé, était qu'il pensait lui aussi «qu'il y avait place pour l'amélioration». À ce moment, je n'avais aucune raison de douter du jugement d'Anna selon lequel Peter n'était pas très «espiègle» au lit.

Enfin seule avec Anna, je lui ai demandé quel genre d'expériences sexuelles elle avait eues avant son mariage.

«Fabuleuses! m'a-t-elle dit, ses grands yeux gris s'éclairant. J'avais un appétit vorace pour les corps musclés — surtout les corps musclés en sueur — et je me les offrais à chaque fois que l'occasion se présentait. J'étais sexuellement très gourmande. Une fois, je l'ai vraiment fait dans un ascenseur — plus précisément dans le monte-charge du musée où je travaillais. J'ai joui deux fois entre trois étages.»

Et maintenant, elle ne jouissait plus que rarement.

«Cela s'est-il passé avec un homme que vous fréquentiez régulièrement à l'époque?

— Loin de là! m'a dit Anna en riant. C'était un gardien de sécurité qui avait la moitié de mon âge.»

En fait, entre le collège et son mariage, la plupart des rencontres sexuelles d'Anna avaient été des aventures d'une nuit avec des hommes plus jeunes et beaucoup moins instruits qu'elle, des hommes peu loquaces au corps musclé et athlétique. Souvent expédiés en vitesse, ces *affrontements* étaient hautement érotiques. Jusqu'à ce qu'elle rencontre Peter à vingt-neuf ans, Anna n'était jamais sortie avec le même homme plus de quatre ou cinq fois. Mais pourquoi cette athlète sexuelle autodidacte avait-elle choisi d'épouser un homme aussi réticent sexuellement?

«Peter est un homme merveilleux sous tous les autres aspects, m'a confié Anna sincèrement. Il est on ne peut plus intelligent; c'est un compagnon et un père merveilleux, stable, qui me soutient dans ma carrière — il a tout, quoi. Je faisais l'envie de toutes les filles de trente ans de mon quartier. J'ai su dès l'instant où je l'ai rencontré qu'il ferait un merveilleux mari.

— Comment pouviez-vous dire cela? Du fait qu'il ne vous excitait pas?

— *Ce n'est pas juste!*» a répliqué Anna avec colère.

Mais la justice n'avait rien à y voir.

Anna était l'exemple classique de ce syndrome galopant que j'ai surnommé le complexe enfant de chœur/tombeur. C'est la version féminine du complexe madone/dévergondée; il y a vingt-cinq ans, les récriminations du genre de celles d'Anna étaient aussi rares qu'un aigle à tête blanche. Pour les femmes aux prises avec ce syndrome, les hommes sont de bons amants ou de bons maris mais jamais les deux. Avec leurs tombeurs, ces femmes peuvent se permettre toutes les fantaisies sexuelles, aussi vicieuses soient-elles, *du moment que la relation demeure impersonnelle, du moment qu'elles restent maîtresses de la situation.* Et le meilleur moyen de conserver à ces relations leur caractère impersonnel, c'est de ne choisir que des amants perçus comme étant socialement inférieurs — en particulier des hommes plus jeunes et moins instruits. Les bons maris, bien entendu, sont tout à fait l'opposé de cela. Ce sont des hommes «de bonne famille», dont la carrière est solide; des hommes stables et responsables et, le plus important, qui ne sont *pas* sexuellement excitants. Le mari parfait est parfaitement sûr, c'est-à-dire sexuellement naïf et inhibé. Un enfant de chœur.

Le complexe enfant de chœur/tombeur est en partie un produit de la révolution sexuelle. Ce n'est que depuis l'éclatement des tabous que les femmes reconnaissent en grand nombre leurs propres désirs sexuels, qu'elles ont le courage de les satisfaire et qu'elles bénéficient de l'appui de leurs pairs dans cette démarche. Mais ce phénomène n'explique pas à lui seul pourquoi tant de femmes se sont mises à diviser la population masculine en objets sexuels d'un côté et en maris potentiels de l'autre. La liberté sexuelle n'est pas *nécessairement* quelque chose que vous pratiquez avec un étranger; cette aberration était, jusqu'à tout récemment, traditionnellement réservée aux hommes.

Anna m'a fait part d'une observation révélatrice. Dans un cours de psychologie, elle avait eu à faire la compilation des fantasmes masculins décrits par Nancy Friday dans son ouvrage *Les Fantasmes masculins,* et ce qu'elle y avait trouvé l'avait stupéfaite et consternée.

«Ça parlait de moi! m'a-t-elle dit. Toutes ces histoires typiquement masculines, les rapports sexuels macho — vouloir y passer rapidement et avec fureur puis rentrer seul à la maison —, c'était *mon* idée de l'acte sexuel et ça l'avait toujours été. L'acte sexuel était une affaire de corps, pas d'esprit ou de cœur. Le seul but était d'avoir un orgasme ou deux ou trois — quoi d'autre? Pourquoi ce livre était-il intitulé *Les Fantasmes masculins?* Qu'est-ce que ça faisait de moi?»

Anna, comme tant d'autres femmes, ne savait plus très bien quel était son rôle sexuel dans cette nouvelle société. Les stéréotypes féminins et masculins avec lesquels elle avait grandi lui avaient offert deux possibilités rigoureusement limitées: soit être une femme d'intérieur comme Maman, passive et dépendante en toute chose, y compris dans le domaine de la sexualité, et finir par en éprouver du ressentiment; soit être une professionnelle fonceuse comme Papa, actif et indépendant en toute chose, y compris dans le domaine de la sexualité. L'un ou l'autre, pas de compromis. Aucun stéréotype ne lui avait appris à être à la fois une femme professionnelle indépendante et une épouse sexuellement active. Pas étonnant qu'Anna se sente un peu schizo. Elle avait «résolu» son dilemme en suivant le modèle de Papa dans sa vie professionnelle: en se comportant «comme un homme». (J'ai trouvé significatif le fait que la plupart de ses fantasmes érotiques se soient produits dans le courant de sa vie professionnelle.) Elle avait aussi pris modèle sur Maman et se comportait «comme une femme» à la maison; selon sa propre description, elle était une femme d'intérieur parfaite — efficace, comme il faut et pratiquement dénuée de sexualité. Comme j'ai vite fait de m'en rendre compte, Anna avait non seulement soigneusement choisi pour mari un homme sexuellement réservé, mais elle était elle-même devenue sexuellement inhibée dans son comportement avec lui. De par sa propre passivité et sa propre réticence, elle était autant responsable que lui de leurs mornes samedis soir. Nous avons travaillé ensemble toutes les deux pendant plusieurs semaines, après quoi Anna m'a avoué que le fait que Peter la voie avoir un orgasme l'intimidait. C'était là la femme qui avait joui deux fois avec un étranger dans un monte-charge! Tout comme les hommes aux prises avec le complexe de la madone/dévergondée limitent sévèrement leur sexualité avec leur femme — «jamais je ne pourrais faire *ça* avec la mère de mes enfants» —, les femmes souffrant du complexe enfant de chœur/tombeur sont passives et timides au lit avec leur mari. Mais inévitablement, ces femmes finissent par être frustrées et, comme Anna, ont peur de commettre une infidélité.

Que pouvait faire Anna?

Il n'était pas question pour elle d'envisager le divorce. Elle aimait trop Peter et sa vie de famille pour cela. L'idée de se retrouver célibataire lui était insupportable. Et, ce qui était tout à son honneur, elle avait déjà compris que, à ce stade, même si elle se remariait avec un autre homme, elle serait toujours sexuellement apathique. Elle aurait pu choisir la double vie que bien des hommes ont traditionnellement menée: avoir des rapports sexuels érotiques à l'extérieur du foyer avec des partenaires impersonnels tout en continuant d'avoir des rapports sexuels dénués de sensations à la maison avec son conjoint. D'un certaine manière, cela a fonctionné pendant des siècles dans certaines cultures — les maîtresses et les putains pour le plaisir sexuel et les épouses pour la vie familiale avec aussi peu de rapports sexuels que possible. Effectivement, j'ai rencontré plusieurs femmes ayant adhéré à cette façon traditionnellement réservée aux hommes de vivre le complexe madone/dévergondée. Elles passent facilement du chaste baiser sur la joue dont elles gratifient le père de leurs enfants à l'étreinte passionnée réservée à leur amant. Ce sont des femmes qui réussissent à tout avoir en compartimentant tout — surtout les gens — en fonction de leurs propres besoins. Elles fréquentent certaines personnes pour étendre le cercle de leurs relations et d'autres pour bavarder et se détendre, certaines pour les sorties en famille et d'autres pour les affaires officielles. Le problème est, bien sûr, qu'à jouer ce jeu l'on peut finir par se sentir fragmenté et superficiel. Pour Anna, cette solution aurait été le prolongement de la vie qu'elle menait déjà; elle aurait désormais vécu ses fantasmes sexuels. Mais elle ne se croyait pas en mesure d'envisager cette possibilité.

«Peut-être que je ne suis pas encore tout à fait libérée, m'a-t-elle dit, mais si j'en prenais l'habitude, je pense que j'aurais du mal à rentrer à la maison et à regarder les enfants en face. J'aurais l'impression de les tromper.»

Anna n'avait donc eu d'autre recours que de venir me consulter pour essayer d'avoir une vie amoureuse satisfaisante avec son mari.

«Je mentirais si je vous garantissais qu'avec un peu d'encouragement Peter se transformera devant vos yeux en l'un de vos tombeurs spontanés, lui ai-je dit. Pourtant, qui sait? Il se cache peut-être un Superman sensuel derrière ce Clark Kent en apparence réservé.»

Mais sa tâche, lui ai-je dit, allait consister à oublier complètement les inhibitions de Peter et à se concentrer sur les siennes. À ce moment-là, Anna était l'équivalent féminin d'un dur: elle avait peur des ébats amoureux intimes, que ce soit avec un enfant de chœur ou avec un tombeur. Avec ses amants, elle avait fui l'intimité en ayant des rapports sexuels; avec son mari, elle vivait dans l'intimité tout en ne faisant pratiquement rien. Au fond, sa peur de savourer l'affection et l'excitation était identique à la peur du dur: elle avait peur de se transformer en «femme»: *le genre de femme totalement passive et dépendante qu'était sa mère, qui avait fini par en éprouver du ressentiment.* La femme de carrière indépendante et puissante qu'elle était allait devenir «impuissante». Elle succomberait au plaisir futile et ne serait plus jamais maîtresse de sa vie.

Souvent, lorsqu'un enfant de chœur commence à répondre aux exercices sensuels, sa femme prend immédiatement ses distances. Ce n'est pas ce à quoi elle s'attendait lorsqu'elle avait choisi cet homme timide et maladroit. Je connais un mari réticent qui a décidé tout à coup qu'il voulait caresser le corps nu de sa femme *sur la table de la cuisine* «tel un énorme festin». Son épouse, une femme ayant eu fréquemment de folles aventures sexuelles avec des hommes plus jeunes qu'elle, a été horrifiée: «Au secours! Il est devenu vicieux», m'a-t-elle dit. Je lui ai répondu qu'elle avait peur que cela puisse l'exciter.

Le mari d'Anna, Peter, n'est jamais devenu l'amant espiègle de ses rêves, ce qui l'aurait probablement bouleversée de toute façon. Peter est demeuré un amant timide, quoique tendre. Pourtant, après des mois d'exercices sensuels, Anna s'est aperçue qu'elle commençait à prendre plaisir à son corps, même si ce n'était pas le corps «musclé» d'un étranger. De plus, à mesure qu'elle a appris à faire durer l'excitation, elle s'est rendu compte qu'avoir des orgasmes avec lui ne posait plus de problème. Ils ont commencé à se caresser et à s'embrasser avec une plus grande désinvolture et à faire l'amour plus souvent. Anna a toujours des fantasmes dans les ascenseurs — tout le temps, en fait — mais elle les voit moins comme de véritables tentations ou comme des menaces pour son mariage.

«Les folies me manqueront toujours, je crois, m'a-t-elle dit récemment. Mais faire l'amour avec Peter me procure une douceur que je n'ai jamais éprouvée auparavant. Est-ce simplement un compromis? Peut-être. Mais je me sens bien mieux depuis que je suis une seule et même personne amoureuse que lorsque j'étais deux êtres désespérés.»

Le lièvre et la tortue

Je l'avoue, aucune femme n'est jamais entrée dans mon bureau en déclarant: «Je jouis trop vite!»

Cette plainte est strictement réservée aux hommes, bien que ce soient généralement les femmes qui la formulent. Les femmes, elles, se plaignent de mettre trop de temps à atteindre l'orgasme, du fait qu'au moment où elles y arrivent presque, leur partenaire en a terminé, exténué.

Tout de même, le problème de l'«orgasme prématuré» de la femme est de plus en plus répandu chez les femmes instruites travaillant beaucoup. Ce sont les plaintes au sujet des orgasmes insatisfaisants qui ont constitué pour moi le premier indice qu'un nombre croissant d'entre elles jouissaient trop rapidement. Elles viennent me consulter en se plaignant de ne plus avoir de sensations fortes, que leurs orgasmes se sont affaiblis. Et d'autres sont arrivées en se demandant si elles avaient bien des orgasmes — elles n'en étaient pas certaines. Dans un nombre surprenant de ces cas, j'ai découvert que les femmes arrivaient à atteindre l'orgasme en quelques minutes, parfois même quelques secondes. Nous avons, là encore, un autre symptôme typiquement masculin que certaines femmes ont adopté de façon à couper court aux préliminaires — de façon à pouvoir avoir des rapports sexuels au lieu de faire l'amour.

Bien entendu, il y a une différence évidente entre l'éjaculation précoce d'un homme et l'orgasme prématuré d'une femme. Lorsqu'un homme jouit, il perd son érection; par conséquent, lorsqu'il jouit trop vite, sa partenaire est privée d'orgasme — du moins par le coït. Lorsqu'une femme jouit, elle est physiquement capable de continuer à se livrer au coït jusqu'à ce que son partenaire atteigne l'orgasme — avec quelques exceptions notables, comme nous le verrons.

Mais tant pour les hommes que pour les femmes, l'orgasme prématuré sert à la même chose: il permet de fuir les terreurs et les merveilles de la sensualité intime. Il permet de conclure rapidement et en beauté par ce point final sexuel qu'est l'orgasme. Non seulement les femmes qui présentent ce symptôme ratent les plaisir de la sensualité, mais elles ont des orgasmes moins puissants et moins satisfaisants.

Prenons le cas de Gaby F. dont le mari, Roland, déplorait qu'elle jouisse trop vite. Je vous fais part de leur histoire non parce qu'elle est typique — elle est, en fait, plutôt inhabituelle —, mais parce qu'elle illustre assez bien le problème *général* de l'orgasme prématuré chez la femme.

Roland avait soixante-deux ans; il était président d'une société de placement modeste mais prestigieuse. Trois ans auparavant, la femme avec laquelle il était marié depuis trente-cinq ans était morte; un an plus tard, il avait épousé Gaby, trente-deux ans, vice-présidente directrice de sa société. Plutôt vieux jeu, Roland n'avait pas voulu avoir de relations sexuelles avec Gaby avant le mariage. Une énorme déception l'attendait.

La seule autre femme avec laquelle Roland ait jamais fait l'amour était sa première femme et il avait joui avec elle d'une relation exceptionnellement sensuelle. Ils avaient fait l'amour souvent — trois ou quatre fois par semaine passé cinquante ans — mais, surtout, ils y passaient des heures et pas seulement pour les préliminaires. Son extérieur guindé et aristocratique cachait un être très sensuel. Malheureusement, il avait présumé que Gaby était elle aussi très sensuelle.

Effectivement, la beauté voluptueuse de Gaby, sa façon provocante de se vêtir et ses manières aguichantes laissaient croire qu'elle était une femme à l'appétit sexuel vorace. Elle estimait elle-même avoir une saine aptitude pour la sexualité. Elle avait eu des amants depuis l'âge de seize ans et nombre d'entre eux, m'a-t-elle assuré, l'avaient complimentée sur son aisance sexuelle.

«Je n'ai jamais eu de mal à avoir des orgasmes comme tant de jeunes femmes que je connais, m'a-t-elle dit. J'ai toujours pu jouir en un clin d'œil. Je me souviens, j'étais capable de jouir en quelques secondes simplement en me serrant les cuisses l'une contre l'autre à l'arrière de l'autobus.»

Mais d'après Roland, le fait qu'elle jouisse «en un clin d'œil» était précisément ce qui rendait leur vie amoureuse désastreuse. Il s'était attendu à faire l'amour aussi longuement avec Gaby qu'il avait l'habitude de le faire avec sa première femme. En fait, il avait secrètement espéré que ce serait encore plus sensuel avec cette jeune femme voluptueuse «au paroxysme de sa forme sexuelle». Pourtant, non seulement Gaby jouissait quelques minutes seulement après le début du coït, mais quatre ou cinq minutes après, elle se plaignait de sécheresse vaginale et d'inconfort et insistait pour qu'il se retire. Insatisfait, il se masturbait jusqu'à l'orgasme.

«Je n'ai jamais connu un homme qui mette autant de temps à jouir, se plaignait-elle. Si je l'écoutais, il y mettrait toute la nuit. J'ai toujours considéré l'acte sexuel comme une fonction naturelle, mais pour lui c'est une obsession.»

Elle m'a avoué qu'en raison de l'âge de Roland et de ses belles manières, elle avait cru que la sexualité jouerait un rôle relativement peu important dans leur vie conjugale. Manifestement, c'était aussi ce qu'elle avait espéré.

Roland mettait-il trop de temps à jouir? Avait-il ce qu'on appelle dans le jargon psychiatrique des «éjaculations tardives»? Ou était-ce Gaby qui jouissait trop vite? Avait-elle ce que j'appelle des «orgasmes prématurés»?

Toute catégorisation — «trop rapide» ou «trop lent» — n'est finalement qu'un jugement du comportement *généralement* désiré. Et bien souvent, ce jugement reflète un préjugé sexiste tacite. Un homme qui jouit moins d'une minute après la pénétration est habituellement affublé de l'étiquette négative d'«éjaculateur précoce», alors que la femme qui jouit moins d'une minute après la pénétration est souvent qualifiée de «facilement orgastique». Et une femme qui met plus d'une heure à atteindre l'orgasme après la pénétration est considérée comme ayant des troubles fonctionnels, alors qu'un homme dans la même situation est considéré comme ayant une admirable endurance sexuelle. La solution *libérale* à ce dilemme serait d'admettre que ces concepts sont *relatifs* à chaque individu et de ne les utiliser que dans cet esprit. Par conséquent, tout ce que nous pourrions dire c'est que Gaby jouissait trop vite *pour* Roland et que Roland mettait trop de temps à jouir *pour* Gaby.

Mais cette façon de penser ne me satisfait pas non plus. Mon parti pris ne surprendra personne. Pour moi, un homme *ou* une femme jouit trop vite s'il ou si elle accélère l'acte sexuel de façon à fuir l'intimité sensuelle — c'est-à-dire si c'est pour avoir des rapports sexuels et non pour faire l'amour. De même, un homme *ou* une femme met trop de temps à jouir s'il ou si elle retient ses sentiments de façon à fuir l'anxiété associée à l'intimité sensuelle — là encore, si c'est pour avoir des rapports sexuels et non pour faire l'amour. Voilà ma théorie de la relativité.

Par exemple, je crois qu'un homme a un problème d'éjaculation tardive si je vois qu'il est motivé par un besoin de toujours être aux commandes de l'acte sexuel et ne s'accorde jamais le plaisir d'être passif avec sa partenaire. Il met des heures à jouir (ou ne jouit pas du tout) parce que pour lui l'acte sexuel doit être une performance au même titre qu'une compétition athlétique. Il est l'amant vedette et sa partenaire, son public. Pour lui, l'acte sexuel consiste à assurer sa domination; il n'en retire aucun plaisir parce qu'il a peur d'être vulnérable. Pour moi, cet homme a un problème. Mais selon moi, Roland ne mettait pas tant de temps à jouir parce qu'il voulait dominer Gaby; je crois plutôt qu'il voulait vraiment qu'ils jouissent tous les deux de la même sensualité et de la même intimité dont il avait joui avec sa première femme. Le problème de Roland était son impatience et son insensibilité face aux peurs et à la fragilité de Gaby.

De la même façon, j'estime qu'une femme est facilement orgastique si je vois qu'elle peut passer de son orgasme rapide à d'autres expériences sensuelles et peut-être à un autre orgasme plus puissant. Mais si certaines choses me disent que son orgasme minute est une façon de couper court à ses sentiments, une façon d'en finir au plus vite, alors je crois qu'elle a un problème qui l'empêche d'apprécier les ébats amoureux. Un certain nombre de choses indiquaient que c'était le cas de Gaby. Le vocabulaire même qu'elle utilisait pour décrire l'acte sexuel — «une fonction naturelle» — semblait s'appliquer davantage à ce qui se fait dans les toilettes qu'à un tête-à-tête romantique. Pendant mon enfance en Suède, les gens parlaient souvent de l'acte sexuel en termes aussi prosaïques et mécaniques, ce qui reflétait aussi une attitude clairement antiromantique. Un autre indice était la description que faisait Gaby de ses orgasmes ultrarapides dans l'autobus lorsqu'elle était étudiante. Un bon nombre de mes patientes se plaignant d'avoir des orgasmes *sans éclat* ont connu leurs premiers orgasmes en serrant secrètement les cuisses de cette façon. La masturbation juvénile est une joie dont je ne voudrais priver personne; pour une jeune fille, en particulier, cette expérience peut être très libératrice et lui révéler son aptitude pour le plaisir sensuel. Mais, tout comme pour un garçon, l'habitude de la masturbation clandestine ultrarapide — pour éviter de se faire prendre et de faire face à la culpabilité — peut favoriser une sexualité anxieuse, non sensuelle et purement génitale, et des orgasmes faibles et insatisfaisants.

La sécheresse vaginale postorgastique de Gaby (et la douleur qui s'ensuivait) a été pour moi l'indice le plus révélateur. Je ne veux pas m'engager dans une discussion esprit/corps; je suis parfaitement consciente du fait que de nombreux problèmes sexuels sont causés par des incapacités physiques; c'est pourquoi j'exige toujours que mes patients ayant des troubles fonctionnels soient examinés par un urologue ou un gynécologue. Je sais aussi que, chez certaines femmes, les parois vaginales ne se lubrifient pas adéquatement pour des raisons d'ordre physiologique. Mais Gaby n'avait aucun problème de lubrification avant ses orgasmes: en fait elle devenait alors lubrifiée rapidement et abondamment. Ce n'était qu'après l'orgasme qu'elle devenait sèche au point de ne pouvoir tolérer la pénétration, et je soupçonnais que c'était pour des raisons psychogéniques; quelque part au plus profond de sa psyché, elle disait à ses parties sexuelles de sécher et de s'arrêter. Mes doutes ont été confirmés.

En apprenant à mieux connaître Gaby, j'ai découvert qu'elle était à peu de chose près l'équivalent féminin de l'éjaculateur précoce. Elle était très engagée dans une carrière exigeante et hautement compétitive. Elle considérait pratiquement tous les aspects de sa vie en termes d'objectifs et cherchait la façon la plus efficace de les atteindre. Elle ne pouvait jamais simplement s'abandonner et voyait d'un très mauvais œil le plaisir futile. En ne s'accordant que des rapports sexuels minute, elle restait aux commandes, elle ne perdait pas ses objectifs de vue. De plus, elle était si séduisante et si douée en matière de techniques sexuelles qu'elle avait été en mesure d'amener ses amants précédents à l'orgasme aussi rapidement qu'elle jouissait elle-même. C'étaient là, apparemment, les hommes qui l'avaient complimentée sur son aisance sexuelle: elle jouissait en une minute, ils jouissaient en une minute — tout le monde pouvait retourner à ses affaires. Cela m'a rappelé un personnage joué par Faye Dunaway dans le film *Main basse sur la télévision (Network)*, qui parlait sur un ton animé des nouveaux concepts de programmation tandis qu'elle chevauchait son amant, William Holden: le flot de ses paroles s'est à peine interrompu lorsqu'elle a atteint l'orgasme.

Suivant mon intuition, j'ai demandé à Gaby si elle avait jamais eu l'impression d'être victime de discrimination en raison de sa beauté.

«Et comment!» a-t-elle répondu, plutôt amère. Il semblait que depuis qu'elle était toute petite, les parents et les professeurs de Gaby s'étaient attardés exclusivement à ses attributs physiques sans jamais rendre justice à son intelligence. Elle était jolie; ses frères étaient intelligents. Comme tant d'autres jeunes filles brillantes de sa génération, Gaby se sentait exploitée et rabaissée par ce jugement et avec raison. Elle avait résolu très tôt de prouver qu'elle était plus qu'un joli visage, et elle avait réussi magnifiquement.

«Je ne nie pas que mon apparence m'ait ouvert une porte ou deux, m'a-t-elle dit, mais une fois que je me retrouvais derrière cette porte, je connaissais mon affaire aussi bien que n'importe quel autre M.B.A. Au lieu de me faire exploiter pour mes attraits, je m'en suis servie pour prouver mes véritables capacités.»

Mais comme tant d'hommes et de femmes tirant profit de leurs attraits sexuels pour obtenir la faveur d'un public ou la puissance, Gaby avait sacrifié ses sentiments sexuels. Céder à ces sentiments signifiait perdre ce même pouvoir que lui avaient procuré ses attraits sexuels. Elle reviendrait à la case départ: la petite fille jolie mais impuissante. Pour elle, jouir en un clin d'œil équivalait à peu de chose près à ne pas jouir du tout: ce qui l'empêchait d'être subjuguée par les sentiments.

Lorsque Roland et Gaby sont venus me consulter, ils étaient tous les deux en colère. Roland se sentait profondément frustré par ses rapports sexuels insatisfaisants et avait l'impression d'avoir été trompé par le sex-appeal illusoire de Gaby. D'autre part, Gaby était offensée par la façon dont Roland la comparait constamment à sa première femme et se sentait harcelée par ses exigences sexuelles. Il fallut des mois de discussion, de séances individuelles et d'exercices sensuels progressifs pour que nos deux amis commencent enfin à se rapprocher. Roland devait apprendre à voir Gaby comme un individu et non comme la réplique de sa première femme; il devait apprendre à apprécier ses désirs et ses peurs à elle, quoi qu'il ait pu attendre d'elle. Et Gaby devait apprendre que le plaisir et le pouvoir ne s'excluent pas nécessairement l'un l'autre: qu'elle pouvait se sentir à l'abri dans la salle de conférence *et* au lit. Pour ce faire, j'ai d'abord travaillé avec elle dans un groupe de femmes où elle a appris à se masturber lentement, à faire durer l'excitation, à la laisser monter, plutôt que de précipiter l'orgasme. Avec le temps, Gaby s'est aperçue qu'elle pouvait se permettre de passer une ou deux heures sensuelles avec son mari sans se sentir exploitée, dominée ou rabaissée, et par le fait même, elle a découvert qu'elle jouissait de moins en moins rapidement et que ses organes génitaux ne séchaient plus entre ses orgasmes de plus en plus puissants et exaltants.

Superwoman suce son pouce

Il y de cela quelques années, je voyais fréquemment des femmes au foyer passives, du genre petite fille, qui trouvaient l'acte sexuel laid et effrayant. Souvent, elles faisaient état de phobies sexuelles comme la peur de suffoquer pendant le coït. Tout ce que ces femmes voulaient de leurs maris, c'étaient des étreintes paternelles, de chastes baisers, du réconfort, pas de la sensualité. Elles n'avaient pas de carrière et ne se considéraient pas comme étant les égales de l'homme. La seule façon pour elles d'apprendre à aimer faire l'amour avec maturité était d'apprendre d'abord à s'affirmer et à se respecter elles-mêmes davantage. Éternelle optimiste, j'étais certaine que le mouvement de libération de la femme allait mettre un point final à ce syndrome.

Cela ne devait pas se produire. Aujourd'hui, je vois encore des femmes ayant des phobies sexuelles de petites filles — sauf que maintenant, ces femmes sont médecins, avocates, réalisatrices et banquières. Elles sont sans contredit les égales de n'importe quel homme que je connaisse dans le monde adulte, et je suis certaine que la majorité d'entre elles savent s'affirmer au travail. Mais à la maison, avec leurs maris, elles sont sexuellement peu

sûres d'elles-mêmes et effrayées et elles ont désespérément besoin
d'un réconfort paternel dénué de sexualité. Pour leurs maris, cette
situation est pour le moins déroutante. Ils ne s'étaient jamais dou-
tés que Superwoman suçait son pouce.

J'ai vu Martha W. à la télévision bien avant qu'elle ne se présente à mon cabinet avec Mark, son mari. Martha, pleine d'esprit
et de dynamisme, est reconnue dans la presse télévisée de Washington pour avoir réussi à tirer les vers du nez au représentant
officiel du gouvernement le plus rébarbatif. Mark, porte-parole du
Congrès, m'a avoué sans hésiter qu'il était tombé amoureux de
Martha dès qu'il l'avait vue cuisiner le président au cours d'une
conférence de presse.

«Je n'avais jamais vu un tel *culot* et une telle énergie dans tout
Washington, m'a-t-il dit. Elle m'a sidéré.»

Mais après seulement deux ans de mariage, Mark avait devant
lui une personne totalement différente à la maison.

«C'est à peine si elle arrive à terminer le dîner sans se mettre à
pleurnicher à propos de quelque chose. D'habitude, il s'agit de
quelqu'un qui l'a blessée au studio, ou de quelque interview pour
laquelle elle pense ne pas être du tout préparée. Elle ne commence
à s'effondrer que devant moi. Et je dois me lever et l'emmener par
la main jusqu'au divan, lui caresser les cheveux et lui dire que
tout ira bien. Je finis habituellement par lui chanter une berceuse.»

Un soir en particulier, Mark a été frappé par l'extrême con-
traste entre les deux personnalités de sa femme.

«Martha était allongée sur le divan, sa tête sur mes genoux,
pleurnichant encore une fois, lorsque tout d'un coup, je l'ai vue à
la télévision en train de réduire à néant les arguments d'un type du
Département d'État pendant le bulletin de dix-neuf heures.» Mark
a secoué la tête. «Elle était là, Martha la magnifique, celle dont
j'étais tombé amoureux, mais j'avais peine à entendre ce qu'elle
disait par-dessus les pleurs de la pauvre petite Martha que j'avais
épousée.»

«Vous connaissez donc la vérité maintenant: je suis le magi-
cien d'Oz, a répondu Martha avec une pointe d'ironie. Je ne suis
pas simplement la personne que vous voyez à la télévision, je suis
également un être humain, avec toutes sortes de sentiments dont

l'insécurité. Et pour la première fois de ma vie d'adulte, je pensais que j'avais quelqu'un avec qui partager ces sentiments, quelqu'un en qui je pouvais avoir à ce point confiance que je pouvais enfin laisser tomber mon masque. Sauf que je me trompais. Maintenant vous me dites d'arrêter.

— Non, c'est toi qui *me* dis toujours d'arrêter! a répliqué Mark avec colère. Chaque fois que j'essaie de te faire l'amour!

— Je n'y peux rien! s'est écriée Martha. Ça fait mal!»

C'était là le nœud de l'affaire. Pendant les deux années de leur mariage, Martha et Mark avaient fait l'amour moins d'une dizaine de fois parce que la seule perspective de l'acte sexuel rendait Martha de plus en plus anxieuse et effrayée. Elle disait que ça faisait mal, bien que son gynécologue ne puisse trouver aucune cause physiologique pouvant expliquer cette douleur. Elle disait qu'elle était trop épuisée pour faire l'amour, bien qu'elle fût l'une des reporters les plus énergiques de Washington. Puis elle a développé la phobie classique de la *petite fille*: elle disait qu'elle suffoquait littéralement lorsque Mark était couché sur elle. Chacun de ces symptômes était nouveau pour elle; ils n'étaient apparus qu'*après* son mariage.

Mark avait l'impression d'avoir été dupé. Non seulement il s'était attendu à ce que Martha continue d'entretenir des conversations stimulantes à la table du dîner, mais il s'était attendu aussi à ce qu'elle demeure une amante adulte et active au lit.

«J'aurais pu tout aussi bien épouser une secrétaire de dix-neuf ans, a-t-il maugréé. Elle aurait au moins préparé le dîner avant de perdre tous ses moyens.»

Martha, comme les femmes souffrant du syndrome de l'enfant de chœur/tombeur, avait morcelé sa vie en deux parties; dans sa vie professionnelle, c'était une personne dynamique et indépendante; à la maison, c'était une autre personne, passive et dépendante. Pourtant, ces rôles étaient interprétés avec une nouvelle variante. Au travail, Martha concentrait son énergie exclusivement sur son travail, jamais sur des aventures ou des fantasmes sexuels. Mais au foyer, avec *l'homme de la maison,* elle régressait au stade de son premier modèle féminin: *la petite fille à papa,* celle qui souffre d'insécurité, qui craint les critiques et que l'acte sexuel terrifie. Paradoxalement, les seuls contacts physiques qui la mettaient à l'aise

— se faire bercer, cajoler et caresser — constituent une part importante de ce qui, à mon avis, manque dans la plupart des relations. C'est de ces marques de tendresse que les durs de ce monde — tant hommes que femmes — ont désespérément besoin. Mais Martha passait à côté de l'autre moitié de ce qu'est faire l'amour. Bien qu'elle mourût d'envie d'être cajolée, elle était incapable de cajoler son mari en retour parce qu'elle aurait alors perdu son statut de petite fille dépendante. Mais, et ceci est plus significatif, alors qu'elle pouvait savourer ces marques d'affection pendant des heures, elle était incapable de les transformer en excitation sexuelle. L'une ou l'autre de ses phobies l'en empêchait toujours. Effrayée, dépendante et inflexible, Martha était loin d'être capable d'aimer faire l'amour avec maturité. Mais, comme nous allions bientôt le découvrir, c'était aussi le cas de Mark. Une fois de plus, les exercices sensuels ont dévoilé un amant inhibé se faisant passer pour un poursuivant. Lorsque c'était au tour de Mark de s'allonger passivement sur le lit pendant que Martha le caressait, celui-ci n'arrivait pas à se détendre un seul instant. Il dirigeait et critiquait impitoyablement chacun de ses gestes.

«Ses caresses étaient si timides, je pouvais à peine les sentir», gémissait-il dans mon bureau après avoir fait les exercices pendant un mois au cours duquel Martha était devenue de plus en plus active et généreuse.

«Non, la raison pour laquelle vous ne pouviez rien sentir, c'est que vous refusez de vous abandonner, lui ai-je dit. Voyez-vous, maintenant que Martha n'est plus si petite fille, vous ne pouvez plus jouer au père protecteur.»

Bien que Mark prétendît avoir été totalement surpris lorsque la Martha la magnifique qu'il avait épousée s'était révélée une petite fille suçant son pouce à la maison, à mon avis son radar de mâle avait détecté la petite fille dépendante cachée à l'intérieur de Martha bien avant le mariage. Comme bien des hommes «libérés» que j'ai vus ces dernières années, Mark voulait en fait que sa femme présente ces deux personnalités: il la voulait dynamique et accomplie dans le monde public (l'équivalent yuppie*

---

* *Young urban professional:* jeune professionnel urbain. (N.D.T.)

d'une girl à son bras), mais il la désirait réellement dépendante et inoffensive à la maison.

Finalement, Martha s'est révélée capable de grandir, de surmonter ses phobies et de faire fusionner l'affection réconfortante avec les ébats amoureux sensuels. Mais Mark, tristement, n'a jamais pu accepter cette Martha moins dépendante et plus active sexuellement. Il se sentait menacé par ce qu'il interprétait comme des exigences de sa part. Fait étonnant, il disait même qu'il commençait à suffoquer au lit avec elle. Finalement, il a refusé de poursuivre la thérapie. Plusieurs mois plus tard, ils se sont séparés.

«Je suis triste, bien sûr, m'a dit Martha au téléphone récemment. Mais je sais que ce mariage n'aurait pu durer que si nous n'avions pas changé ni l'un ni l'autre. Et je sais que je ne voulais pas réellement être une femme-enfant effrayée pour le reste de ma vie. Ce n'est la faute de personne comme dit le *I Ching*. Ce sera mieux la prochaine fois.»

Les hommes qui ont besoin de caresses et les femmes qui s'en privent

Si Mark avait été capable de poursuivre les exercices sensuels assez longtemps pour surmonter sa peur de perdre les commandes, il aurait découvert les joies de se faire faire l'amour — plaisir rare pour la plupart des hommes. L'un des aspects les plus gratifiants de mon travail, c'est d'entendre des hommes me dire combien ils apprécient ce plaisir tout nouveau.

Un patient m'a confié: «Je n'avais aucune idée de ce que je manquais jusqu'à ce que je finisse par céder, rester allongé sans bouger et la laisser me caresser. Quelle sensation incroyable! C'était comme si j'avais été privé de ces merveilles toute ma vie.»

En effet, la plupart des hommes sont privés de tendresse depuis leur enfance. Alors que leurs sœurs se font étreindre et reçoivent des caresses affectueuses, on leur donne des tapes viriles sur l'épaule et on leur serre la nuque. La plupart des hommes atteignent l'âge adulte sans se rendre compte à quel point ils ont soif d'affection — de l'intimité décontractée et du réconfort qu'elle pourrait leur procurer. Mais une fois qu'ils ont découvert l'affection, ils y prennent grand plaisir.

C'est là la bonne nouvelle. La mauvaise, c'est qu'il y a aujourd'hui un grand nombre de femmes qui sont incapables de donner à leurs hommes l'affection qu'ils désirent. Les femmes ayant le complexe de l'enfant de chœur/tombeur sont totalement concentrées sur l'acte sexuel génital, et excluent par le fait même la sensualité tendre. De même, les femmes ayant des orgasmes prématurés bannissent l'affection en passant directement au point final de l'acte sexuel. Et les Superwomen qui sucent leur pouce comme Martha peuvent recevoir de l'affection à longueur de journée — du moment que cela ne les entraîne pas vers l'acte sexuel érotique et du moment qu'elles n'ont pas à donner d'affection en retour. À un certain égard, ces femmes libérées sont comme certaines femmes d'avant le féminisme — les bonnes filles virginales, les petites filles timides et les coquettes aguichantes —: elles ont toutes peur de faire l'amour avec intimité.

Mais il faut être deux pour valser. Qui nous choisissons d'épouser reflète généralement davantage nos inhibitions sexuelles que nos ambitions sexuelles. Les durs qui ne dansent pas épousent des femmes libérées qui n'ont pas d'émotions et, au bout d'un certain temps, ni l'un ni l'autre n'est satisfait. Il faut se libérer ensemble des stéréotypes rigides.

Cela commence par une caresse, un contact sensuel qu'on prend le temps de savourer.

Chapitre 5

Le plus vieux marché du monde: échanger les rapports sexuels contre l'amour et vice versa

Les rapports sexuels sont pour les hommes et l'amour pour les femmes. C'est là la prémisse du plus vieux marché de l'histoire: le mariage.

Si ce qui précède vous semble être une doctrine remontant à l'histoire ancienne, réfléchissez un peu. Même en des termes aussi crus, cet énoncé n'aurait pas choqué beaucoup de nos mères et de nos grand-mères. Je connais des tas de femmes qui se rappellent des scènes où leur mère se traînait d'un pas lourd jusqu'à sa chambre en haut des escaliers avec un soupir, un haussement d'épaules et parfois même en plaisantant: «Hem hem, c'est l'heure de remplir mon devoir conjugal. C'est l'heure de *s'occuper* de Papa.»

Manifestement, Maman n'endurait pas les effusions régulièrement programmées de Papa parce qu'elles lui procuraient du plaisir. Elle le faisait parce que cela faisait partie de leur marché. Pour elle c'était très clair: il lui donnait un foyer, une famille, la sécurité, la respectabilité — bref, les éléments qu'elle interprétait comme de l'amour. Et cela donnait à Papa le droit de «soulager sa petite démangeaison» avec elle deux fois par semaine. Qui plus est, c'était la façon qu'avait l'épouse de s'assurer qu'il n'irait pas soulager sa petite démangeaison ailleurs.

La plupart des mes amies adolescentes étaient scandalisées du marché que leur mère avait fait.

«Le mariage n'est que de la prostitution légalisée», avait l'habitude de s'écrier l'une de mes amies avec dégoût. Cette fille m'avait juré qu'elle ne ferait jamais un marché comme ça, même si cela signifiait rester célibataire sa vie entière. Elle n'allait pas se déconsidérer ni déprécier ses rêves d'amour véritable de cette façon. Mais cette fille s'est mariée moins de cinq ans plus tard, comme la plupart d'entre nous.

Est-ce que nous, les femmes modernes — des femmes ayant de l'instruction, une carrière, la connaissance et l'estime de soi —, avons contracté des unions libres de tout détail de ce genre?

Pas toutes. Je suis triste de dire que, à mon avis, troquer le sexe pour l'amour et vice versa est toujours la règle du jeu. Considérons certains faits.

Dans la vaste majorité des mariages modernes, le sexe continue d'être pratiqué par les *deux* partenaires comme si c'était *principalement pour l'homme* — sa prérogative à lui, pas à elle. Rien n'indique mieux ce phénomène que les statistiques montrant qui réclame le plus souvent les rapports sexuels dans le mariage; à l'aube de cette dernière année de la décennie de la femme, quatre couples sur cinq disent encore que c'est *le mari*. À un cocktail ou même au bureau, ce mari peut prendre parti avec éloquence (et sincérité) pour l'égalité des sexes, mais il y a des chances pour que, sous les couvertures, ce soit encore lui qui tende la main vers le corps de sa partenaire et dise: «Hé, ça fait plus d'une semaine maintenant, chérie, non?»

Quant au revers de la médaille, il semble que l'amour et l'affection soient encore le plus souvent considérés par les *deux* partenaires comme étant *principalement pour les femmes*. Il y a de cela quelques années, Ann Landers, chroniqueuse américaine bien connue, a mené une enquête pour savoir ce que les femmes attendaient le plus de leur mari et, croyez-moi, la réponse n'était *pas* les orgasmes multiples. Non, les femmes voulaient qu'il leur chuchote de tendres petits riens à l'oreille, qu'il leur offre des fleurs ou des gâteries et par-dessus tout, les femmes disaient qu'elles voulaient être cajolées. Ce serait bien suffisant merci. En fait, un bon nombre de femmes interrogées se disaient prêtes à sacrifier volontiers une semaine d'ébats sexuels pour une heure de tendresse. Bref, elles échangeraient volontiers le sexe contre l'amour. Je doute qu'un homme sur cent veuille faire le même sacrifice.

Il semble donc que la vieille prémisse soit toujours vivante. Le marché consacré par l'usage semble toujours prêt à être conclu. Pourtant, en cette époque de «compréhension accrue» entre les sexes, les choses se compliquent, les marchés deviennent plus obscurs. Surtout maintenant que nous avons traversé la révolution sexuelle et que l'orgasme féminin doit peser dans la balance.

C'est mon *orgasme après tout!*

Dès que Dina et Louis F. sont entrés dans mon bureau, Dina m'a informée avec un sourire gracieux qu'elle n'était venue que pour faire plaisir à son mari. C'était son idée à lui, m'a dit cette jolie directrice de bureau à la mise impeccable. C'était lui qui avait pris rendez-vous; c'était lui qui avait un problème.

J'ai demandé à Louis, un employé des postes, quel était le problème.

«C'est Dina, a-t-il répondu calmement. Elle n'a pas d'orgasmes.»

Ainsi Dina était là pour le bien de Louis qui était là pour son bien à elle. Quel altruisme! Du moins en apparence.

«Je ne sais vraiment pas pourquoi Louis en fait tout un plat, a poursuivi brillamment Dina. Je pense que nous avons une relation très satisfaisante. Je crois qu'une personne peut être parfaitement heureuse sans avoir un... orgasme.»

Lorsqu'elle a prononcé le mot orgasme, Dina a haussé un sourcil en souriant à demi comme si l'idée même d'avoir un orgasme était indigne d'elle. Elle semblait vouloir dire: «Je ne suis pas l'une de ces femmes légères.»

J'ai regardé Louis qui secouait lentement la tête.

«Eh bien, si cela n'ennuie pas Dina de ne pas avoir d'orgasme, pourquoi cela devrait-il vous ennuyer? lui ai-je demandé.

— Ce n'est tout simplement pas normal, a-t-il bredouillé, ravalant manifestement sa rage. Ce n'est pas naturel.

— Vous voulez dire que vous pensez qu'elle se retient délibérément?»

Louis a rougi et Dina a été soudainement prise d'une toux incontrôlable. Il semblait que je venais de toucher un point sensible. Apparemment, nous n'avions pas simplement affaire à de l'altruisme.

La notion selon laquelle toute femme est non seulement capable d'avoir un orgasme mais a le droit d'en avoir un est relativement nouvelle. Il y a une ou deux générations, la plupart des gens supposaient que seules quelques rares femmes avaient des orgasmes et qu'elles en avaient rarement. En effet, de nombreux médecins supposaient qu'il y avait quelque raison d'ordre physiologique à cela. Certaines théories allaient même jusqu'à dire que la femelle humaine avait évolué *au-delà* de l'orgasme, et que, puisque cela n'était plus nécessaire à la fonction darwinienne de reproduction de l'espèce, le système nerveux de la femme s'était mis à l'éliminer progressivement. Par conséquent, la plupart des femmes présumaient qu'elles ne pouvaient probablement pas avoir d'orgasme et n'étaient pas vraiment déçues lorsque leurs suppositions se révélaient exactes. Elles se sentaient peut-être frustrées, mais elles se disaient que c'était la vie qui le voulait ainsi. Les rapports sexuels étaient pour les hommes, aucun doute là-dessus. Nous pouvons dire en étant presque sûrs de ne pas nous tromper que lorsque Maman montait l'escalier d'un pas lourd et rébarbatif pour aller *s'occuper* de Papa, elle ne pensait vraiment pas à l'enchantement érotique qu'elle allait connaître; si elle prévoyait quelque plaisir, c'était celui des étreintes et des baisers — de l'amour et de l'affection.

Mais ensuite, dans les années cinquante et soixante, tout s'est mis à changer. *Mirabile dictu,* les chercheurs spécialisés en sexologie annoncèrent que les femmes pouvaient avoir des orgasmes — chacune d'entre elles. Les rapports sexuels étaient démocratiques après tout. Les femmes ne pouvaient peut-être pas toutes avoir des orgasmes vaginaux chaque fois, mais des orgasmes clitoridiens, oui. Ainsi, même si une femme n'avait pas d'orgasme pendant la pénétration, elle pouvait compter en avoir un par stimulation orale ou manuelle. C'était là un pas de géant en avant pour l'égalité des femmes — littéralement, pour l'égalité *sexuelle.* Cela allait certainement mettre un terme au troc du sexe contre l'amour dans le mariage. Les hommes et les femmes pouvaient se donner mutuellement du plaisir sexuel. Il y avait de quoi se réjouir.

Mais tout le monde n'applaudissait pas. Soudain, tant les hommes que les femmes étaient en proie à toute une gamme de nouvelles attentes sexuelles, de nouvelles exigences sexuelles et de nouvelles frustrations sexuelles. L'orgasme féminin avec un grand O devint instantanément un défi et un test. Ce qui aurait dû être pure joie sexuelle devint très rapidement l'enjeu le plus important en matière de politique sexuelle.

Les femmes pensaient soudain: «Si je n'ai pas d'orgasme, je suis une ratée.» Et, bien entendu, cette pression suffisait à elle seule à empêcher bon nombre d'entre elles ne serait-ce que d'approcher la jouissance.

Pendant ce temps, leurs maris et amants pensaient: «Si elle n'a pas d'orgasme, *je* suis un raté.» Ils voyaient dans l'orgasme féminin un test servant à déterminer s'ils étaient ou non de bons amants, à fournir la réponse définitive à la question qui hante continuellement les hommes.

Quels joyeux ébats amoureux!

De toutes les chambres à coucher du monde, on entendit monter un chœur de voix masculines: «C'était bon pour toi aussi?»

Au début, la question était posée timidement, avec une pointe d'inquiétude. Ai-je mis dans le mille? Ai-je été à la hauteur? Mon érection a-t-elle duré assez longtemps? Mon Dieu, peut-être que je m'y prends mal!

Si la femme répondait sans équivoque que, oui, elle avait eu un orgasme, l'homme éprouvait une satisfaction et un soulagement immenses. Il avait obtenu sa récompense. *Il* l'avait fait jouir. Dès lors le ressentiment est apparu.

«Mon mari a toujours cet air suffisant lorsqu'il sait que j'ai joui, m'a confié une patiente. C'est comme s'il avait fait cette merveilleuse chose tout seul, tandis que moi je suis censée lui être infiniment reconnaissante d'être un tel séducteur. Cet air qu'il affiche n'a rien à voir avec l'amour, laissez-moi vous le dire.»

Mais si cette femme répondait que, non, elle n'avait *pas* joui, son amant était terriblement déçu. Il avait l'impression d'avoir échoué et, comme les gens ont l'habitude de le faire lorsqu'ils sentent qu'ils ont échoué, il s'en prenait à la personne la plus proche. Lorsqu'il demandait, la fois suivante: «C'était bon pour toi aussi?», sa voix laissait deviner sa rage et son désespoir.

C'est souvent à partir de ce moment-là que certaines femmes commencent à simuler l'orgasme. Quelle triste et étrange tromperie: au point culminant de ce qui est censé être l'acte le plus intime, *mentir sur ce que vous ressentez.* Et pourtant, bien des femmes ayant de la difficulté à atteindre l'orgasme se sentent obligées de jouer cette comédie chaque fois qu'elles se livrent au coït avec leur mari ou leur amant.

«Écoutez, je sais que c'est une tromperie stupide, me confiait une femme. Mais c'est tout de même mieux que de le voir bouder le reste de la semaine. Ça ne fait de mal à personne, vraiment, et ainsi il se sent mieux.»

Bravo, encore un comportement altruiste. Cette femme fait cadeau à son mari de son orgasme frauduleux.

D'autres femmes semblaient moins charitables lorsqu'elles m'ont dit pourquoi elles se livraient à tout ce cirque, les grognements en crescendo et les sourires béats. (Puisqu'ils sont inspirés de la version hollywoodienne de l'extase sexuelle, je suis certaine que les orgasmes simulés sont infiniment plus beaux à voir que l'original.)

«Je fais ça pour qu'il me fiche la paix, m'a raconté l'une d'elles. Autrement, il voudrait y passer tous nos temps libres jusqu'à ce que je finisse par décrocher la timbale. Je suppose que cela pourrait être amusant s'il ne s'agissait pas de cette ennuyeuse poursuite.»

Cette femme était en voie de comprendre que, finalement, si elle trompait quelqu'un par cette comédie, c'était elle. Feindre l'orgasme est la preuve ultime que vous vous concentrez sur les sentiments de votre partenaire et non sur vos propres sentiments; cela vous assure pratiquement de ne rien sentir vous-même. Fait étonnant, une fois que plusieurs femmes de mon groupe ont cessé de feindre l'orgasme, elles se sont aperçues qu'elles en avaient eu, effectivement, depuis le début. Elles étaient tellement prises par le spectacle qu'elles donnaient qu'elles s'étaient privées des sentiments véritables qui se cachaient dans les coulisses.

Il y a même des femmes qui se sentent obligées de dramatiser les orgasmes qu'elles ont pour calmer un mari qui insiste sur le fait qu'elles ne sont pas assez expressives. «D'habitude, je retiens mon souffle jusqu'à ce que je commence à jouir, m'a raconté une patiente. Mais mon mari ne cessait de se plaindre que mes orgasmes n'étaient pas vraiment puissants, alors je me suis mise à lancer quelques grognements. Maintenant, il est plus heureux, mais je suis si prise par mon jeu qu'il m'arrive de perdre mon orgasme.»

Le danger du showbusiness c'est que les véritables sensations peuvent être ratées. J'avais l'habitude de dire que simuler un orgasme est un moyen infaillible pour ne pas en avoir, mais ces dernières années, j'ai découvert une exception importante à cette règle. Certaines femmes de mon groupe de femmes préorgastiques ont tellement peur de paraître trop sexuelles (par conséquent *légères*) qu'elles ont besoin de *s'exercer* en s'écoutant grogner, en haletant et en roulant des yeux. Bref, elles ont besoin de répéter leur orgasme quelques fois pour pouvoir surmonter leur peur des apparences. Elles ont besoin de connaître l'impression qu'elles vont donner. Ce n'est qu'ensuite qu'elles pourront se permettre de se concentrer sur les sentiments qui leur permettront de jouir de leur orgasme.

Mais que les orgasmes féminins soient simulés, niés ou simplement absents, le nouvel accent mis sur l'Orgasme Féminin n'a souvent fait que compliquer les marchés conclus dans le mariage.

Les hommes marchandaient pour sauver leur ego, les femmes pour avoir la paix. Et, quelque part dans cette transaction, les sentiments réciproques se sont à nouveau perdus.

«Je t'aime . . . (Silence) . . .
Mais dis quelque chose, bon sang!»

«Ça ne s'est produit avec personne d'autre», m'a annoncé Louis lorsque je l'ai vu seule à seul. Ensuite, comme bien des maris et amants de femmes préorgastiques avant lui, Louis m'a dressé la liste de toutes les femmes avec lesquelles il avait couché et qui non seulement avaient des orgasmes, mais des orgasmes multiples. Musclé, la trentaine, le regard plein de sensibilité, Louis semblait être un homme qui mettait beaucoup d'efforts à essayer de paraître plus dur et plus macho qu'il ne l'était en réalité. Je n'ai pas été surprise le moins du monde lorsqu'il m'a dit qu'il était le benjamin de quatre frères, celui qui devait toujours suivre les plus grands. Pour l'instant, Louis voulait s'assurer que rien ne clochait dans son *équipement,* qu'il était sexuellement à la hauteur.

«Mais après avoir connu toutes ces femmes, vous avez choisi d'épouser Dina, celle-là même qui n'avait *pas* d'orgasme avec vous, lui ai-je dit après qu'il m'ait débité sa liste. Peut-être devrions-nous commencer par examiner les raisons pour lesquelles vous l'avez choisie.»

Louis m'a répondu que Dina était tout à fait merveilleuse sous tous les autres aspects: elle était ultra-efficace dans son travail, une hôtesse charmante, une bonne mère, une femme d'intérieur accomplie. Il disait aussi que c'était une épouse très attentionnée qui, par exemple, veillait toujours à ce qu'il trouve un repas chaud en rentrant à la maison. Pour moi, il était clair que Louis était en admiration devant sa femme. D'après lui, le travail de Dina était beaucoup plus prestigieux que le sien, son sens des mondanités plus raffiné. Manifestement, Louis pensait avoir épousé une femme meilleure que lui et l'avait mise sur un piédestal. Mais en même temps, la Dina qu'il décrivait donnait l'impression d'être une geisha: une femme se consacrant à l'art de plaire à son homme sans oser se faire vraiment plaisir à elle-même.

J'ai demandé à Louis s'il arrivait parfois à Dina de réclamer des rapports sexuels; il m'a répondu par la négative, sur un ton qui montrait que l'idée était grotesque. Je lui ai demandé si Dina avait déjà refusé d'avoir des rapports sexuels avec lui, ce à quoi il a répondu: «Jamais», mais a ajouté qu'elle le faisait toujours attendre jusqu'à ce qu'elle soit absolument certaine que les enfants soient endormis, ce qui signifiait parfois jusqu'à tard dans la soirée. Alors, se plaignait-il, elle décidait habituellement que la chambre avait besoin d'être rangée et, finalement, consacrait beaucoup de temps à se préparer — après la douche, la poudre et le parfum, elle se peignait les cheveux et enfilait un négligé affriolant. Une fois au lit, disait-il, elle aimait parler tranquillement pendant un moment et puis, juste avant qu'ils ne commencent, elle disait toujours: «Je t'aime.»

«Et vous lui répondez toujours la même chose? lui ai-je demandé.

— Oui.

— Même si vous n'en avez pas envie?»

Louis hésita, puis acquiesça.

Le rituel de toujours dire «je t'aime» et «moi aussi» avant les rapports sexuels remonte peut-être aux jours où troquer le sexe pour l'amour était plus explicite. Une femme avait besoin d'une déclaration d'amour avant de pouvoir permettre les rapports sexuels parce qu'elle devait avoir l'assurance que son amant allait rester près d'elle pour subvenir aux besoins des enfants qu'il allait ainsi lui donner. Il ne s'agissait pas de satisfaire un simple besoin émotionnel, il s'agissait d'un besoin d'ordre pratique. «Oui, je veux avoir tes enfants, disait-elle, mais je veux savoir si tu les désires toi aussi. Promets-moi de m'aider à prendre soin d'eux... Dis-moi que tu m'aimes.»

Les vestiges de ce comportement subsistent encore. Je connais un bon nombre d'hommes d'âge mûr qui se souviennent que lorsqu'ils étaient des adolescents de la prérévolution sexuelle, ils avaient appris que le seul moyen pour qu'une fille se laisse faire, c'était de lui glisser des mots doux à l'oreille.

«La règle du jeu était qu'une fille ne se laissait *peloter* que si vous arriviez à la convaincre que vous étiez amoureux d'elle, m'a expliqué l'un d'eux. Nous avions donc tous mis au point des regards sincères et une phrase de poésie romantique sortie tout droit d'une carte de souhaits, tout cela dans le seul but de caresser un sein nu. Jamais, au grand jamais, une fille ne devait le faire simplement parce qu'elle était excitée elle aussi.»

L'un des clichés du cinéma des années cinquante montrait une jeune créature bien sage qui repoussait son soupirant haletant en lui disant: «Tu ne veux pas de moi seulement pour mon corps, n'est-ce pas?» Ce qu'il s'empressait de nier avec véhémence, exhibant la preuve concrète de ses intentions pures sous la forme d'une bague de fin d'études — gage d'amour. Il voulait des rapports sexuels, bien entendu, mais il en connaissait le prix.

Bien que les temps aient changé, je me demande parfois si les différences ne sont pas seulement d'ordre stylistique. Même en cette fin des années quatre-vingt, il se trouve encore des femmes comme Dina qui ont besoin d'entendre ces trois petits mots avant de pouvoir se livrer à l'acte sexuel. Peut-être la plupart d'entre elles n'obligent-elles pas leur mari à faire cette déclaration dès le signal du départ, mais l'exigence demeure.

J'ai toujours pensé que le besoin de répondre «moi aussi» dès que votre partenaire vous dit «je t'aime» était plutôt barbare. Cette anecdote, qui m'a été racontée par Steven, un jeune marié, constitue un bon exemple.

«Beth (sa femme) et moi faisions une balade en voiture et passions un merveilleux moment lorsque, tout à coup, elle m'a donné un baiser et m'a dit: «Je t'aime.» Parfait. Je suis toujours heureux d'entendre cela. Mais, à ce moment précis, je ne sentais pas le besoin de lui répondre la même chose. Je me suis dit que nous nous sentions si bien tous les deux, que c'était sans importance. *Erreur!* Beth m'a dévisagé avec l'air de demander: «Eh bien, tu ne dis rien?» Elle s'est bientôt mise à bouder et n'a plus voulu m'adresser la parole. Je me suis penché pour l'embrasser mais elle s'est retournée. Pas de baiser pour moi. Je n'avais pas suivi les règles.»

Le besoin de cette femme d'être rassurée avait eu pour effet de transformer la plus intime des expressions en comportement poli, de faire des mots «je t'aime» une formule de politesse au même titre que «merci», «excusez-moi» ou «bonne journée». L'étiquette vous dicte ce que vous devez dire, même si vous n'en avez pas envie. Malheureusement, lorsque dire «je t'aime» devient une condition préalable aux rapports sexuels, ces mots sont privés de leur pouvoir d'émotion. En fait, lorsqu'un homme échange ces mots d'amour contre les rapports sexuels — même si cela fait partie d'un rituel inoffensif, comme dans le cas de Louis —, il fait exactement comme une femme qui simule l'orgasme. En disant «je t'aime» *sur commande,* il risque de ne jamais vivre véritablement les sentiments intimes qui se trouvent derrière ces mots. «*Un instant, Dagmar!* proteste encore cette femme au dernier rang. *Tout ce que nous essayons de faire, c'est de ramener un peu d'amour dans nos vies sexuelles. Vous pouvez difficilement nous en blâmer!*»

Je ne vous blâme pas un seul instant; mon unique but est de voir l'amour et les rapports sexuels réunis dans une relation. Mais toute tentative de *marchandage* ne peut réussir qu'à les tenir éloignés. Et on se retrouve avec *deux* personnes seules et frustrées.

Les expériences sexuelles de Louis avec sa femme telles qu'ils me les avaient décrites semblaient particulièrement solitaires. Une fois le «je t'aime» protocolaire prononcé, Dina se mettait rapidement à la tâche. Elle tendait la main vers le pénis de Louis, le manipulait jusqu'à l'érection — encore une fois, je la voyais comme une geisha experte —, puis le guidait en elle tout en glissant un oreiller sous ses fesses. En dépit de toute cette efficacité, Louis arrivait à faire durer son érection passablement longtemps avant de jouir. Ensuite, même après toutes ces années, il posait la sempiternelle question: «C'était bon pour toi aussi?»

D'après ce que disait Louis, Dina ne faisait jamais semblant d'avoir un orgasme. Elle répondait à Louis: «C'est sans importance, chéri. Ça arrivera quand ça arrivera. De toute façon, c'est bon de savoir que c'était bon pour toi.»

Je sais de source sûre que ce genre de réponse suffit à faire grimper n'importe quel homme dans les rideaux. Je suis certaine qu'à sa façon, Dina était sincère, mais sa réponse frisait dangereusement le martyre. Louis m'a avoué que quelque chose dans sa réaction le rendait misérable, bien qu'à ce moment-là il n'ait pu dire exactement ce que c'était.

Il me semblait que Dina transmettait un certain nombre de messages à Louis par sa réponse. Premièrement, en disant que c'était sans importance, elle laissait supposer qu'elle était *au-dessus* des orgasmes et que Louis, en tant que mâle ayant besoin de rapports sexuels et qui n'était qu'un être charnel, était indigne d'elle. Comme Louis avait mis Dina sur un piédestal, il ne demandait pas mieux que d'y croire, même s'il commençait à éprouver du ressentiment. Mais la partie la plus dangereuse de ce message était qu'il renforçait l'impression que leur vie sexuelle faisait à Louis: *qu'il agissait tout seul.*

Ce que Dina disait ensuite, que ça arriverait quand ça arriverait, me donnait l'impression d'être un coup de coude subtil pour qu'il continue d'essayer de lui donner un orgasme. Bien qu'elle affirmât que c'était sans importance, elle désirait manifestement continuer d'agiter la carotte devant le nez de Louis. Une partie d'elle voulait qu'il demeure convaincu du fait que s'il la frottait au bon endroit de la bonne façon, elle finirait par le gratifier d'un orgasme.

Mais c'était le côté martyr de la dernière phrase de Dina — «C'est bon de savoir que c'était bon pour toi» — qui transmettait le message le plus révélateur: *elle s'était sacrifiée pour lui et maintenant, il lui en était redevable.* C'était vraiment le fin fond de l'histoire — le marché. Elle lui avait donné du sexe, elle voulait maintenant quelque chose en retour, et ce quelque chose était *plus grand que les rapports sexuels.*

Presque tous les couples que je connais se livrent à ce jeu, particulièrement lorsqu'il s'agit de rapports sexuels. Elle lui donne la stimulation bucco-génitale, mais il ne lui rend pas la politesse: *il lui est redevable.* Elle a repoussé ses avances: *elle lui est redevable.* Elle a dit: «Je t'aime», mais il s'est contenté de sourire: *il lui est redevable.* Elle a joui deux fois, mais lui une seule: *elle lui est redevable.*

Mais où se situait Louis dans toute cette sexualité *donnant, donnant*? C'était lui qui avait traîné Dina à mon cabinet: c'était lui qui faisait tout un plat du fait qu'elle n'avait pas d'orgasmes. N'était-ce pas simplement un homme de plus qui essayait de «mettre dans le mille» pour pouvoir se donner l'impression d'être un tombeur et non un raté sexuel? Ne se mettait-il pas dans la position de celui qui est redevable par le simple fait de demander impitoyablement: «C'était bon pour toi aussi?» Et pour finir, n'était-ce pas lui qui se concentrait sur la performance sexuelle à l'exclusion de tout sentiment amoureux?

Il est certain que Louis avait une façon de penser passablement phallocrate: ce qui explique l'importance qu'il donnait à la liste des femmes qu'il avait «fait jouir». Mais plus il parlait, plus je voyais apparaître une autre facette de sa personnalité: il était plus frustré par la solitude qu'il ressentait au lit auprès de Dina que par son impression d'être un amant médiocre.

«Mais pourquoi Dina se retient-elle? m'a demandé Louis. Que croyez-vous qu'elle veuille de moi?

— Je pense qu'elle veut la même chose de vous que ce que vous voulez réellement d'elle. Elle veut plus qu'un simple orgasme. Elle veut que vous lui fassiez éprouver des sentiments.»

Mais ni l'un ni l'autre de ces donneurs compulsifs ne pouvait éprouver grand-chose sans commencer à prendre égoïstement du plaisir pour lui-même.

«Tu ne m'apportes plus jamais de fleurs»

L'administratrice d'un hôpital m'a confié un jour qu'elle avait du mal à trouver une personne qualifiée pour diriger son service de dossiers des patients. «Ce n'est pas facile, disait-elle. J'ai besoin d'une personne intelligente et consciencieuse qui soit un génie du détail et qui ait de grandes aptitudes de gestion.

— Je sais où vous pourriez trouver d'un seul coup une dizaine de candidates parfaites pour ce poste, lui ai-je répondu avec un clin d'œil. Vous pourriez choisir n'importe laquelle des femmes de mon groupe de femmes préorgastiques.»

C'est la vérité. Vers la fin des années soixante-dix, j'ai commencé à me rendre compte que ces groupes de femmes qui n'avaient jamais eu d'orgasme comptaient un nombre disproportionné de femmes ultra-efficaces, très brillantes et extrêmement disciplinées. Par exemple, parmi les centaines de femmes avec lesquelles j'ai travaillé, seules quelques-unes avaient obtenu une moyenne inférieure à B au secondaire. Parmi celles qui travaillaient à l'extérieur, un nombre exceptionnellement important étaient des professionnelles ou occupaient des postes de direction hautement rémunérés. Les femmes d'intérieur étaient généralement considérées comme incroyablement compétentes et efficaces; avec elles, la maison — comme tous ceux qu'elle abritait — était toujours impeccable. Dans l'ensemble, c'étaient des femmes particulièrement soignées. Bref, c'étaient de bonnes petites filles qui étaient devenues des femmes parfaites.

En effet, la plupart des femmes préorgastiques que je rencontrais se décrivaient volontiers comme ayant été le genre de fille qui ne salissait jamais son tablier d'écolière, participait aux tâches ménagères, prenait soin de ses frères et sœurs plus jeunes, faisait ses devoirs avec application et avait toujours de bonnes notes. Souvent l'aînée de la famille, cette bonne fille avait généralement des parents sévères et difficiles à contenter; en fait, elle était certaine que la seule façon pour elle de les satisfaire était de nier ses propres impulsions et ses propres besoins. Il n'est donc pas surprenant d'apprendre qu'un très grand nombre de ces bonnes filles ne se sont jamais masturbées. Leur modèle de comportement était établi: ces filles avaient appris *à sacrifier leur propre plaisir pour obtenir l'approbation et l'amour de leurs parents.* Devenues des femmes, ces bonnes filles se refusaient toujours le plaisir — et pas seulement le plaisir sexuel — dans l'espoir d'obtenir un peu d'amour en retour de la part de leur conjoint. Elles faisaient encore tout leur possible pour contenter l'autorité, sauf que maintenant, l'autorité était représentée par l'homme qui partageait leur vie.

Mais que se passe-t-il lorsque cet homme décide tout à coup que ce qui lui ferait le plus plaisir ce serait qu'elle ait un orgasme?

Dina correspondait parfaitement au profil de la femme préorgastique. Elle était l'aînée de sa famille, avait été une enfant et une élève modèle — la bonne fille par excellence. Et maintenant, cadre supérieur remarquable, épouse et mère parfaite, c'était une femme idéale. Lorsqu'elle s'est présentée à mon bureau pour sa première séance individuelle, elle portait un tailleur de tweed à la coupe impeccable et était coiffée à la perfection.

Encore une fois, Dina s'est empressée de me dire qu'elle était pleinement heureuse de son mariage tel qu'il était et que la seule raison pour laquelle elle était là était l'insistance de Louis. Elle m'a répété tout cela calmement et poliment.

«Écoutez, Dina, pourquoi ne pas nous épargner du temps? ai-je dit, impassible. Pourquoi ne pas rentrer à la maison et simuler l'orgasme — ça rendrait Louis heureux.

— Je ne vais pas me mettre à mentir à Louis, a répliqué Dina froidement.

— Je suis heureuse de vous l'entendre dire», ai-je dit, mine de rien. Je me rendais compte que je n'arriverais à rien avec Dina à moins de secouer sa parfaite maîtrise d'elle-même sur-le-champ.

«Alors pourquoi ne pas simplement rentrer à la maison et *vous obliger* à avoir des orgasmes?»

Dina m'a envoyé un regard noir.

«Je ne pense pas que ce soit aussi simple, a-t-elle dit.

— Pour vous, Dina? Mais je croyais que vous étiez le genre de personne qui puisse faire n'importe quoi pourvu qu'elle s'y applique.»

Dina m'a dévisagée l'espace d'une seconde, puis elle a porté les mains à son visage et j'ai vu des larmes couler sur ses joues. Je lui ai tendu un papier-mouchoir.

«Cela vous a mise en colère, n'est-ce pas? Vous n'avez jamais rien fait pour votre propre plaisir, n'est-ce pas?» lui ai-je dit doucement.

Dina ne pleurait pas parce que quelqu'un l'avait accusée d'être moins que parfaite. Bien pire, je l'avais accusée de l'échec le plus répréhensible — ne pas être parfaitement maîtresse d'elle-même. Comme bien d'autres bonnes filles, Dina n'avait reçu de l'approbation ou de l'affection que lorsqu'elle s'était montrée à la hauteur et elle était terrifiée à l'idée de perdre cette approbation.

Dina était au centre d'une contradiction insoluble. Pour être une bonne fille, elle devait être parfaitement maîtresse d'elle-même, ce qui signifiait sacrifier ses sentiments, y compris ses sentiments sexuels. Mais pour être une épouse parfaite, elle devait produire un orgasme pour son mari. Bref, pour être une bonne épouse, elle devait cesser d'être une aussi bonne fille. Elle ne pouvait pas gagner sur les deux plans.

«Vous ne pouvez pas avoir d'orgasme pour Louis, ai-je dit à Dina. Ça ne marche pas ainsi. Vous ne pouvez avoir un orgasme que pour vous-même. Et je pense qu'il est temps que vous décidiez que vous en méritez un.

— Vous en parlez comme s'il n'en tenait qu'à moi d'en avoir un ou pas, m'a répondu Dina, reprenant son sang-froid.

— Il n'en tient qu'à vous, en effet. Il faudrait peut-être que vous réfléchissiez à ce que vous craignez de perdre si vous en avez un.»

Dina était aux prises avec un paradoxe qui traversait sa vie comme une fissure. Elle était là, le modèle de la maîtrise de soi, essayant de nier qu'elle était maîtresse de ses propres orgasmes. En laissant supposer que son mari était responsable de ses orgasmes — ou de leur absence —, elle restait parfaite: ce n'était pas elle qui échouait mais bien lui. Mais en même temps, ce qu'elle disait en réalité, c'était que Louis avait le pouvoir de lui donner ou de lui refuser l'orgasme. Et cela, me semble-t-il, est à peu près le summum du pouvoir qu'une personne puisse avoir. Dina avait l'impression d'être à la merci de Louis. Avec une telle impression, bien entendu, elle devait trouver un moyen de reprendre un peu de pouvoir; elle niait donc avoir quelque intérêt pour l'orgasme et faisait en sorte de ne jamais en avoir. (Elle m'a avoué plus tard qu'elle avait pris l'habitude de penser à autre chose pendant ses rapports sexuels avec Louis: elle révisait des listes d'appels à effectuer et de tâches à accomplir — méthode infaillible pour ne rien sentir sexuellement.) En retenant son excitation et son orgasme, elle était maîtresse de la situation. Inversement, cela signifiait que si elle avait effectivement un orgasme — et par conséquent perdait toute maîtrise — elle risquait de tout perdre, y compris, en fin de compte, l'amour et l'approbation de Louis. Elle avait conféré à Louis un si grand pouvoir que si elle ne le dominait pas, il l'anéantirait.

D'un autre côté, Dina proposait un tout autre marché à son mari: «J'accepte d'avoir des rapports sexuels avec toi, maintenant fais-moi éprouver quelque chose. Excite-moi. Donne-moi l'impression d'être aimée. Et par-dessus tout, donne-moi l'impression d'être *aimante*!»

Comme tant d'autres bonnes filles devenues adultes, Dina avait soif de sentiments. Toute sa vie, elle avait été si préoccupée de donner qu'elle était pratiquement incapable de répondre. Elle était experte dans l'art de faire — y compris dans les rapports sexuels — mais elle était novice dans l'art de ressentir — y compris ressentir de l'amour. Et comme tant d'autres femmes, et pas seulement des bonnes filles, Dina était convaincue que c'était la responsabilité de l'homme de lui donner des sentiments. «C'est le rôle d'un homme: de nous exciter, de nous faire ressentir. Pas vrai?» C'est toujours le même vieux marché: les rapports sexuels contre l'amour, l'amour contre les rapports sexuels.

Non sans s'être fait secouer un peu, Dina m'a avoué qu'à son avis, Louis ne remplissait pas sa part du marché. En fait, en y pensant bien, elle s'est rendu compte qu'elle en voulait terriblement à Louis: «Il ne fait jamais rien de spécial pour me faire plaisir, m'a-t-elle dit. Il ne m'apporte presque jamais de fleurs ou de gâteries ou quoi que ce soit. J'ai même dû lui rappeler de m'offrir un cadeau d'anniversaire l'an dernier; et la seule raison pour laquelle je l'ai fait, c'était pour sauver les apparences devant les enfants.»

Au sujet de ses rapports sexuels avec lui, elle m'a confié: «Pendant sept ans il a été heureux d'avoir des rapports sexuels chaque fois qu'il en voulait. Et, croyez-moi, ce n'était jamais très stimulant. Bien sûr, maintenant il y a cette histoire d'orgasme qui le tracasse tout le temps, mais s'il pouvait m'en donner un en me pinçant le coude, il le ferait. Et je ne veux avoir un orgasme que si cela doit être un geste d'amour.»

Finalement, Dina avait admis que, à certaines conditions, elle voulait un orgasme pour elle-même.

Nous pouvions commencer.

Un marché qui ne fait que des perdants

Dina et Louis avaient une chose en commun avec la plupart des couples qui me consultent ces temps-ci: ils avaient tous les deux des rapports sexuels frénétiques dans l'espoir d'obtenir des sentiments amoureux en retour. Louis s'exécutait avec application, cherchant désespérément le «bon geste» qui ferait jouir Dina, pour pouvoir enfin cesser d'avoir l'impression d'être tout seul dans son lit. Il travaillait dur pour voir cette lueur dans les yeux de sa femme qui montrerait enfin qu'elle l'aimait vraiment. Et Dina se faisait un devoir de se livrer à l'acte sexuel avec Louis chaque fois qu'il le voulait — et ce avec des parfums, des poudres et un oreiller sous les fesses — tandis qu'elle attendait qu'il finisse par lui faire connaître des sentiments amoureux.

Le mariage de Louis et de Dina était un marché typique des années quatre-vingt et, bien sûr, il n'avait pas fonctionné. Louis se sentait toujours aussi seul, assoiffé d'intimité; Dina était toujours aussi engourdie, assoiffée de sentiments. Dans ce marché, il n'y avait que des perdants et ce, pour une raison bien simple: personne ne peut créer des sentiments intimes simplement en ayant des rapports sexuels. Demandez à tous les don Juan de la terre: plus ils ont de rapports sexuels (et plus ils ont de partenaires), plus ils se sentent seuls.

La raison fondamentale pour laquelle Dina ne pouvait pas connaître l'orgasme, c'était qu'elle ne pouvait *rien* ressentir: ni la colère, ni la joie, ni l'amour. Parmi mon groupe de femmes préorgastiques, il arrive fréquemment que l'une d'elles se rende compte qu'elle a toujours eu des orgasmes d'un certain point de vue technique et physiologique, mais qu'elle est passée à côté — c'est-à-dire qu'elle ne les a pas sentis. Il s'agit de femmes si fermées qu'elles n'éprouvent aucune sensation, aucun orgasme. J'ai dit à Dina qu'il lui serait impossible d'avoir un premier orgasme avec son mari dans les circonstances parce que cela équivaudrait pour elle à céder le seul pouvoir qu'elle exerçait dans la relation. Elle allait devoir apprendre à avoir ses premiers orgasmes par elle-même, *pour elle-même*. La thérapeute Lonnie Barbach a découvert il y a plusieurs années que, en travaillant avec des femmes préorgastiques sans leurs partenaires, son taux de réussite était beaucoup plus élevé que celui de Masters et Johnson qui travaillaient exclusivement avec des couples. J'ai demandé à Dina si elle pouvait s'inscrire à l'un de mes groupes de femmes préorgastiques.

«Je ne sais pas, m'a-t-elle répondu en se mordillant la lèvre.

— Avez-vous peur que Louis n'approuve pas?»

Dina acquiesça.

«Eh bien, il l'aura cherché», lui ai-je dit en souriant; pour la première fois, Dina a souri elle aussi.

J'ai toujours soutenu que l'une des raisons pour lesquelles nous avons un taux de réussite aussi élevé (plus de quatre-vingts pour cent) avec les femmes préorgastiques, c'est que ce sont des élèves extraordinaires. Ce sont de bonnes filles qui font leurs devoirs, et dans ce cas-ci, leur devoir consiste à passer chaque jour une heure seule, d'abord à examiner leur corps et leurs parties génitales et, plus tard, à se toucher et à se masturber. En cours de route, nous expérimentons, à l'aide d'exercices d'affirmation de soi, une autre façon de redonner un peu de sentiments à ces femmes qui ont depuis toujours sacrifié leur plaisir. Mais, comme pour la majeure partie des femmes faisant partie de ces groupes, la seule chose qui empêchait Dina de s'accorder le plaisir d'un orgasme était sa crainte de la désapprobation de son mari. Bien sûr, Louis *disait* qu'il désirait qu'elle ait un orgasme, mais, enfant, Dina avait appris qu'elle n'obtiendrait ni approbation ni amour si elle donnait de l'importance à ses propres sentiments. Pourquoi cela devrait-il être différent?

Avec les années, j'ai vu parmi mes groupes plusieurs femmes qui avaient appris à atteindre l'orgasme faire croire à leur partenaire qu'elles étaient toujours préorgastiques. À l'inverse des femmes qui simulaient l'orgasme, elles feignaient de *ne pas* en avoir. Ces deux genres d'impostures obéissent à la même motivation: que leur homme soit heureux et ne se sente pas menacé; que leur homme ne les quitte pas.

Ce qui est malheureux, c'est que les craintes de ces femmes sont justifiées jusqu'à un certain point. Très souvent, le mari — celui-là même qui a traîné sa femme préorgastique dans mon cabinet pour que je règle son problème — finit par essayer de retirer sa femme de mon groupe de femmes préorgastiques. Il se sent menacé jusqu'à la moelle. «Serai-je capable de la satisfaire aussi bien qu'elle se satisfait elle-même?» s'inquiète-t-il. Ou pire: «Est-ce que je veux vraiment d'une femme qui soit aussi sexuelle? Ne va-t-elle pas m'engloutir?»

Certains maris sont submergés lorsque leur femme retourne à la maison après avoir participé à l'un de mes groupes et se met à avoir des orgasmes multiples. C'est plus que ce à quoi ils s'attendaient. L'homme a peur de ne pas être capable de suivre sa femme, de perdre quelque compétition sexuelle imaginaire, alors il se met à la critiquer. Il déplore que leurs rapports sexuels soient devenus trop impersonnels, qu'elle soit trop distante. Mais il ne dit jamais vraiment ce qui le tracasse: la peur qu'elle s'amuse plus que lui.

Heureusement, dans le cas de Louis, la peur de Dina se révéla injustifiée. Tout d'abord, Louis avait cru être seul responsable des orgasmes de Dina comme elle le croyait aussi. Après seulement quelques semaines de thérapie dans mon groupe, Dina était beaucoup moins organisée à la maison; elle laissait la vaisselle s'empiler, faisait beaucoup moins de ménage et demandait à Louis de rapporter des plats prêts à manger deux ou trois soirs par semaine. Elle se délectait de son nouvel égoïsme et de son laisser-aller. Mais en même temps, pour la première fois, sa relation avec Louis était plus active et plus amoureuse.

«Je ne sais pas ce qui m'a pris, racontait Dina au groupe l'autre jour. Je me suis glissée derrière Louis et je lui ai pincé les fesses. Pendant une seconde, j'ai eu peur de sa réaction, mais il s'est retourné et m'a pincée à mon tour. Ça peut paraître bizarre, mais je ne m'étais jamais sentie aussi bien avec lui.»

Quelques semaines plus tard, Dina et Louis faisaient l'amour ensemble, et les orgasmes étaient au programme. Ils avaient découvert le seul *marché* valable: chacun prenait du plaisir pour soi-même et partageait les sentiments de l'autre. C'était une affaire d'or.

Chapitre 6

Infidèlement vôtre

J'adore ces articles de magazines alarmants qui dressent la liste des *cinq signes les plus révélateurs de l'infidélité de votre mari*.

Le premier est généralement le reflet de son irrépressible sentiment de culpabilité, par exemple le fait qu'il ne soit plus capable de vous regarder dans les yeux ou ses crises subites de dépression, surtout au cours des réunions de famille. Le deuxième signe? Ses soudaines cachotteries (ferme-t-il la porte *avant* de répondre au téléphone?). Le troisième, c'est qu'il s'est mis tout à coup à soigner un peu plus son apparence. Quatrièmement, on vous suggère de chercher sur ses relevés de cartes de crédit des noms d'hôtels (soyez franche, a-t-il une raison plausible de louer une chambre au motel de La Vieille Forge un jeudi soir?). Le cinquième signe, bien entendu, est cette révélation involontaire fatale: il est loin de faire l'amour avec vous aussi souvent que d'habitude et, lorsqu'il le fait, il a l'air coupable et renfermé.

Les personnes qui écrivent ces articles ne doivent pas connaître les mêmes couples que moi. (Tout d'abord, je ne vois jamais d'articles sur les signes révélant que votre *femme* a une liaison et pourtant, d'après mon expérience, les femmes semblent tout aussi actives que les hommes dans ce domaine.) Quoi qu'il en soit, si j'avais à dresser *ma* liste des cinq signes les plus révélateurs en me basant sur ce que m'ont appris les couples qui sont venus me consulter récemment, elle ressemblerait à ceci:

1. Il semble plus libre et plus joyeux que d'habitude à la maison.

2. Il ne cesse de laisser des indices derrière lui pour vous aider à détecter son infidélité.

3. Il s'alimente mieux.

4. Il laisse ses reçus de carte de crédit du motel de La Vieille Forge sur sa commode (voir le deuxième indice).

5. Il veut faire l'amour environ deux fois plus souvent que d'habitude et, pendant les relations sexuelles, il semble plus détendu et moins inhibé.

J'exagère un peu, bien entendu, mais il est vrai qu'un bon nombre des maris (et des femmes) infidèles que je rencontre se sentent effectivement plus libres et sexuellement moins inhibés avec leur conjoint qu'auparavant. La raison de cet accès d'exubérance, c'est que cette aventure a apporté une bouffée d'air frais à leur ménage claustrophobique; elle a ménagé un peu d'espace dans une relation qui avait commencé à leur donner à tous les deux l'impression d'être pris au piège.

«*Un instant, Dagmar!* vous exclamerez-vous. *Les années soixante sont révolues et le mariage libre a été une catastrophe totale. Vous, la première, n'allez pas prêcher l'infidélité comme moyen de* rafraîchir *un mariage, non?*»

Jamais. Quels que soient les bénéfices à court terme que l'infidélité puisse procurer, son effet à long terme n'est que trop souvent la destruction du mariage. Vient d'abord la sensation de liberté, viennent ensuite la culpabilité et les récriminations, et finalement, la détérioration de la confiance. Ce qui est triste, c'est qu'un couple peut apporter la même liberté émotionnelle et la même exubérance sexuelle à son ménage autrement, sans aller jusqu'à un extrême aussi destructeur. S'ils savaient comment, les époux pourraient mettre la distance nécessaire entre eux sans qu'il ait à s'enfuir au motel de La Vieille Forge avec sa secrétaire.

«Juste comme nous nous sentions si proches…»

«Je ne sais même pas ce que je fais ici, annonça Kelly Q. dès qu'elle fut assise dans mon bureau. Je n'arrive même pas à imaginer que je puisse un jour lui pardonner ce qu'il m'a fait.»

«Il», c'était Jack, son mari depuis dix ans, assis à ses côtés, un air coupable et affligé sur son visage juvénile. Sept mois auparavant, Jack s'était mis à coucher avec un mannequin de la maison de couture pour laquelle il travaillait et il n'avait rompu qu'un mois plus tôt lorsque Kelly l'avait finalement appris. Le plus pénible, me dit Kelly, avait été d'apprendre le moment exact où la liaison de Jack avait commencé.

«Nous venions de passer un week-end à notre hôtel préféré dans les Poconos, dit-elle. Nous avions confié les enfants à ma mère, dansé jusqu'à l'aube, pris le petit déjeuner au lit, tout, quoi! Et nous avions fait l'amour je ne sais plus combien de fois, tout comme avant notre mariage. C'était comme tomber amoureux de nouveau. Pour *moi,* du moins.»

Kelly se tamponna le coin des yeux avant de poursuivre.

«Dès le lendemain — le lundi même, je vous le dis —, il couche avec son mannequin. Je suis à la maison, rêvant encore aux Poconos et lui prend sa pause café entre ses cuisses. Il a su choisir son moment!

— Je ne l'avais pas planifié de cette façon, a protesté Jack, mollement. C'est arrivé comme ça.

— Comme par magie? a rétorqué sa femme avec amertume. Alors qu'est-ce qui me dit que cela n'arrivera plus?»

Le message de Kelly me paraissait très clair: «Punissez le salaud! Et faites en sorte qu'il ne puisse plus jamais me tromper! Alors, et alors seulement, j'envisagerai de lui pardonner et de poursuivre notre relation.»

Généralement, les femmes transmettent ce message de façon beaucoup plus subtile et avec plus de finesse, mais cela revient toujours à dire que mon travail est de réformer leurs maris comme s'il s'agissait de délinquants en mal d'éducation morale. Jack, comme tant d'autres maris infidèles, embrassait le rôle de mauvais garçon avec soulagement: comme nous le verrons plus tard, être le vilain peut avoir ses avantages émotionnels. Ainsi, Jack était le Pécheur et Kelly, la Sainte.

Je suppose qu'il arrive un moment où un paradoxe devient si courant qu'il cesse d'être un paradoxe. En thérapie sexuelle, il est presque de règle que la personne qui présente le symptôme soit, paradoxalement, une «couverture» pour le partenaire ayant un problème plus profond. Si une femme vient me consulter parce qu'elle est sexuellement frigide et renfermée, je cherche immédiatement un mari souffrant d'insécurité sexuelle; lorsqu'un mari vient me consulter parce qu'il souffre d'éjaculation précoce, je m'attends à ce que sa femme soit sexuellement anxieuse et impatiente. De même, dans les cas d'infidélité, la personne présentant le symptôme — le Pécheur — extériorise généralement un problème qui est au moins autant celui de son partenaire que le sien.

Mais quel problème Jack extériorisait-il?

Comme Kelly, j'étais stupéfaite du moment choisi par Jack pour commettre son infidélité. Je leur ai demandé à tous les deux s'il avait pu se passer quoi que ce soit d'inhabituel juste avant leur week-end amoureux dans les Poconos. Ils ont haussé les épaules. Non.

«Nous ne nous sommes pas disputés, si c'est ce que vous voulez dire, a répondu Kelly. Nous ne faisions que vivre comme n'importe quel couple normal. Plus que d'habitude encore, en fait, puisque Jack ne voyageait plus pour son travail.»

Un an plus tôt, Jack avait été promu de son poste de voyageur de commerce au poste de directeur des ventes et, puisqu'il travaillait maintenant au bureau, il rentrait à la maison tous les soirs pour la première fois depuis leur mariage. *Après avoir été, pendant des années, absent de la maison parfois pendant des semaines!* Il me semblait évident que ce couple avait dû traverser une période d'adaptation passablement difficile. Je leur ai demandé comment avait été leur relation physique depuis que Jack était à la maison.

«Quelque peu léthargique, m'a répondu Jack. Quand je voyageais, nous avions toujours des retrouvailles monstres lorsque je rentrais à la maison. Des «c'est si bon de te revoir» à la tonne dans la chambre à coucher deux ou trois nuits de suite. Mais les choses ont perdu de leur piquant une fois que j'ai eu cessé de voyager. La routine, vous savez?»

Mais leurs ébats amoureux s'étaient ravivés immédiatement après leur week-end dans les Poconos et le début de la liaison adultère de Jack.

«C'est ce qui me rend vraiment furieuse, m'a dit Kelly. Pendant tous ces mois où nous avons fait l'amour comme des amants qui se retrouvent, lui il batifolait avec sa petite copine. Je croyais que nous faisions l'amour avec beaucoup de sentiment et voilà que je découvre que ce n'était pas si personnel après tout. C'est humiliant.

— Ne vous sentez pas humiliée, lui ai-je dit. Avoir une liaison était pour Jack sa façon de reprendre la route — *pour vous deux.*»

Tout concordait maintenant. Pendant les neuf premières années du mariage de Jack et de Kelly, toute leur relation avait été basée sur les allées et venues de Jack, les retrouvailles et les adieux, les périodes où ils étaient ensemble suivies des périodes où ils étaient seuls. Cela présentait un rythme qui leur convenait à tous les deux, leur permettant de «se remettre» des accès d'intimité passionnée en se repliant sur eux-mêmes en toute sécurité. Mais dès que Jack s'était retrouvé à la maison tous les soirs, leur union avait été déséquilibrée. Ils avaient tous les deux perdu leur indépendance, un certain espace pour respirer, et cela c'était manifesté rapidement par une relation sexuelle sans éclat. Même Kelly admettait qu'ils étaient rapidement tombés dans une ennuyeuse routine sexuelle, bien qu'elle abdiquât toute part de responsabilité. Et puis, lorsqu'ils avaient passé ce week-end romantique dans un hôtel des Poconos, de longs après-midi à faire l'amour avec volupté, ils avaient connu tous les deux une explosion de sentiments intimes l'un pour l'autre — des sentiments bouleversants. *Mais comment allaient-ils pouvoir se replier chacun sur soi-même, désormais?* Jack ne reprenait pas la route: il rentrait à la maison avec sa femme.

J'ai demandé à Kelly si elle se rappelait ce qu'elle avait ressenti sur le chemin du retour après ce merveilleux week-end, et elle m'a affirmé qu'elle était remplie d'amour et de bonheur.

«Ce n'est pas ce dont je me souviens, a lancé Jack. Tu es devenue d'une humeur massacrante avant même que nous n'ayons atteint l'autoroute. Tu n'arrêtais pas de dire que la fête était terminée et que nous allions reprendre notre triste existence. On aurait cru entendre les enfants à la fin des vacances d'été. Tu n'arrêtais pas de pleurnicher. Pourquoi ne pouvions-nous pas toujours être comme nous étions à l'hôtel? Pourquoi ne pouvais-je pas être aussi romantique à la maison? Cela devenait intenable.»

Si intenable que Jack s'est retrouvé au lit avec une autre femme dès le lendemain. Entre l'intimité envahissante du week-end et Kelly qui réclamait du romantisme toujours et à jamais, Jack s'était enfui: droit dans les bras d'une autre femme. C'était sa solution à la peur panique qu'il ressentait d'être submergé par l'intimité. Pour la plupart des hommes infidèles, une partie de cette panique est provoquée par la peur d'être abandonné; plus il est proche de sa femme, plus sa peur de la perdre grandit, à tel point qu'il détruit lui-même son mariage — ainsi, du moins, sera-t-il maître de son destin. Parce qu'il avait des rapports sexuels avec une femme pour laquelle il n'éprouvait pas d'amour, Jack se sentait suffisamment «fort» pour faire l'amour à sa femme avec bonheur — et intimité — sans céder à la panique.

Une aventure peut également constituer une échappatoire à la peur de suffoquer dans l'intimité. D'innombrables maris ont soudainement des liaisons lorsque leur femme accouche de leur premier enfant — et encore plus souvent lorsqu'elle est enceinte d'un deuxième. Le piège de la vie de famille se referme complètement: avoir des rapports sexuels avec une autre femme constitue pour l'homme une dernière déclaration d'indépendance. Mais, bien entendu, ce n'est pas du tout un signe d'indépendance: ce n'est qu'un signe de peur désespérée.

Lorsque j'ai parlé avec Jack seule à seul, il m'a assuré que c'était là sa première et unique liaison extraconjugale. Même lui trouvait cela étrange.

«Tout ce que l'on raconte sur les voyageurs de commerce est vrai, m'a-t-il dit. J'en connais des dizaines qui ont une femme différente dans chacune des villes de leur territoire. Un des avantages de la vie sur la route, n'est-ce pas? Mais j'étais l'exception

— un exemple de loyauté. Jusqu'à ce que je rentre à la maison pour de bon.»

Jack commençait à voir le rapport qu'il y avait entre «rentrer à la maison pour de bon» — tel un oiseau auquel on aurait coupé les ailes — et s'enfuir dans le lit d'une autre femme.

Et Kelly dans tout cela? Était-elle simplement la partie lésée? La sainte martyre qui ne demandait rien de plus à son mari que l'amour et la loyauté? J'étais plutôt d'avis que Kelly avait, autant que Jack, besoin de garder une certaine distance dans sa relation amoureuse — peut-être même davantage. Une chose en particulier l'indiquait clairement: c'était la façon dont Kelly, sur le chemin du retour, avait harcelé Jack en exigeant son «amour infini». Cela ne pouvait que produire l'effet contraire sur lui, et à un niveau pré-conscient, Kelly le savait. Elle exigeait du romantisme de façon à repousser Jack afin de pouvoir retrouver l'espace dont elle avait tant besoin pour elle-même. C'était comme si elle s'était écriée, prise de panique: «Tu vas arrêter de me faire l'amour comme ça.» C'était là une prophétie qui devait s'accomplir et qui rejetait entiè-rement sur les épaules de Jack le blâme de tout échec dans leur re-lation.

Mais, bien entendu, Jack s'était lui aussi comporté de façon paradoxale. En ayant une aventure sexuelle, il devenait capable de donner à Kelly l'amour infini qu'elle disait vouloir de lui. Il de-vint un amant libre et exubérant à la maison. Et, parce qu'il pas-sait de plus en plus de temps dehors avec sa maîtresse, il donnait également à Kelly l'espace dont elle avait besoin. Cela avait bien marché jusqu'au jour où Jack n'avait plus été en mesure de tenir sa culpabilité en échec plus longtemps.

«Comment a-t-il pu me faire ça juste comme nous nous sen-tions si proches?» m'a demandé Kelly.

Je lui ai répondu: «C'est précisément *parce que* vous vous sentiez si proches qu'il l'a fait. Parce que vous n'étiez ni l'un ni l'autre en mesure de faire face à cette nouvelle situation.»

Comment différencier les bons des vilains?

Kelly avait découvert l'infidélité de Jack en trouvant une clé de chambre d'hôtel dans la poche d'un complet qu'il lui avait demandé de porter chez le teinturier. C'était comme laisser un revolver couvert d'empreintes sur la scène du crime. Tout comme il s'était *retrouvé* au lit avec une autre femme, il se *retrouvait* maintenant pris en flagrant délit. Jack était arrivé à se convaincre que rien de tout cela n'était conscient; de cette façon il n'avait à assumer aucune part de responsabilité ni pour son crime ni pour son *arrestation*. Lorsque son sentiment de culpabilité finit par avoir raison de lui, Jack évita l'humiliation d'une confession en laissant Kelly être son accusatrice et son juge. C'était à son tour de jouer. Jack pouvait se contenter d'être le vilain.

En comparaison des autres possibilités, être le vilain était chose facile. Le vilain n'a pas à faire face à ses sentiments, à sa faiblesse ou à sa vulnérabilité: il peut se contenter de se sentir coupable. Et s'il a l'habitude d'être le vilain, il peut même s'apitoyer sur lui-même lorsqu'on le réprimande. Il semble que les hommes aient une aptitude particulière pour ce rôle; cela fait viril d'être vilain, surtout sexuellement. Il s'agit d'un rôle actif et non d'un rôle de victime. Un vrai homme peut avoir des rapports sexuels avec des tas de femmes et, lorsqu'il se fait prendre, un vrai homme est capable d'accepter son châtiment. En fait, il peut passer à travers tout cela sans éprouver de sentiments véritables.

Tout de même, un nombre surprenant d'hommes infidèles acceptent volontiers de passer pour le vilain même lorsque leur femme a été elle aussi infidèle.

«C'est lui qui a commencé, m'a dit une patiente, furieuse. Tout ce que j'ai pu faire par la suite n'était qu'une réaction. Seulement une tentative désespérée de lui rendre la pareille, comme si c'était possible.»

Son mari avait à peine protesté. Leurs rôles respectifs de bon et de vilain leur convenaient.

Embrasser ces rôles sans réserve constitue la façon ultime et la plus triste de se ménager à chacun un espace dans la relation. En un sens, Jack avait toujours assumé la tâche de maintenir une certaine distance dans le couple. Il s'en était d'abord acquitté en voyageant la majeure partie du temps; puis il l'avait fournie en ayant une liaison; et finalement en étant le vilain. Il pouvait maintenant se tenir dans le coin tandis que Kelly s'acharnait verbalement sur lui — aucun danger pour l'un ni pour l'autre de se noyer dans l'intimité de cette façon.

Mais ni Kelly ni Jack ne voulaient renoncer à leur mariage — c'est pourquoi ils avaient cherché de l'aide. Je leur ai demandé s'il étaient prêts à faire le premier pas l'un vers l'autre en «laissant leurs corps refaire connaissance» et ils ont accepté d'essayer les exercices sensuels progressifs.

«Concentrez-vous simplement sur les sensations de votre corps lorsque vous faites les exercices, leur ai-je dit. Vous avez tout le reste de la journée pour être en colère ou vous sentir coupable.»

Mais, hélas, Kelly n'arrivait pas à oublier sa colère, *surtout* lorsque c'était au tour de Jack de la caresser tendrement. Elle l'arrêtait presque aussitôt qu'il commençait à la toucher et se remettait à hurler et à pleurer de plus belle.

«Ça ne fait que me rappeler qu'il lui faisait ça à elle, m'a dit Kelly la semaine suivante à mon cabinet.

— Mais je ne l'ai jamais touchée comme ça! de répliquer Jack. Tout ce que je faisais avec elle c'était baiser!»

À sa façon, Jack venait de résumer parfaitement son infidélité. En ayant des rapports sexuels dénués d'émotions à l'extérieur de son foyer, il avait été en mesure de continuer de faire l'amour avec émotion à sa femme. Alors que certains fuient les terreurs de l'intimité en ayant des rapports sexuels plutôt qu'en faisant l'amour avec leur partenaire, d'autres, comme Jack, peuvent fuir ces terreurs en séparant leur vie en deux: faire l'amour ici, avoir des rapports sexuels là. Bien entendu, cette explication n'était pas suffisante pour apaiser Kelly. La semaine suivante, après avoir essayé le premier exercice sensuel, elle m'a annoncé que ça ne marchait tout simplement pas et qu'elle laissait tomber toute la thérapie.

«Ne pourriez-vous pas vous concentrer sur ce que vous ressentez physiquement juste un petit moment?» lui ai-je demandé.

Kelly a fait signe que non.

«Foutaises! a dit Jack. Pendant un instant, lorsque je te caressais le dos et les jambes, tu ronronnais comme un petit chat.»

«Salaud!» s'est écriée Kelly, rougissante.

Kelly se sentait humiliée parce qu'elle avait été découverte — elle avait vraiment ressenti quelque chose de sensuel, ne serait-ce qu'un bref instant. Mais de façon plus significative, elle en voulait à Jack parce qu'elle pensait que se laisser aller de cette façon signifiait qu'elle *cédait* à Jack, qu'elle rendait les armes, en l'occurrence sa fierté et son identité. Kelly était réellement une femme sensuelle remplie d'émotions fortes chaque fois qu'elle faisait l'amour. C'est pourquoi, après coup, elle avait tant besoin d'espace pour se retrouver à nouveau.

Je leur ai fait la proposition suivante: «Essayons encore une fois. Mais cette fois, dès que l'exercice sera terminé, je veux que l'un de vous deux sorte de la maison. Vraiment, sortez et ne revenez pas avant au moins deux heures.»

Ça a marché. J'ai su, dès que j'ai vu leur sourire lorsqu'ils sont entrés dans mon cabinet la semaine suivante, que cela avait été un succès retentissant. En sachant qu'ils auraient chacun de leur côté du temps pour se remettre, ils avaient été capables de faire l'amour comme au temps où Jack voyageait.

Kelly m'a confié au téléphone récemment: «Il nous arrive encore parfois de ressentir le besoin d'aller faire un tour. En plein cœur de l'hiver, c'est parfois très ennuyeux, mais c'est tout de même mieux que l'autre solution, non? Et le plus beau c'est que quelque part en chemin, j'ai recommencé à faire confiance à Jack.»

«Je ne comptais pas tomber amoureuse»

Il n'avait jamais été question pour Jack d'aimer l'autre femme et cela, jusqu'à un certain point, rendait son infidélité plus facile à pardonner et à oublier. La distinction entre avoir des rapports sexuels et faire l'amour était très claire. Mais pour certains de mes patients, les choses sont beaucoup plus complexes.

Miriam L., une femme à l'allure spectaculaire qui occupait un poste important dans une agence de publicité, est venue me consulter seule. Elle avait trente-cinq ans, était mariée et mère de deux enfants. Elle m'a dit qu'elle aimait son mari et ses enfants tendrement. Elle m'a dit aussi qu'elle était follement amoureuse d'un homme avec lequel elle avait une liaison.

«Je sais que cela peut sembler idiot, m'a-t-elle confié, mais ce n'était pas censé arriver de cette façon. Je ne comptais pas tomber amoureuse. Cela ne s'était jamais produit auparavant.»

En fait, Miriam avait eu plusieurs aventures au cours de ses douze ans de mariage.

«Mais c'était davantage des corps chauds que des amants à part entière, disait-elle. Je n'en étais pas fière, mais les rapports sexuels avec Greg (son mari) avaient été pratiquement inexistants pendant toutes ces années. C'était donc simplement une façon de me sentir vivante de temps à autre. Cela ne faisait de mal à personne. Je pouvais toujours tenir les deux mondes séparés.»

Miriam décrivait là le genre d'arrangement qui, il n'y a pas si longtemps, avait été réservé principalement aux maris: elle avait des rapports sexuels sans attache hors du foyer avec des partenaires pratiquement anonymes; et elle avait un lien amoureux émotionnel à la maison avec son mari (bien qu'ils fissent très peu l'amour). Le parfait arrangement moitié-moitié, aussi longtemps qu'elle serait capable de «tenir les deux mondes séparés».

Mais voilà qu'elle était tombée amoureuse de l'un de ces «corps chauds».

«C'est drôle, me dit Miriam, Brad (son amant) est marié et traîne aussi derrière lui une foule de liaisons. C'est ce qui le rendait si *sûr* à mes yeux. Aucune exigence, aucune complication. Jouir simplement l'un de l'autre puis rentrer à la maison. Et pourtant, petit à petit, les choses ont commencé à être totalement différentes entre nous.»

Miriam m'a raconté qu'elle s'était rendu compte que sa relation avec Brad avait changé lorsqu'ils avaient commencé à vouloir passer plus de temps ensemble.

«Et ce n'était pas seulement pour le sexe, dit-elle. Parfois nous restions simplement allongés sur le lit de la chambre d'hôtel à nous embrasser, à nous toucher, à parler, à écouter de la musique — et puis nous regardions l'heure pour nous rendre compte qu'il était temps de rentrer et que nous n'avions même pas fait l'amour.»

À mon avis, ils faisaient l'amour, seulement ils ne ressentaient pas toujours le besoin de passer de l'intimité sensuelle à la sexualité pure. Et d'après moi, Miriam faisait l'amour (par opposition à avoir des rapports sexuels) pour la première fois de sa vie. En effet, elle m'a avoué n'avoir savouré ce genre d'intimité sensuelle qu'avec une seule autre personne: avec Greg, son mari, pendant l'année où ils avaient habité ensemble avant leur mariage.

«Mais cela s'est littéralement arrêté le jour de notre mariage, me dit Miriam. Nous avons prononcé nos vœux, et Greg est tout à coup devenu un petit saint dénué de passion. Au début, je pensais qu'il traversait simplement une phase, mais il n'en est jamais sorti.»

Il semblait que Greg, comme tant d'autres hommes et femmes, se fût converti involontairement aux rapports sexuels sans passion à la Papa-Maman dès l'instant où il était devenu chef de famille. Les rapports sexuels qu'il allait avoir avec sa femme — la mère de ses futurs enfants et par conséquent la réplique de sa propre mère — ne pouvaient être aussi libres ni aussi sensuels que les rapports sexuels dont il se délectait avec sa maîtresse. *Même si femme et maîtresse étaient une seule et même personne!*

Mais pourquoi Miriam avait-elle accepté de si bonne grâce que son mari reste un petit saint toutes ces années? Était-ce parce que cela lui donnait la permission d'avoir des liaisons? Et que de cette façon, elle pouvait garder le sexe et l'amour dans des parties séparées de sa vie pour ne pas se sentir envahie par l'un ou par l'autre? Avant de pouvoir passer à ces questions, je devais savoir ce que Miriam voulait maintenant.

«Je veux disparaître, me dit-elle, les yeux remplis de larmes. J'ai enfin l'amour et le sexe avec la même personne, mais *ce n'est pas la bonne* personne!»

J'ai dit à Miriam que, à mon avis, elle pouvait combiner l'amour et le sexe avec la bonne personne, Greg, si elle voulait bien essayer. La raison pour laquelle elle s'était jetée dans ce dilemme, c'était qu'elle était désormais suffisamment adulte pour être capable de combiner les deux — et c'était là le plus difficile. Je lui ai dit que si elle et Greg voulaient bien essayer, ils seraient peut-être capables de reprendre leur relation là où ils l'avaient laissée le jour de leur mariage. Mais, pour cela, elle allait d'abord devoir mettre un terme à sa liaison avec Brad. Je ne pouvais pas travailler avec Miriam et son mari si elle avait un contact sexuel avec un autre homme en même temps. J'avais déjà tenté ce genre d'expérience sans obtenir de résultat.

«Et s'il était trop tard pour que Greg et moi recommencions notre vie? m'a demandé Miriam.

— Je ne puis vous donner aucune garantie, ai-je répondu. Seulement de l'espoir.»

Une année s'est écoulée. Pendant tout ce temps, je n'ai pas eu de nouvelles de Miriam; lorsque j'en eus, ce fut pour apprendre qu'elle avait essayé de rompre avec Brad plusieurs fois mais en vain.

«C'était comme essayer de cesser de fumer», me dit-elle avec un petit rire nerveux.

Pourtant, elle s'était finalement rendu compte que, si elle ne laissait pas tomber Brad, elle allait devoir laisser tomber Greg. Elle savait qu'elle avait atteint un point dans sa vie où l'amour et le sexe devaient aller de pair et avec une seule et unique personne. Elle ne pouvait plus garder les choses séparées dans son cœur plus longtemps. Lorsque nous nous sommes rencontrées de nouveau, elle n'avait pas vu Brad depuis plus de deux mois.

«Je suis prête à tout recommencer avec Greg maintenant, m'a-t-elle dit, mais je ne peux pas supporter l'idée de parler de Brad ou de qui que ce soit d'autre. Nous n'aurions alors aucune chance.»

Je n'ai pas de conseils d'ordre moral à donner: ce ne sont pas mes affaires. Dans certains cas, je sens qu'un secret ne fera qu'envenimer une relation s'il n'est jamais révélé. Mais, d'après moi, Miriam pouvait ranger son passé derrière elle de façon qu'il ne vienne pas se mettre en travers de ses sentiments à l'égard de son mari. De plus, Greg s'est révélé exceptionnellement réceptif à

la thérapie et aux exercices sensuels. Au bout de quelques semaines seulement, lui et Miriam faisaient tendrement et sensuellement l'amour et ils adoraient cela.

«Comment avons-nous pu laisser passer tant de belles années
sans cela?» a-t-il demandé à Miriam dans mon bureau.

Les yeux de Miriam se sont emplis de larmes.

«Je ne veux penser qu'aux merveilleuses années qui sont devant nous», a-t-elle répondu.

Les substituts amoureux

Pratiquement tous les cas d'infidélité qui me sont racontés
présentent, à un certain degré, le même dilemme: comment
combiner l'amour et le sexe. Un homme s'enfuit pour avoir des
rapports sexuels déchaînés avec une femme qu'il connaît à
peine parce qu'il se sent inhibé à l'idée d'avoir des rapports
sexuels passionnés avec la femme qu'il aime tendrement — son
épouse. Une femme sensuelle choisit pour mari un homme
sexuellement réticent et finit par avoir des liaisons à la chaîne
avec des hommes avec lesquels elle ne peut avoir aucun lien
émotionnel. Ces personnes ne peuvent composer avec la
sexualité et l'amour en même temps; elles finissent donc par
faire la navette entre les deux.

Dernièrement, j'ai assisté à une nouvelle variation sur cette dichotomie: ce que j'appelle la liaison extraconjugale platonique.
Encore là, la sexualité et l'amour sont séparés, mais cette fois, la
sexualité impersonnelle est le lot du conjoint tandis que l'amour
passionné mais chaste est voué à quelqu'un d'autre — généralement un collègue de travail.

Aaron S., médecin dans la quarantaine, avait un comportement caractéristique de ce syndrome. Il était marié depuis
quinze ans à une belle infirmière scandinave qu'il avait rencontrée lorsqu'il était à l'école de médecine, mais il entretenait presque tout le temps une liaison chaste mais terriblement romantique avec une autre femme, habituellement un médecin de
l'hôpital où il travaille. À la maison, il entretenait des rapports

sexuels réguliers avec sa femme; à l'hôpital, il prenait avec sa bien-aimée des déjeuners romantiques au cours desquels il la regardait dans les yeux en déplorant combien la vie était injuste de les séparer.

Le petit jeu d'Aaron semble assez inoffensif. On ne voit pas comment cela pourrait blesser qui que ce soit. En effet, ce genre de chastes liaisons pourrait être une façon légitime de se ménager un peu d'espace dans une relation de couple. Mais en languissant toujours après une autre femme, Aaron fuyait la possibilité de vivre des sentiments amoureux avec la sienne. Les sentiments quotidiens qu'il éprouvait pour sa femme ne pouvaient rivaliser avec les sentiments exagérément romantiques qui naissaient de ses relations platoniques. Comme les vrais don Juan, il avait réussi à maintenir l'amour et la sexualité séparés de façon à n'être menacé ni par l'un ni par l'autre, mais il était frustré par les deux.

«Je crois que vous allez devoir apprendre à être plus versatile, pas moins, ai-je dit à Aaron. Puisque vous êtes infidèle à votre femme, pourquoi ne pas entretenir ce genre d'amourettes romantiques avec deux ou trois femmes à la fois?»

À titre d'expérience, je lui ai demandé de déjeuner à la cafétéria de l'hôpital avec une jolie femme différente chaque jour de la semaine et de tomber amoureux aussi souvent que possible.

Deux semaines plus tard, Aaron est revenu à mon bureau avec un petit sourire un peu embarrassé. Il était effectivement tombé amoureux d'une deuxième puis d'une troisième belle interne de l'hôpital, mais en cours de route, une autre chose s'était également produite: il s'était mis à faire l'amour à sa femme avec plus de sentiment.

«Je me rends, m'a-t-il dit. Que se passe-t-il?

— Vous vous êtes rendu compte que vos sentiments ne sont pas aussi exclusifs que vous le croyiez, lui dis-je. En fait, vous pouvez aussi tomber amoureux de votre femme, tout comme des autres.»

Mais par-dessus tout, le fait d'entretenir des rapports amoureux avec trois femmes à la fois avait procuré à Aaron l'espace

dont il avait besoin pour se sentir moins menacé par la combinai-
son du sexe et de l'amour.

Mis à part les candidats à la présidence des États-Unis et les
personnes profondément religieuses, la plupart des gens ne sont
pas troublés par le désir qu'ils ressentent parfois pour une personne autre que leur conjoint. Cela ne devient un problème dont
on me fait part que lorsqu'ils se rendent compte qu'ils fantasment
presque *toujours* sur quelqu'un d'autre lorsqu'ils ont des rapports sexuels avec leur conjoint. Ou pire, lorsqu'ils découvrent
qu'ils ne sont sexuellement excités que lorsqu'ils ferment les yeux
très fort et s'imaginent faire l'amour avec quelqu'un d'autre: une
vedette de cinéma, le voisin d'à côté ou un amant d'il y a longtemps. Tout comme l'infidélité, ces fantasmes procurent la distance dont certaines personnes ont besoin pour donner libre cours
à leurs sentiments sexuels. Quand ils s'imaginent qu'ils sont au lit
avec quelqu'un d'autre, tout sombre dans l'irréel. C'est comme
un rêve sexuel, débarrassé de la monotonie du quotidien et des
colères insignifiantes qui s'accumulent inévitablement entre deux
époux.

Encore une fois, cela ne fait de mal à personne, n'est-ce pas?

Sauf lorsqu'on commence à avoir l'impression que cela dé-
précie l'expérience, lorsqu'on a l'impression que ce n'est qu'une
autre façon d'avoir des rapports sexuels au lieu de faire l'amour.

«Je suis là à faire l'amour à Robert Redford, me dit une
femme. Et puis j'ouvre les yeux, j'embrasse Harold et je lui dis
que je l'aime. Le moins qu'on puisse dire, c'est que ça sonne
faux.»

La plupart des gens ont des fantasmes sexuels plusieurs fois
par jour. Ils peuvent être excités par une odeur fugitive, une
cuisse entrevue, le frôlement d'un coude, le souvenir d'un ancien
amant qui leur revient à la mémoire. Je suis tout à fait en faveur
des fantasmes. Ils nous tiennent sexuellement éveillés et vivants;
ils entretiennent des fissures dans notre armure contre la sensuali-

té quotidienne. Mais lorsque les fantasmes se substituent complètement à l'intimité véritable, nous nous retrouvons inévitablement face à des plaintes du genre: «Je ne ressens rien»; «Je me sens seul après avoir fait l'amour» et «J'ai perdu tout sentiment amoureux».

Ce serait une erreur de laisser tomber d'un seul coup tous ces fantasmes, de garder les yeux ouverts et de faire revenir Harold dans notre vie amoureuse une fois pour toutes. Cela n'aurait pour effet que de tuer tous nos sentiments, sexuels et romantiques. Comme un système électrique surchargé, tout sauterait.

Je dis aux gens: «Ne vous débarrassez pas de tous vos fantasmes. Mais commencez à y donner un petit rôle à votre conjoint de temps en temps.»

Tandis que vous êtes allongée seule dans un bain bien chaud vous caressant le ventre et les seins, imaginez un instant que c'est votre mari qui vous caresse. Redford a eu son tour, laissez Harold avoir le sien. Petit à petit, vous pouvez laisser entrer un Harold imaginaire dans vos fantasmes; quand vous êtes allongée sur le lit les yeux fermés tandis que le *vrai* Harold vous caresse, commencez à fondre les deux Harold l'un dans l'autre. C'est un drôle d'exercice de gymnastique mentale, mais cela peut vous mener sur la voie menant à la fusion ultime de l'amour et des rapports sexuels qui signifie pour nous faire l'amour.

Chapitre 7

Les rapports sexuels sans danger: à quelque chose malheur est bon

Qu'on ne s'y trompe pas: l'épidémie de sida nous touche tous, les hétéros comme les gais, les femmes comme les hommes, les gens mariés comme les célibataires. Cette tragédie et la terreur qui l'accompagne ont changé la signification même de la sexualité.

À l'hôpital où je travaille, j'ai vu des gens ravagés par le sida et c'est d'une tristesse insoutenable. Certaines victimes du sida ont laissé des témoignages éloquents et émouvants de leur agonie; je n'ai pas la prétention d'ajouter à cette littérature de souffrance. Je n'ai pas non plus l'intention d'offrir aux inquiets des conseils pratiques. Il existe sur le marché des livres sur les rapports sexuels sans danger ainsi que du matériel pour quiconque a le bon sens de vouloir jouir des rapports sexuels en réduisant les risques au minimum. Mon but est plutôt de voir comment le spectre du sida façonne nos pensées et nos sentiments face aux rapports sexuels dans leur ensemble: comment il confirme les peurs irrationnelles tout comme les peurs réelles; comment il peut servir d'excuse pour fuir complètement les rapports sexuels; comment il agit sur notre attitude face à la monogamie et à l'infidélité; et comment il s'immisce même dans nos fantasmes sexuels.

Par ailleurs je veux également montrer comment le sida et d'autres maladies sexuellement transmissibles, comme l'herpès, ont créé un nouveau climat de franchise entre les sexes et comment, en fin de compte, cela peut nous aider à devenir des connaisseurs dans l'art de faire l'amour avec intimité et sensualité.

La paranoïa du contact physique

Dans mes moments de paranoïa déchaînée, je suis convaincue qu'il y a une conspiration quelque part pour défaire tout ce que les sexothérapeutes ont pu accomplir au cours des ans. Je venais tout juste de convaincre mon groupe de femmes que le vagin est un organe sain et robuste quand tout à coup, vlan! est apparu le syndrome du choc toxique. Et je venais à peine de convaincre des couples qu'il n'y avait rien de malsain à goûter le sperme lorsqu'on a découvert que celui-ci était un véhicule potentiel pour la transmission du sida. La moitié de mon travail de sexothérapeute consiste à libérer les gens de la croyance inhibitrice voulant que le sexe soit sale et dangereux — et voilà que l'on nous répète constamment qu'il *est* sale et dangereux.

Il n'y a aucune conspiration, bien sûr; il ne s'agit pas d'un fléau créé par l'homme. Et les dangers des maladies transmises sexuellement sont très réels. Mais il est vrai également que certains individus et certaines institutions utilisent la peur du sida pour faire avancer leur propre cause, prônant la chasteté et l'isolement sexuel. L'inhibition sexuelle est devenue une excuse, les phobies sexuelles, la norme.

Dans le film *David and Lisa,* un classique où deux jeunes gens tombent amoureux dans un institut psychiatrique, David est terrifié par tout contact physique. «Le contact tue!» crie-t-il, tressaillant d'horreur en reculant même devant la main offerte le plus amoureusement du monde. Il est la personnification pathétique des avertissements hystériques de certaines mères: «Ne mets pas cela dans ta bouche! C'est plein de microbes!» et «Lave-toi les mains! Tu ne sais pas qui a touché à ça!» David s'était réfugié dans un monde tout à fait isolé, sous un dôme antiseptique qu'il avait conçu lui-même et où il vivait en parfaite sécurité. Mais la solitude y était insupportable.

Je crains fort que la peur du sida ne nous transforme en une société qui croit que «le contact tue». C'est d'ailleurs déjà commencé.

Dans les ailes psychiatriques de l'hôpital où je travaille, nous voyons un nombre croissant de cas psychotiques ayant une phobie exagérée du sida: une femme portant un masque de chirurgie pour aller dans le métro parce qu'elle est certaine qu'elle peut contracter le sida si quelqu'un éternue près d'elle; un homme qui souffle dans un sifflet de police et qui crie «Mort noire!» chaque fois qu'il voit un homme visiblement homosexuel dans la rue. Comme toujours, une telle vague de cas extrêmes révèle les peurs qui se cachent au cœur de la société. Dernièrement, un nombre inquiétant de personnes *normales* m'ont affirmé que, de fait, il est possible de contracter le sida sur un siège de toilette. Juste comme nous nous remettions du mythe voulant qu'une femme puisse devenir enceinte en s'assoyant sur un tel siège! Et récemment, j'ai vu de nombreuses personnes intelligentes, soi-disant bien informées, reculer instinctivement devant leurs amis gais et s'esquiver de peur de devoir les saluer d'un baiser sur la joue.

Lorsque nous cédons à toutes ces peurs sans fondement sous prétexte que «l'on n'est jamais trop prudent!», nous courons le risque de nous isoler totalement. Il n'y a pas que les rapports sexuels qui disparaissent, mais aussi tout contact sensuel. Même les baisers et le simple contact deviennent suspects. Les ennemis de la sensualité finissent par triompher. En chœur, le Président, l'Église et Maman chantent d'un air triomphant: «C'est bien cela, abstiens-toi de tout! L'abstinence totale! Le contact tue!»

J'entends des échos de cette chanson chaque jour dans mon cabinet. À l'hôpital où je travaille, je m'occupe d'un groupe de vierges de plus de trente ans, pour la plupart des professionnelles qui voudraient plus que tout surmonter leurs impressionnantes inhibitions et vivre enfin leur première expérience sexuelle. Pendant des années, c'était l'un de mes groupes les plus populaires: un nombre surprenant de vierges venaient me consulter pour avoir de l'aide. Mais récemment, leur nombre a diminué radicalement et je me suis demandé pourquoi.

«C'est un avantage d'être vierge de nos jours, pas un handicap, m'a affirmé l'une des membres de mon groupe. Je connais des tas de femmes qui mettent des petites annonces dans les journaux mettant en valeur leur virginité. C'est ce que les hommes recherchent ces temps-ci, alors si c'est son cas, il faut l'afficher.»

Je suis bien heureuse que certaines personnes puissent profiter de l'hystérie actuelle, mais je me demande comment les choses se passeront lorsque leur petite annonce portera fruit. Si les peurs et les inhibitions sexuelles sont une condition préalable pour être un partenaire acceptable, nous pouvons nous attendre à un grand nombre de mariages sexuellement décevants. Un partenaire garanti sans danger peut se révéler un amant garanti lamentable.

Pire encore, je vois un nombre croissant d'hommes et de femmes célibataires qui se servent des maladies transmises sexuellement comme prétexte pour ne pas avoir à faire face à leurs propres problèmes sexuels. Un dessin humoristique publié récemment dans le *New Yorker* montrait un homme à l'aspect rigide assis tout seul sur un divan dans un costume trois-pièces, regardant la télévision; la légende en était «Rapports sexuels sans danger». Le sida est un cadeau du ciel pour celui qui est sexuellement perturbé, l'excuse passe-partout pour renoncer à tout contact avec le sexe opposé. Un jeune homme avec lequel j'ai travaillé souffrait de crises d'impuissance périodiques. Depuis sa dernière histoire humiliante, il avait cessé complètement de sortir avec des femmes. En thérapie, lui et moi avons commencé progressivement à sonder l'histoire de sa peur des femmes, qui remontait à sa tendre enfance. C'était un processus pénible, mais juste comme il arrivait à la racine de son problème, il m'annonça soudainement avec un soulagement non dissimulé que, même s'il recouvrait sa capacité d'avoir une érection, «avec le sida qui court, je serais fou d'en faire quoi que ce soit». Ce n'étaient pas là les paroles d'un homme qui cherchait activement la guérison.

Autre exemple: une femme de trente-cinq ans qui avait depuis longtemps la phobie des baisers m'apportait chaque semaine un article différent qui «prouvait» que le sida pouvait être propagé par la salive. Comme tant d'autres, elle préférait croire ces rumeurs hystériques plutôt que de composer avec ses propres anxiétés sexuelles. «Vous voyez que j'ai raison! me disent ces patients d'un air triomphant. Je ne suis pas malade, je suis prudent.» Et pourtant, bien sûr, ils rentrent chez eux toujours isolés et perturbés sexuellement, et le sida n'a rien à y voir.

Non seulement la peur véritablement très sérieuse du sida joue sur nos peurs et nos phobies sexuelles, mais en plus elle alimente notre méfiance névrotique l'un envers l'autre. En particulier, elle encourage la guerre entre les sexes. Les hommes peuvent à nouveau être considérés comme des souilleurs égoïstes et les femmes comme des Jézabel. Tous les avertissements hystériques que Maman nous a donnés sont confirmés: «Les hommes ne se soucient pas de ce qui t'arrive, pourvu qu'ils aient ce qu'ils veulent» ; «Tu ne sais jamais où il a mis cette *chose* avant qu'il ne la mette en toi» ; et «Elle est sexy, bien sûr, mais c'est le genre de fille de qui l'on peut attraper quelque chose d'épouvantable».

Lorsque le contact hétérosexuel normal est susceptible de transmettre une maladie mortelle, les hommes et les femmes deviennent des ennemis naturels.

«Apporte le vin, j'apporterai les condoms»

Mais à quelque chose, ce malheur est bon. La préoccupation de plus en plus répandue d'avoir des rapports sexuels sans danger a forcé nombre de gens à être plus francs que jamais auparavant avec leur partenaire. Par conséquent, beaucoup d'entre nous qui auraient pu se sentir trop coupables, paniqués ou même gênés de parler de rapports sexuels sont maintenant ouverts, patients et même, lorsque c'est nécessaire, sûrs d'eux-mêmes lorsqu'il s'agit de parler de sexualité. L'enjeu est trop important pour que nous gardions le moindre petit secret; quel soulagement de pouvoir le dévoiler au grand jour!

Les restaurants bourdonnent de conversations sur la sexualité ces temps-ci. Devant une assiette d'huîtres Casino, une jeune femme confie à son cavalier qu'elle a eu trois amants consécutifs au cours des quatre dernières années dont un, en particulier, l'inquiétait tellement qu'elle lui avait demandé de subir un test de dépistage du sida. Le test était négatif, et toi? À la table d'à côté, devant un spaghetti carbonara, un jeune homme dit à sa compagne qu'il n'a couché avec personne depuis six mois parce qu'il ne peut tout simplement plus prendre les rapports sexuels à la légère. Seules les relations sexuelles stables et durables l'intéressent maintenant, et toi? Et à la table derrière eux, une femme à l'allure plutôt réservée explique à son compagnon qu'elle n'aurait jamais pensé utiliser un jour des condoms, mais que maintenant elle les aime pas mal, surtout les nouveaux multicolores, et toi?

«De nos jours, les premiers rendez-vous durent plus long-temps que jamais auparavant, m'a dit une femme célibataire. De véritables confessions du début à la fin — c'est mieux que les thé-rapies de groupe. Et lorsque vous en arrivez à vous souhaiter bonne nuit, vous savez tout des statistiques vitales de l'autre: avec qui il a couché, à quand remonte son dernier test de dépistage, ce qu'il aime au lit. Ce n'est qu'une fois que tout cela est réglé que vous pouvez parler de votre film préféré.»

La plupart des personnes célibataires à qui j'en ai parlé trou-vent cette nouvelle pratique sexuelle plutôt libératrice. Ce n'est pas seulement que cela répond à leurs préoccupations en ce qui a trait aux rapports sexuels sans danger, c'est aussi que cela élimine toute tension sexuelle entre eux. La culpabilité sexuelle est rapide-ment guérie, on discute des préférences sexuelles sans problème.

«Dès que je m'engageais dans une relation, je me mettais à ap-préhender le moment où j'aurais à parler de cette aventure sordide que j'ai eue avec un homme marié il y quelques années, m'a ex-pliqué une femme. Ce n'est pas une chose dont je suis fière. Mais maintenant, c'est la première chose dont je parle, mon anxiété a disparu et nous pouvons passer à des choses plus importantes comme de savoir comment nous nous voyons l'un l'autre.»

De même, un homme dans la cinquantaine me disait qu'auparavant il éprouvait de la difficulté à aborder le sujet de l'amour bucco-génital avec une femme, sans parler d'en prendre l'initiative, et que par conséquent il finissait habituellement par se priver de cette forme de plaisir sexuel.

«Maintenant, cela fait partie de la même conversation. Je dis quelque chose comme: «Eh bien, j'ai entendu dire que le cunnilingus est toujours censé être sans danger, ce qui est merveilleux puisqu'il se trouve que c'est l'une de mes préférences», et voilà, c'est dit.»

Cette franchise générale a un certain effet d'entraînement qui rend tous les sujets d'ordre sexuel plus faciles à aborder, même à l'endroit le moins propice, la chambre à coucher.

«Je ne pouvais jamais dire à un amant que j'aimais une position en particulier, m'a raconté une femme de trente-cinq ans. Maintenant, après avoir décidé qui apportera le vin et qui apportera les condoms, il m'est plus facile de dire: «En passant, j'aime bien me retrouver par-dessus de temps en temps.»

Pourtant, il y a encore nombre de gens — des hommes pour la plupart — pour qui cette franchise sexuelle peut être plutôt repoussante.

«J'ai rencontré une belle femme dans une noce, me racontait un homme d'une quarantaine d'années. Nous avons dansé à quelques reprises, de plus en plus rapprochés, puis elle a attiré ma tête vers elle et a murmuré à mon oreille: «Je pense qu'il est important que vous sachiez que les condoms sont une condition *sine qua non*.» C'est comme cela qu'on parle d'amour dans les années quatre-vingt.»

Il faudra concevoir une nouvelle étiquette pour l'ère des rapports sexuels sans danger. La franchise ne doit pas être synonyme de brusquerie; elle ne doit pas être totalement dénuée de romantisme. Au lieu de dire: «Les condoms sont une condition *sine qua non*», il aurait été plus efficace de dire: «J'espérais rencontrer quelqu'un comme vous ce soir, c'est pourquoi je me suis préparée.»

Exiger qu'un nouvel amant subisse un test de dépistage du sida peut également se révéler délicat. Mes patients gais, qui ont dû faire face au spectre du sida pendant des années, tiennent désormais cette exigence pour acquise, mais la plupart des hétérosexuels en sont encore à chercher maladroitement une façon de formuler cette requête qui ne repoussera pas un partenaire éventuel. Un test de dépistage du sida peut être une condition *sine qua non,* mais on peut tout même le présenter d'une façon positive, comme: «Ne serait-il pas merveilleux de pouvoir faire l'amour sans avoir à s'inquiéter? Pourquoi ne pas subir tous les deux un test de dépistage? Nous nous sentirions un peu moins en danger.»

Pour bien des couples, subir ensemble un test de dépistage du sida équivaut à faire vœu de fidélité l'un envers l'autre.

«C'est la nouvelle façon de savoir si on sort régulièrement avec quelqu'un, me dit une jeune femme avec humour. Betty Lou entre dans le vestiaire tout excitée et déclare: «Bill vient de me demander de subir un test de dépistage du sida avec lui. Je pensais qu'il ne le demanderait jamais.»

Pourtant, comme pour toute forme d'engagement, certains se sentent bousculés par cette requête. Mais, encore là, il est important de jouer cartes sur table.

«J'ai une liaison plus ou moins sérieuse avec un type, m'a expliqué une divorcée dans la trentaine. Et maintenant, il voudrait que je subisse le test avec lui. Je ne suis pas certaine d'être prête pour quelque chose d'aussi sérieux.

— Vous pouvez subir le test sans rien promettre, lui ai-je dit. Cela ne vous engage à rien.»

Mais comme cela a toujours été vrai dans les questions sexuelles, il arrive souvent un moment où finit l'étiquette et où le respect de soi et l'assurance doivent commencer. J'entends souvent des histoires d'hommes qui deviennent irrités et même plus lorsqu'une femme sort un condom de son sac ou du tiroir de la table de chevet. Pour certains hommes, ce geste révélateur d'intérêt personnel est trop agressif et trop peu *féminin*. En d'autres mots, ils se sentent menacés, voire émasculés. Ma réaction aujourd'hui est la même que celle que j'avais longtemps avant que les maladies transmises sexuellement ne nous préoccupent autant: *Ne laissez pas quelqu'un d'autre vous dissuader de ce que vous savez vouloir. On se sent toujours mieux lorsqu'on prend sa vie sexuelle en main.*

De même, ne laissez personne vous harceler au point de vous faire croire que cette précaution tue le romantisme. Ces hommes et ces femmes qui soutiennent que, si vous vous précipitez pour subir un test de dépistage du sida avant de pouvoir coucher avec quelqu'un, les rapports sexuels seront dénués de romantisme m'exaspèrent. J'ai entendu la même chose à propos de la contraception il y a longtemps — que si vous faites une pause pour mettre un diaphragme, vous perdez l'envie. Foutaises! Tout comme vous pouvez faire de l'insertion du diaphragme un jeu sexy et amusant, de même le déroulement d'un condom peut faire partie de vos jeux sexuels et non constituer une interruption de ceux-ci. Mesdames, déroulez-le sur le pénis de votre partenaire lentement et sensuellement, en caressant son pénis et ses testicules. Pas besoin non plus de demeurer sérieux.

«Cela me semblait si antiseptique au début, m'a confié un homme, comme si on ajustait sur moi quelque objet chirurgical. Mais alors, ma partenaire a commencé à parler à mon pénis, lui disant comme il était beau dans son nouvel imperméable anglais, et nous avons pouffé de rire tous les deux.»

Subir un test de dépistage du sida, insérer un diaphragme et dérouler un condom ont ceci en commun: ils vous rendent responsable de vos actes. Et pour faire l'amour, il faut tout d'abord être responsable de sa vie sexuelle..

Ce qui m'amène à la principale raison pour laquelle, à mon avis, la sexualité des célibataires de l'ère du sida a le pouvoir de créer une génération entière de faiseurs d'amour sensuels. Ironiquement, le spectre des maladies transmises sexuellement amène les gens à faire ce que je les ai toujours pressés de faire: *ralentir le rythme de leur vie sexuelle.* La prudence a obligé les amants potentiels à se concentrer sur les sentiments et les désirs qui précèdent le contact génital; à savourer longuement ces sentiments et à les laisser se développer progressivement et *consciemment*; et à amener tout le corps à faire l'amour tandis qu'ils s'abandonnent avec délice à toutes les sensations éveillées par les baisers et les caresses dont ils se couvrent l'un l'autre.

«J'étais un coureur de jupons invétéré jusqu'à ce que la peur frappe, m'a raconté un homme célibataire. Et j'ai horreur de l'admettre, mais je n'avais aucune idée de ce que je manquais. Toutes ces conversations sur les rapports sexuels avant même d'avoir retiré votre cravate sont terriblement excitantes. Et le pelotage, j'ai toujours pensé que c'était quelque chose qui n'existait que dans les films des années cinquante, mais maintenant tout le monde le fait. C'est comme si nous avions redécouvert ce merveilleux art perdu.»

Une divorcée que je connais m'a affirmé: «J'imagine qu'à travers toutes ces aventures sans lendemain, je cherchais une façon de savoir si de véritables sentiments étaient en cause. Maintenant, j'ai la chance de le découvrir avant les relations sexuelles.»

Finalement, la prudence nous a forcés à revenir aux rapports démodés: il faut apprendre à se connaître, à se faire confiance, à s'aimer avant de coucher ensemble.

«Ah! Ah! C'est bien ce que je pensais, Dagmar, vous êtes aussi conservatrice que ces porteuses de ceintures de chasteté *dont vous vous plaignez,* protestez-vous. *Ensuite vous allez nous dire que nous devrions attendre d'être mariés pour* le faire.»

Faux. Ce qui me plaît chez ces couples qui ne font pas simplement que *le faire,* c'est qu'ils reviennent à tous ces sentiments intimes qui précèdent l'acte. Ils découvrent que le contact ne tue pas; il crée plutôt l'amour, la sécurité et la vitalité. Je suis seulement triste qu'il ait fallu une tragédie pour que tant d'entre nous comprennent enfin.

«Je ne peux même plus avoir un bon fantasme extraconjugal!»

Regardons les choses en face, la monogamie a plus que jamais sa raison d'être. À l'ère du sida, c'est sans contredit ce qu'il y a de plus sûr. Pourtant, la menace du sida plane même au-dessus de la chambre conjugale, influençant nos pensées, nos sentiments et notre comportement. Certaines personnes mariées s'amusent dans l'espace protégé que leur procure le mariage tandis que, pour d'autres, l'idée même du besoin d'un espace protégé les rend plus claustrophobes que jamais lorsqu'ils pensent à leur mariage. Cette nouvelle pression pour que le mariage survive — l'autre solution étant si dangereuse — ne semble pas sexy du tout à certaines personnes.

«Tous mes amis mariés sont si contents d'eux-mêmes, me disait un homme marié récemment. Ils répètent sans cesse combien il est horrible d'être célibataire de nos jours, et Dieu merci nous sommes mariés. Mais je trouve qu'être marié de nos jours est une affaire assez abominable aussi. La meilleure chose que l'on trouve à dire au sujet du mariage, c'est qu'il s'agit d'une aventure à faible risque. Même la fidélité n'est plus le symbole de l'amour et de la loyauté, ce n'est qu'un instinct de conservation. Que c'est romantique!»

Effectivement, le sida a redéfini la signification même de la fidélité — et de l'infidélité. Penser qu'une liaison extraconjugale puisse mettre la santé de notre conjoint sérieusement en danger surpasse toutes les autres considérations. Ce n'est plus une simple question de loyauté ou d'amour-propre, c'est une question de survie. En particulier, les hommes mariés qui arrivaient à se convaincre que leurs badinages amoureux avec des prostituées étaient inoffensifs doivent faire face aux épouvantables conséquences possibles de leur comportement. Dans mon cabinet, la question des maladies transmises sexuellement est presque toujours soulevée dans les cas d'infidélité. Le cri: «Comment a-t-il pu me faire cela à moi?» est le cri d'une personne qui voit l'ombre du meurtre dans la trahison. Avant que la réconciliation ne soit possible — si c'est encore une possibilité —, le partenaire qui a trompé l'autre doit subir un test de dépistage du sida.

D'autre part, plusieurs personnes mariées m'ont avoué être soulagées maintenant que l'adultère est hors de question. «C'est comme si j'avais enfin une bonne excuse pour ne pas céder à mon donjuanisme compulsif», m'a confié un mari.

Mais l'absence de solutions de rechange — même *imaginées* — peut également faire beaucoup de victimes. Une femme mariée d'âge moyen de ma connaissance m'a confié: «Tant que je pouvais fantasmer sur un étranger grand aux cheveux noirs, j'étais une femme satisfaite et fidèle, mais ces temps-ci, je ne peux même pas me permettre un bon fantasme extraconjugal sans déclencher la sonnette d'alarme dans ma tête. Les fantasmes du genre roulette russe ne m'excitent pas du tout. Alors, d'une certaine façon, je finis par détester l'idée que mon mari est la seule chose sûre qui reste. La sécurité me paraît d'un ennui mortel.»

À l'autre extrême, mais avec les mêmes résultats, un homme marié avec lequel je travaille m'a avoué: «Avant, j'enviais tous mes amis divorcés et célibataires. J'avais l'impression qu'ils avaient deux fois plus de plaisir sexuel que moi. Maintenant je sais que ce n'est pas le cas et je les plains.»

C'était un homme dont l'épouse déplorait qu'il eût perdu tout intérêt pour les rapports sexuels dernièrement. Apparemment, son ancienne motivation sexuelle de faire concurrence à ses amis célibataires ne le poussait plus à faire l'amour. Le sida, d'une façon détournée, était devenu son excuse pour fuir les contacts intimes avec son épouse.

Et il n'est pas le seul à ressentir les effets refroidissants de la tragédie du sida sur sa vie sexuelle conjugale. D'autres gens mariés m'ont dit que le monde ne semble plus aussi *sexy* qu'il l'était avant que les rapports sexuels ne deviennent si inéluctablement associés à la maladie et à la mort.

Comme le disait une patiente: «Les rapports sexuels, même avec une personne que vous savez être sûre, ne sembleront plus jamais aussi libres et insouciants qu'il l'ont déjà été. La révolution sexuelle est maintenant officiellement terminée et nous avons perdu.»

Mais si, effectivement, la sexualité ne semble plus aussi libre, elle semble beaucoup plus intime pour la plupart des personnes mariées à qui j'ai parlé. Elles me disent que le fait que leur conjoint soit tout ce qui reste fait en sorte qu'elles l'apprécient encore plus, non moins. Elles sont conscientes des sinistres contreparties de la monogamie et cela les force à se concentrer plus attentivement l'un sur l'autre, ce qui éveille des sentiments profonds en elles.

«Je sens qu'il y a quelque chose de tellement plus personnel dans nos vies sexuelles ces temps-ci, m'a confié un mari. C'est comme si nous faisions l'amour avec tendresse dans l'œil du cyclone.»

Et une épouse m'a dit ceci en ces termes crus et pourtant émouvants: «Maintenant, quand nous nous offrons nos corps, nous remettons littéralement notre vie entre les mains de l'autre. La fidélité n'a jamais compté autant. Faire l'amour est un acte de confiance. Pas surprenant que mes sentiments soient si forts.»

Chapitre 8

Faire fusionner l'amour et la sexualité

L'histoire de Lydia et de Marc L. est une histoire triste qui finit bien. C'est celle de deux personnes qui auparavant s'aimaient profondément, mais qui étaient en train de détruire cet amour parce que ni l'une ni l'autre n'était capable de combiner les sentiments amoureux et les sentiments sexuels. Quand ils sont venus me consulter à la fin de leur deuxième année de mariage, leur capacité d'intimité émotionnelle était à l'agonie et leur relation physique était devenue une routine et un contact génital dénué de passion. Ils avaient des rapports sexuels mais ils avaient cessé depuis longtemps de faire l'amour.

«Il ne me regarde pas, il ne m'embrasse pas, il ne me dit même pas un mot — c'est comme si je couchais avec un étranger, déplorait Lydia lors de leur première séance avec moi. Sauf que je me sens encore plus seule, parce que je me souviens encore quel amant merveilleux Marc a déjà été.

— Et je peux encore me rappeler que tu avais du sentiment!» a renchéri Marc avec amertume.

Ces deux-là s'entendaient sur une chose: ils avaient déjà été follement amoureux. Brillants cardiologues tous les deux, Marc avait trente-deux ans et Lydia vingt-neuf lorsqu'ils s'étaient rencontrés lors d'un congrès médical à la Nouvelle-Orléans; Marc donnait une conférence sur l'angioplastie laser.

«Mon cœur s'est littéralement arrêté de battre quand je l'ai vu sur l'estrade, m'a raconté Lydia. Je me sentais comme une damoiselle en détresse dans un roman à l'eau de rose. La seule chose à laquelle je pouvais penser c'était: Qui est ce mec splendide qui discute autour de tous ces médecins ennuyeux et puis-je l'avoir, s'il vous plaît?»

Marc se souvenait clairement lui aussi d'avoir ressenti une attirance immédiate pour Lydia lorsqu'il l'avait rencontrée à la réception qui suivait son allocution.

«Elle rayonnait, m'a-t-il dit. Elle n'était pas seulement belle, elle rayonnait d'intelligence et de chaleur et d'humour et de féminité. J'ai même pensé lui demander sur-le-champ de m'épouser.»

Leur liaison avait commencé le soir même dans un hôtel de la Nouvelle-Orléans. Pour Lydia, cette nuit passée à faire l'amour était différente de tout ce qu'elle avait connu jusque-là.

«J'avais relativement peu d'expérience pour une femme de mon âge, disait-elle. J'avais été tellement prise par mes études et mon travail que les rapports sexuels avaient été assez rares et insatisfaisants jusque-là. Mais je suis devenue vivante cette nuit-là. Marc m'a fait l'amour jusqu'à ce que le soleil se lève et je crois que j'ai eu plus d'orgasmes pendant ces dix heures que je n'en n'avais eu durant toute ma vie.»

Cinq mois plus tard, ils étaient mariés et, presque immédiatement, Lydia s'était mise à se plaindre que Marc ne fût pas un amant aussi attentif qu'il l'avait été.

«Elle revient sans cesse à cette nuit bénie où nous nous sommes connus et me demande pourquoi ça ne peut pas être toujours comme cette nuit-là, disait Marc. Elle est impitoyable. Pas surprenant que je n'aie plus envie d'elle. J'ai l'impression de faire concurrence à mon fantôme de la Nouvelle-Orléans!

— Mais tu as vraiment changé! Du jour au lendemain! s'est écriée Lydia. Tu t'es transformé en automate sexuel dès l'instant où nous avons été mariés!»

À ce stade, je pouvais voir que ces jeunes gens brillants qui savaient s'exprimer posément s'attendaient à ce que j'arbitre leur débat avec, d'un côté, les demandes incessantes de Lydia pour faire l'amour comme avant et, de l'autre, la sexualité froide et réservée de Marc. Comme dans le cas de tant d'autres couples dans l'impasse, leur relation en était réduite aux disputes enfantines:

«C'est toi qui as commencé!»; «Non, c'est toi!» Mais à mon avis, c'était comme de discuter pour savoir lequel de l'œuf ou de la poule était venu d'abord, et c'était tout aussi productif! Marc et Lydia allaient devoir accepter le fait qu'ils avaient tous les deux de sérieux problèmes à faire fusionner leurs sentiments amoureux et leurs sentiments sexuels.

Que l'amour et la sexualité semblent si incompatibles est l'une des grandes tragédies de la vie moderne. Nous voilà dans une culture qui attache beaucoup de prix à la monogamie à vie, qui nous envoie à la recherche d'un partenaire pour l'aimer, le chérir et avoir des rapports sexuels avec lui pour le reste de notre vie, et lorsque nous finissons par trouver ce partenaire, c'est pour nous rendre compte qu'il était plus facile d'avoir des rapports sexuels avec une personne que nous n'aimions pas tellement. Il semble qu'il y ait quelque chose qui cloche sérieusement dans tout ce système.

«Peut-être que les anciens Mormons savaient quelque chose que nous ne savons pas, me disait un homme malheureux en ménage. Si j'avais trois ou quatre épouses, je me sentirais moins étouffé et plus vivant avec chacune. Bon sang, je serais sans doute un bien meilleur mari et amant pour chacune d'elles que je ne le suis pour ma femme maintenant. Pourquoi s'y opposer?»

Pourquoi s'y opposer, en effet?

Pourtant, le fait est que presque tous les hommes et les femmes que je connais voudraient bien faire l'amour à la seule personne qu'ils aiment, que leur culture les y oblige ou non. Comme Marc et Lydia, ils meurent d'envie de connaître le secret pour faire fusionner l'amour et les rapports sexuels dans une relation unique.

«Je t'aime. Va te faire voir ailleurs!»

Lorsque j'ai rencontré Marc seule à seul quelques jours plus tard, je lui ai demandé comment il réagissait au fait qu'il n'était plus excité par sa femme; il m'a dit qu'il avait dû se résoudre à recourir aux fantasmes pour que «ça lève». Le fantasme de base de

Marc était de fermer les yeux très fort et de faire comme si Lydia était quelqu'un d'autre. La plupart des gens mettent à l'occasion du piquant dans leur vie sexuelle en ayant un fantasme sexuel à propos d'une autre personne que le partenaire qui attend, allongé à leur côté dans le lit.

«Cela vous permet d'obtenir les sensations fortes de la variété sans le gâchis de l'infidélité», comme l'une de mes amies l'exprime si élégamment.

Je ne trouve certainement rien de mal à cela. Pour bien des gens, superposer à l'occasion un amant imaginaire à leur partenaire régulier peut constituer le premier pas pour briser la routine sexuelle; avec «un nouveau partenaire», ils trouvent plus facile «d'essayer quelque chose de nouveau» — disons, une nouvelle position ou même une variante sexuelle que leurs inhibitions les ont toujours empêchés d'essayer auparavant. Cela peut ramener dans la chambre à coucher toute la fantaisie qui se trouvait étouffée par un trop grand manque d'imagination. Certains couples peuvent même partager leurs fantasmes, les vivant ouvertement à l'intérieur d'un jeu auquel ils participent tous les deux.

Une épouse m'a confié ceci: «Environ une fois par mois, nous jouons une scène d'amour de l'un de nos quatre films préférés, avec tout ce qu'il faut — ça peut aller de *Autant en emporte le vent* à *Un Homme et une femme*. Si nous ne rions pas trop, nous avons des rapports sexuels fabuleux, et si nous rions trop. qui s'en soucie?»

Là encore, aucune objection de ma part. En fait, lorsqu'un fantasme est partagé de cette façon, les risques soint moins grands d'effacer complètement la véritable personne avec laquelle vous faites l'amour. Mais lorsque l'amant d'un fantasme remplace complètement et régulièrement votre partenaire, lorsque cet amant fantastique devient une condition nécessaire pour se sentir sexuel comme c'était le cas pour Marc, n'est-ce pas aller trop loin?

J'ai demandé à Marc si une femme en particulier était en vedette dans ses fantasmes et il m'a répondu que non, que c'était quelqu'un de différent presque chaque fois, comme il avait des relations sexuelles presque chaque fois avec une personne différente lorsqu'il était encore célibataire.

«C'est moi le dindon de la farce, n'est-ce pas? dit-il sans joie. L'une des raisons pour lesquelles j'étais si ravi lorsque j'ai rencontré Lydia, c'était que je pouvais finalement en finir avec cette vie remplie seulement d'une succession de partenaires de lit. Je pensais que j'avais enfin grandi. Que je m'étais finalement lié à une femme de toutes sortes de façons, pas seulement sexuellement. Mais me voilà de retour à la case départ et même en arrière.»

Les fantasmes de Marc ne lui donnaient pas l'impression d'être plus sexy, mais seulement d'être plus seul qu'avant. Ils n'égayaient pas sa relation sexuelle avec Lydia, au contraire, ils la réduisaient à des rapports sexuels mécaniques et dénués de sentiment.

Il serait facile de considérer Marc simplement comme un don Juan pris au piège de l'habitude de passer d'une femme à une autre, perdant tout intérêt pour une femme dès qu'il l'avait conquise. Puis nous pourrions dire qu'il est aux prises avec des sentiments sexuels qui ne réagissent qu'au défi, et qu'une épouse, après tout, représente rarement un défi. En fait, une fois marié, on peut facilement la percevoir comme étant, au contraire, une obligation.

Mais je n'étais pas convaincue que la théorie du don Juan décrive la mentalité de Marc. La suite m'a appris que bien qu'il ait changé de partenaires sexuelles d'une nuit à l'autre lorsqu'il était célibataire, la plupart des femmes avec qui il couchait étaient des femmes avec lesquelles il entretenait des relations sexuelles suivies sans être régulières. Il m'a appris qu'en général il faisait l'amour avec des femmes modernes qui ne jouaient pas aux saintes nitouches, et qui voulaient en venir au fait aussi vite que lui. Il niait considérer ces femmes comme des conquêtes et je le croyais.

De même, on serait tenté de penser que Marc souffrait du complexe de la madone/dévergondée, celui d'un homme qui divise le monde des femmes selon des considérations sexuelles: d'un côté des femmes impersonnelles, impures et érotiques, et de l'autre des femmes que l'on aime, pures et intouchables, les premières pour avoir des rapports sexuels et les dernières pour les mettre sur un piédestal et les épouser. Les hommes ayant ce complexe ne peuvent avoir de relations sexuelles qu'avec des femmes *inférieures* et ne peuvent épouser que des femmes *convenables,* dichotomie menant habituellement à des mariages platoniques.

Mais Marc ne correspondait pas très bien à cette catégorie non plus. D'abord, les femmes avec lesquelles il couchait avant son mariage étaient rarement inférieures à lui; la plupart, en fait, étaient des professionnelles instruites comme Lydia. Il serait également faux de dire que Marc avait fait un mariage platonique; il continuait de se faire un devoir d'avoir des rapports sexuels avec sa femme sur une base régulière; il ne le faisait simplement pas avec quelque passion ni avec quelque sentiment d'intimité que ce soit.

Je soupçonnais que les sentiments intimes étaient ce que Marc craignait le plus. La Lydia de laquelle il était tombé amoureux n'était pas une madone; elle était quelque chose d'encore plus menaçant pour lui: une véritable personne avec laquelle il se sentait lié «de toutes sortes de façons, pas seulement sexuellement». Il a reconnu cette attirance envers Lydia comme étant adulte, un pas en avant par rapport aux liaisons limitées qu'il avait eues auparavant. Jusque-là, il avait été satisfait sexuellement avec ses différentes partenaires de lit, mais insatisfait émotivement — isolé, sans lien. Mais qu'est-ce qui l'empêchait de jouir d'une satisfaction émotive et sexuelle avec une seule et même personne? Pourquoi ne pouvait-il pas aimer Lydia corps et âme?

J'ai demandé à Marc si ses longues nuits d'amour langoureuses avec Lydia au début de leur liaison l'avaient parfois rendu anxieux.

«Mon Dieu, oui, à commencer par notre première nuit ensemble, a-t-il dit en me regardant comme si je venais de lire dans ses pensées. Nous avons fait l'amour, nous avons ri, nous nous sommes raconté nos vies, et puis nous avons refait l'amour, et nous avons même versé de drôles de petites larmes. Je ne m'étais jamais senti si proche d'un autre être humain de ma vie. C'était merveilleux, tous ces sentiments qui couraient dans mes veines. Et pourtant, oui, j'ai commencé à me sentir plutôt mal à l'aise, et puis ce malaise s'est mis à ressembler de plus en plus à de la panique. Je ne voulais pas me l'avouer — et je ne voulais certainement pas que Lydia le sache — mais j'avais hâte qu'elle s'en aille. J'étais déjà follement amoureux, mais je voulais qu'elle aille se faire voir ailleurs et vite pour que je puisse être seul un petit moment.

— Et vous ressaisir? lui ai-je demandé.

— Exactement», a répondu Marc, manifestement soulagé que je l'aie compris.

Malgré toute l'expérience sexuelle de Marc, on peut dire sans se tromper que la première fois où il a vraiment fait l'amour c'est avec Lydia. L'expérience a déclenché chez lui des sentiments nouveaux et puissants, des sentiments d'intimité et des sentiments de vulnérabilité émotionnelle. Marc a décrit avec précision ses réactions face à cette explosion de sentiments nouveaux comme étant de la panique. Le voilà enfin dans une relation adulte et que fait-il? Rire et verser de drôles de petites larmes tout comme un enfant. Il avait l'impression qu'il perdait sa maîtrise de soi, ce qui, surtout pour un homme, peut sembler très très dangereux. Une fois marié, Marc ne pouvait plus fuir ce danger, surtout pas avec une femme qui réclamait sans cesse de l'intimité. Marc eut pour réflexe de se rabattre sur sa méthode éprouvée pour rester maître de ses émotions: il cessa de faire l'amour et se remit à avoir des rapports sexuels.

Mais avoir de simples rapports sexuels avec Lydia n'était pas facile non plus. Elle était toujours la femme qui avait fait naître ces sentiments puissants en lui; elle était toujours, en fait, la femme qu'il aimait. La seule façon pour lui de *faire lever* son pénis était maintenant de supprimer toutes ses émotions et de faire comme si Lydia était quelqu'un d'autre, quelqu'un avec qui il n'avait aucun lien véritable. Marc ne se sentait pas en sécurité en faisant fusionner l'amour et la sexualité; il avait donc opté pour la sexualité sans sentiment.

Lorsqu'ils se croient obligés de choisir entre l'amour et la sexualité, la plupart des hommes sont certains de pouvoir vivre sans amour, mais pas sans rapports sexuels — même si les rapports sexuels qu'il ont ne sont pas satisfaisants la plupart du temps. Ce n'est pas, semble-t-il, de l'expérience sexuelle en elle-même qu'ils ont besoin, mais de l'idée d'en avoir. Un homme pense qu'il n'est pas un homme à moins d'avoir un rapport sexuel un nombre précis de fois par semaine ou par mois. Un nombre incalculable d'hommes sont venus me consulter pour chercher un remède à leur vie sexuelle ennuyeuse ou inexistante, déclarant qu'ils avaient l'impression d'être anormaux — anormaux, et non frustrés. Mais il est rare qu'un homme soit venu me consulter pour me dire qu'il avait l'impression d'être anormal parce qu'il n'avait pas serré sa femme dans ses bras ou n'avait pas eu le moindre moment d'intimité avec elle depuis au moins une semaine. Et je ne crois pas que ce soit parce que les hommes en ont moins besoin.

Tout de même, il n'y avait pas que Lydia qui n'était pas heureuse de ce qu'était devenue sa relation avec Marc. Marc était misérable, lui aussi. Il se sentait plus isolé et seul qu'avant de connaître pour la première fois une véritable intimité.

«Je suis en train de devenir un soldat de plomb, me disait Marc. Sans cœur. Les rapports sexuels ne font que me donner l'impression d'être plus éloigné de Lydia chaque fois.»

En accordant toute notre attention à la peur de Marc face à l'intimité, il est facile d'oublier qu'il a également un grand besoin d'intimité. Que ce besoin est ce qui l'a d'abord poussé vers Lydia. On a écrit beaucoup de choses au sujet de la peur des hommes face à l'engagement et de leur incapacité à entretenir des relations intimes; les livres traitant des maris qui n'ouvrent jamais la bouche, font la sourde oreille et ont toujours un pied dehors se vendent comme des petits pains chauds. Mais ils ne racontent que la moitié de l'histoire. Nous avons trop volontiers accepté le modèle simpliste qui décrit les femmes comme étant celles qui sont assoiffées d'intimité et les hommes comme étant ceux qui la refusent. Il y a beaucoup plus que cela. Des études récentes ont révélé que la plupart des hommes ont un besoin d'intimité aussi grand que les femmes et que la solitude qu'ils ressentent lorsqu'ils en sont privés est tout aussi dévastatrice. La différence principale est, semble-t-il, que les hommes ont plus de difficulté à reconnaître et à exprimer leur besoin d'intimité que les femmes.

Marc était donc déchiré entre sa peur de l'intimité et le besoin qu'il en avait. Oui, sa peur l'avait amené à revenir aux rapports sexuels indifférents des jours où il était célibataire. Il refoulait ses émotions pour pouvoir continuer à avoir des rapports sexuels. Mais cela n'avait pas eu les résultats escomptés car, une fois que Marc s'était senti de nouveau «débranché», l'intimité était redevenue pour lui un besoin pressant. Jusqu'à ce qu'il puisse faire fusionner l'amour et la sexualité, il était condamné à se sentir frustré.

L'intimité réclamée à grands cris

Je me doutais bien que Marc n'était pas le seul à se débattre dans son ambivalence face à l'intimité. Bien que Lydia se plaignît constamment de la sexualité terne et indifférente de Marc, j'étais presque certaine qu'au moins une partie d'elle-même encourageait son mari à ne pas changer.

Ce qui m'avait immédiatement frappée chez Lydia, c'était sa mise provocante. Elle portait un corsage au décolleté plongeant et une jupe courte et étroite qui, combinés à son maquillage plutôt théâtral, lui donnaient une allure qui ne collait pas tellement avec l'image d'une femme ayant été si prise par ses études et sa carrière que, jusqu'à récemment, la sexualité avait été relativement peu importante pour elle. Lorsque j'ai vu Lydia seule à seule, je lui ai demandé si elle s'était toujours habillée de façon aussi sexy.

«Non, a-t-elle dit, ennuyée. Mais là encore, je ne suis pas aussi collet monté que j'avais l'habitude de l'être.» Selon moi, l'apparence de Lydia était loin d'être le résultat de sa toute nouvelle assurance sexuelle. Je dois admettre que, chaque fois que je vois une femme qui s'habille d'une façon provocante, je me doute immédiatement qu'elle compense non seulement un manque d'assurance sexuelle, mais aussi un manque de sentiment sexuel. Son attitude se révèle souvent être un défi disant: «Es-tu assez homme pour satisfaire une femme comme moi?» Et la réponse est, bien sûr, qu'aucun homme ne peut lui faire ressentir quoi que ce soit parce qu'elle ne le permettra pas. L'apparence de Lydia me donnait la nette impression de vouloir dire: *Regardez-moi un peu! Ce n'est certainement pas ma faute si je n'excite pas mon mari!*

«Pensez-vous que c'est à vous qu'il revient de tenir Marc continuellement excité?» lui ai-je demandé.

La tristesse envahit le visage de Lydia.

«Si ça l'est, dit-elle, il semble que je n'y réussisse guère, n'est-ce pas?

— Mais c'est impossible, lui ai-je répondu. Il doit s'exciter lui-même et vous aussi!»

Cette phrase résume le message le plus fondamental que j'essaie de faire comprendre aux couples. Il semble aussi que ce soit le plus difficile à accepter pour eux. Car le corollaire paradoxal de ce message est que vous ne pouvez commencer à réconcilier le sexe et l'amour que si vous oubliez votre partenaire et que vous vous mettez à vous concentrer sur vos propres sentiments. L'égoïsme est la condition préalable à l'intimité sexuelle et émotionnelle. Cela va peut-être à l'encontre de tout ce que l'on a appris, de tous les préceptes voulant que l'amour soit purement désintéressé, mais c'est la vérité dynamique d'une relation. *Parce que tant que vous ne ressentez rien, vous n'avez rien à partager.*

La plupart des hommes et des femmes doivent faire un pas de géant pour accepter cela, et Lydia ne faisait pas exception. Manifestement, Lydia avait terriblement peur de perdre Marc si elle ne pouvait pas le tenir excité. Depuis le début, elle s'était sentie sexuellement ensorcelée par lui; elle affirmait qu'elle était née sexuellement la première nuit où il lui avait fait l'amour. Il lui avait donné les orgasmes qui lui avaient manqué toutes ces années. Il était celui qui détenait l'expérience sexuelle alors qu'elle était la novice. Dans son esprit, c'étaient les rapports sexuels qui avait créé leur relation et ceux-ci pouvaient la détruire. Elle était convaincue d'avoir besoin de Marc pour pouvoir se sentir sexuelle et d'avoir besoin d'être sexy pour le garder. Le moindre signe dénotant que l'ardeur de Marc diminuait la faisait paniquer d'insécurité, et cette panique la poussait à se faire de plus en plus provocante sexuellement. Mais paradoxalement, et tristement, cela ne fit qu'éloigner Marc d'elle de plus en plus.

Je me suis alors rappelé la remarque acerbe de Marc: «Je me souviens du temps où tu avais du sentiment!» S'agissait-il simplement d'une lamentation de la part d'un homme inquiet qui, pour se sentir macho et maître de la situation, avait besoin que sa femme soit innocente, réservée et sexuellement réticente? Je ne pense pas. Je crois que Marc regrettait la chaleur sincère, la vulnérabilité et l'enthousiasme facile de Lydia, qualités qui lui avaient permis à lui de se sentir si vivant au début leur liaison. Mais Lydia était si préoccupée par son insécurité sexuelle qu'elle ne pouvait pas voir que c'étaient là les qualités dont son mari était tombé amoureux. Marc n'avait besoin que d'un peu d'encouragement pour se passer de l'intimité et revenir à ses rapports sexuels impersonnels habituels, et Lydia lui donnait tout l'encouragement dont il avait besoin: elle se comportait comme une caricature des partenaires pressées d'en finir qui le frustraient tant avant qu'il ne la rencontre. En effet, Lydia lui demandait d'avoir des rapports sexuels avec elle, pas de faire l'amour. Elle aussi, semblait-il, avait peur de l'intimité.

Pourtant, tout en se comportant de façon provocante, Lydia critiquait Marc sévèrement parce qu'il était froid et replié sur lui-même, parce qu'il devenait un automate sexuel. À première vue, il semblait d'une injustice criante qu'elle exigeât de lui de l'intimité si l'on considère son propre comportement, mais je suis certaine que Lydia était elle aussi vraiment avide d'intimité. Après avoir fait l'amour si intimement et si sensuellement avec Marc au début de leur relation, elle se sentait maintenant privée, déprimée, et elle avait peur de le perdre.

Mais réclamer l'intimité à grands cris — harceler impitoyablement pour l'obtenir — est le meilleur moyen pour que votre partenaire ne vous en donne jamais. Comme les *poursuivants* en quête de plaisir, les *poursuivants* en quête d'intimité font fuir leur partenaire et, d'une certaine façon, je crois qu'ils le savent. Un homme ou une femme qui crie «Parle-moi!» ou «Montre-moi tes sentiments!» ou «Sois tendre quand tu me touches!» pratique, en fait, la forme la plus ancienne de la psychologie des contraires. Car je n'ai encore jamais rencontré une seule personne qui soit incitée à se confier ou à être vulnérable ou à être tendre sur demande. Se confier comporte des risques, et qui veut prendre des risques avec un agresseur? Contrairement à ce que croient la plupart des gens, je pense que la raison pour laquelle tant de femmes harcèlent leurs maris pour obtenir de l'intimité, c'est qu'elles en ont elles-mêmes une peur mortelle et que de harceler pour en obtenir est une façon aisée (et pleine de pièges) de la fuir. Grattez la surface d'une femme qui crie continuellement «Je t'en prie, parle-moi!» et vous pourriez trouver une personne renfermée et apeurée.

«Je déteste aimer Marc plus qu'il ne m'aime, me disait Lydia les larmes aux yeux.

— Alors cessez d'insister et donnez-lui l'occasion de vous aimer en retour, lui ai-je répondu doucement. Vous ne réussirez jamais de la façon dont vous vous y prenez.»

La peur qu'avait Lydia de souffrir l'empêchait d'obtenir ce qu'elle voulait. Vivre dans la peur constante d'être abandonnée la rendait si anxieuse qu'elle s'empressait d'en faire une réalité — en fait, d'en finir. À la fin, sa peur de souffrir devint sa peur de l'intimité; le seul moyen qu'elle avait de ne pas être blessée ou déçue par Marc était de fuir ses propres sentiments pour lui. Mais alors, elle aussi revenait à la case départ, tout comme Marc.

Il est temps de passer aux actes… sensuels

Même après avoir travaillé avec des couples pendant de nombreuses années, les façons compliquées dont les gens évitent de simplement ressentir de l'amour l'un pour l'autre me surprennent toujours. Marc et Lydia étaient victimes de leur peur de l'intimité et de celle de l'autre. Il était froid et replié sur lui-même; elle était exigeante et railleuse. Il refoulait ses émotions pour passer à travers les rapports sexuels, elle se concentrait sur les rapports sexuels pour éviter de souffrir. Ils avaient déjà été la paire parfaite, maintenant, ils ne pouvaient pas être plus mal assortis. Ils étaient exactement le contraire du couple tendre qu'ils avaient déjà été et qu'ils brûlaient d'envie d'être encore. J'étais de tout cœur avec eux. Ils avaient eu une relation bien spéciale, remplie d'amour et de plaisir, et ils avaient sacrifié cet amour à leurs peurs. Si je leur avais dispensé une thérapie traditionnelle, nous aurions parlé pendant des semaines, creusant jusqu'aux origines de leurs peurs respectives, et peut-être qu'après quelques mois d'introspection, Marc se serait senti obligé de rassurer Lydia en lui disant qu'il ne laisserait pas tomber leur relation; Lydia de son côté aurait été prête à promettre à Marc d'essayer d'être moins exigeante et de lui laisser plus d'espace dans leur relation. Mais, à mon avis, les paroles de Marc n'auraient jamais pu atteindre à elles seules l'endroit où Lydia sentait sa peur de l'abandon; pas plus que les protestations de Lydia n'auraient pu suffire à calmer la peur maladive qu'avait Marc de se noyer dans leur relation.

«Les mots ne serviraient à rien dans ce cas-ci, leur ai-je dit. Il est temps de passer aux actes — aux actes sensuels.»

À ma connaissance, le seul moyen de faire fusionner l'amour et la sexualité, c'est d'apprendre à donner et à recevoir le plaisir sensuel. C'est la seule façon de retrouver nos sentiments et de pouvoir partager ces sentiments l'un avec l'autre. Je ne nie pas les éléments spirituels de l'amour, ni les mystères de la chimie émotionnelle, ni les complexités des besoins et des défenses psychologiques. Mais je crois encore que l'amour et la sexualité s'entrecroisent lorsque, dans une relation, les deux partenaires sont capables de se donner et de recevoir un plaisir sensuel détendu, dénué de menaces ou d'exigences. C'est le point de liaison élémentaire, le point où tout ce qui fait une relation a commencé. Et tout commence par un contact.

Une chose me paraissait parfaitement claire: pour que Marc et Lydia puissent recommencer à faire l'amour sensuellement et redonner libre cours à leurs sentiments amoureux, ils devaient immédiatement cesser d'avoir des rapports sexuels. Ceux-ci ne faisaient que donner à Marc un sentiment de solitude et de culpabilité et entretenir la peur de Lydia que Marc se coupe d'elle. C'en était assez. Il nous fallait résoudre ce problème quasi insoluble de façon draconienne.

«Mais les rapports sexuels sont le dernier lien qui nous unisse, a protesté Lydia.

— Pour l'instant ce n'est pas un lien, c'est un fossé, ai-je répondu. C'est votre façon de fuir l'intimité. Je veux que vous recommenciez à faire l'amour, ce qui signifie recommencer votre vie amoureuse à zéro.»

Faire l'amour présentait bien des dangers pour ce couple. Cela provoquait chez eux des sentiments d'impuissance, d'anxiété et de peur. Pour qu'ils puissent retrouver les merveilleux plaisirs, le réconfort et l'intimité que cela pouvait leur donner, ils allaient devoir cesser de se sentir étouffés par ces sentiments.

«Nous allons procéder étape par étape, leur ai-je dit. Et dès que vous vous sentirez anxieux, arrêtez vous et reculez de trois pas. Je veux vous ramener très lentement au point où vous pouvez tous les deux être intimes l'un avec l'autre sans crainte.»

Les exercices sensuels progressifs atteignent des lieux auxquels les mots n'ont pas accès. Au lieu d'essayer de défaire un modèle complexe de comportement insatisfaisant, j'utilise les exercices pour reprendre un comportement tout au début. Pour apprendre à faire fusionner l'amour et la sexualité, Marc devait tout d'abord apprendre à vivre ces sentiments amoureux et sensuels en dehors des rapports sexuels et ensuite apprendre à se raccrocher à ces sentiments tout en progressant lentement vers l'excitation sexuelle. Ce n'est qu'alors que Marc pourrait vraiment croire qu'il était maître de ses sentiments et ce n'est que de cette façon qu'il pourrait se débarrasser de sa peur panique de se noyer dans ses émotions. De même, pour que Lydia apprenne à faire fusionner l'amour et le sexe, elle devait demander directement à Marc de la caresser — de lui donner du plaisir — pour ensuite s'apercevoir qu'il ne disparaissait pas lorsqu'elle le faisait. Ce n'est qu'alors qu'elle pourrait vraiment croire que Marc ne l'abandonnerait pas si elle donnait libre cours à ses propres émotions et sensations. Les exercices sensuels sont constitués d'étapes qu'on traverse lentement et qui donnent l'illusion d'être simples, mais elles réorganisent le comportement d'un couple de façon très efficace.

Un thérapeute de ma connaissance parle de l'intimité comme d'une fenêtre que l'on ouvre sur soi. Lorsque vous êtes intime avec votre amant, vous prenez le risque de le laisser vous voir complètement nu — tel que vous êtes réellement. Aucun masque pour dissimuler vos sentiments, aucun déguisement pour cacher vos réactions physiques.

«Regarde! dites-vous. Voilà qui je suis! Voilà comment je me sens vraiment!»

À un certain moment au cours des exercices sensuels progressifs, j'ai demandé à un couple de partager l'ultime secret: j'ai demandé à chacun de rentrer à la maison et de se masturber en tandem — séparément, mais l'un en face de l'autre, de façon que chacun puisse voir l'autre. Dans la deuxième partie de ce livre, nous allons parler de la formidable résistance qu'opposent la plupart des gens à cette expérience. Lydia, comme tant d'autres, a protesté en disant qu'elle ne pouvait rien trouver de plus impersonnel et de moins romantique.

«Vous ne pouvez pas agir de façon plus impersonnelle que vous ne le faites déjà l'un envers l'autre, lui ai-je répondu. Il est temps que vous commenciez à être vrais l'un envers l'autre.»

Marc et Lydia devaient se démystifier l'un l'autre pour ouvrir la fenêtre et jouir de leur intimité. Lydia avait besoin de voir Marc comme un être sexuel à part entière, pas seulement comme son mentor et son sauveur sexuel. Et Marc avait besoin de voir Lydia comme un être capable d'autonomie sexuelle, pas seulement comme une femme dépendante et exigeante. Il a fallu des semaines avant qu'ils ne puissent partager cet ultime secret, mais lorsqu'ils y sont finalement arrivés, ç'a été une découverte capitale pour chacun d'eux.

«Je pensais que toute cette affaire allait être humiliante et indigne, a dit Marc plus tard. Mais elle s'est révélée incroyablement libératrice et émouvante. Lydia me paraissait si innocente, si vulnérable. Je me suis senti si proche d'elle, il fallait que je la serre dans mes bras.»

À cet instant, au moment de ce déclic, l'amour et la sexualité avaient fusionné pour eux. Et c'est demeuré ainsi. Au cours des semaines suivantes, comme ils poursuivaient les exercices, ils se sont rapprochés de plus en plus l'un de l'autre. Il était évident que la magie était de retour; ils étaient retombés amoureux.

«Nous ne ressentons pas cette intimité spéciale chaque fois que nous sommes au lit ensemble, m'a dit Lydia plusieurs mois plus tard. Pas même une fois sur deux. Mais c'est comme une pierre de touche qui est toujours là dans notre relation, même lorsque nous sommes à couteaux tirés. Nous savons que nous allons toujours y revenir.

— Nous n'avons plus tellement de rapports sexuels», a lancé Marc, de marbre; puis il a souri. «Mais à l'occasion, nous faisons l'amour.»

Dans la première partie de ce livre, j'ai décrit quelques-unes des façons les plus courantes que nous avons de séparer l'amour et la sexualité dans nos vies: comment le fait d'*accélérer* les rapports sexuels au nom de l'efficacité nous fait perdre les sentiments amoureux; comment les rôles sexuels, aussi modernes et sophistiqués soient-ils, peuvent encore nous empêcher de risquer de vivre l'intimité émotionnelle avec notre partenaire sexuel; comment le vieux marché consistant à échanger l'amour contre le sexe peut laisser les deux partenaires avec un sentiment de solitude et l'impression d'avoir été trompés; comment par l'infidélité nous tentons de composer avec notre besoin et d'amour et de sexualité en essayant de satisfaire ces besoins respectifs avec des personnes différentes, et comment cette tentative réussit rarement.

Dans la deuxième partie, je montrerai comment presque tous les couples qui veulent bien essayer peuvent apprendre à faire fusionner de nouveau l'amour et la sexualité. Quelle que soit l'origine de cette séparation dans une relation, vous pouvez faire fusionner l'amour et la sexualité en prenant contact avec vos propres sentiments et avec ceux de votre partenaire d'une façon entièrement nouvelle. Ce contact avec les sentiments comporte toujours un risque émotionnel, mais j'ai organisé ce programme de telle façon que les plaisirs que vous recevez compensent toujours les *dangers* que vous rencontrez. Et si vous vous y tenez jusqu'à la fin, je suis sûre que vous découvrirez que l'intimité — émotionnelle et sexuelle — est ce que vous cherchiez.

DEUXIÈME PARTIE

Comment réintroduire l'amour dans votre vie sexuelle

Les exercices sensuels progressifs

Chapitre 9

«*Passons sur cette partie du livre, d'accord, mon amour?*»

Nous allons reprendre votre vie sexuelle depuis le début.

«*Quoi?*»

Vous m'avez bien entendue. Nous allons tout reprendre depuis le début. Comme si vous étiez un extra-terrestre venant tout juste de se glisser dans le corps d'un humain et ne sachant pas faire la différence entre un orgasme et une orangeade. Nous allons nous débarrasser de tout ce qui a déjà marché pour vous — toutes les positions expérimentées, toutes les routines familières. En fait, au cours des prochaines semaines, je veux que vous ne fassiez rien d'autre que suivre le régime sensuel précis que je vous prescris. Et cela signifie n'avoir aucune relation sexuelle avant d'arriver à la fin du programme.

«*Passons sur cette partie du livre, d'accord, mon amour?*»

Écoutez, je sais que tout ceci vous fait terriblement peur, mais je vous en prie, ne passez pas outre. Essayez donc. Vous avez peut-être essayé un tas de livres qui n'ont rien donné mais je vous promets que celui-ci fera la différence. Si vous faites ces exercices sensuels progressifs simples, non seulement votre vie sexuelle finira par prendre une dimension que vous n'auriez jamais crue possible, mais en plus vous éveillerez tout un éventail de sentiments profonds entre vous. Vous allez apprendre comment vivre toutes les facettes de l'amour comme des entités séparées tout en éprouvant une gamme de sensations et de sentiments qui vous ont fait défaut depuis tant d'années. Et vous allez apprendre comment profiter au maximum des sentiments dont l'amour intime est fait.

«Un instant, Dagmar! Vous parlez de ces exercices où l'on caresse le corps de l'autre à tour de rôle, n'est-ce pas? Ne sont-ils pas seulement destinés aux couples ayant de sérieux problèmes sexuels?»

Non. Ces exercices s'adressent à quiconque désire améliorer sa vie amoureuse. Ce qui d'après mes calculs représente environ 95 p. 100 de la population. C'est vrai, un bon nombre des concepts originaux de ces exercices sont fondés sur les travaux de Masters et Jonhson traitant des dysfonctions sexuelles, mais avec les années, j'ai développé et adapté ces exercices pour chaque homme et chaque femme désirant simplement se sentir plus sexuel et plus émotionnel dans une relation. À en juger par les résultats écrasants de mes ateliers d'épanouissement sexuel pour couples *fonctionnant normalement,* ces exercices sont efficaces. Les couples qui n'arrivaient qu'à avoir des rapports sexuels ont finalement découvert les joies de faire l'amour.

Avant de poursuivre, je dois vous dire une chose au sujet des problèmes sexuels sérieux: je ne pense pas qu'ils soient si différents des insatisfactions que connaissent la plupart des gens *normaux*. Un éjaculateur précoce s'apparente d'assez près à un homme qui fonctionne normalement mais qui perd progressivement l'envie de faire l'amour; et la femme qui n'a pas d'orgasme est dans le même bateau que la femme qui connaît l'orgasme mais qui se plaint de ne rien ressentir émotivement lorsqu'elle a des rapports sexuels avec son mari. Les symptômes varient, mais tous ces hommes et toutes ces femmes ont ceci en commun qu'ils fuient les sentiments — en passant outre ou en les retenant. Le fait est que la femme qui ne ressent aucune émotion avec son mari a au moins autant à gagner des exercices sensuels progressifs que la femme qui ne connaît pas l'orgasme au cours des rapports sexuels.

«Holà! Mais je suis parfaitement heureux de ma vie sexuelle telle qu'elle est.»

C'est tout simplement merveilleux — surtout si vous êtes absolument honnête avec vous-même. Mais ne vous arrive-t-il jamais de vous demander s'il ne manque pas quelque chose à votre vie amoureuse? Quelque élément de sensualité? L'intimité? Le romantisme? La passion? Toutes ces émotions qui sont tellement plus profondes que le simple plaisir génital? Quelque chose qui fasse la différence entre avoir simplement des rapports sexuels et faire l'amour?

«Écoutez, vous pouvez toujours imaginer les choses meilleures qu'elles ne le sont, mais j'ai cessé de me torturer avec des rêves romantiques de sexualité parfaite ou de relation profondément intime. Je suis réaliste maintenant. C'est un signe de maturité, non?»

Cela ressemble plutôt à de la résignation. En fait, je suis convaincue que vous vous contentez de moins que ce que vous méritez — et désirez vraiment. Écoutez, est-il vraiment si horrible de vous avouer et d'avouer à votre partenaire que votre vie amoureuse pourrait être meilleure qu'elle ne l'est maintenant? N'est-ce pas là la raison pour laquelle vous avez choisi ce livre?

«D'accord, ça pourrait aller mieux, surtout dans la chambre à coucher. Mais nous ne ferons pas disparaître nos problèmes simplement en nous frottant le dos. Ils sont beaucoup plus complexes que cela. Nous devons d'abord composer avec des années de colère accumulée. Nous avons des tas de choses à discuter avant de pouvoir recommencer à faire l'amour avec quelque sentiment.»

Peut-être. Mais je crois que vous avez discuté pendant des mois, voire des années, et que cela ne vous a pas rapprochés l'un de l'autre. Le fait est que vous pourriez probablement éliminer une grande partie de vos problèmes en cessant de parler et en commençant à vous toucher. Je sais que cela peut paraître simpliste, comme une quelconque panacée irréaliste des années soixante, mais le fait est que ça marche.

Un couple est venu me consulter après avoir vu une demi-douzaine de psychothérapeutes et autant de thérapeutes familiaux en autant d'années. Ces deux-là se disputaient sur à peu près tout, de qui allait faire la vaisselle à ce que devrait être la politique américaine en Amérique centrale. Une fois par semaine, ils avaient des rapports sexuels juste avant de dormir — rapidement et toutes lumières éteintes — et le seul sentiment que cet acte générait entre eux était un éloignement de plus en plus grand. Le lendemain matin, ils recommençaient à se disputer. Je leur ai donc expliqué que le principe directeur de mon programme était de «se la fermer et de se déshabiller».

«Cela allait à l'encontre de tout ce en quoi nous croyions, m'a révélé plus tard l'épouse, Adrianne. Luc et moi sommes des personnes verbales. Nous croyions fermement que si vous discutez de chaque problème suffisamment longtemps, vous trouvez une solution. Mais rien ne fonctionnait. Nous étions assez désespérés et exténués pour essayer quelque chose de nouveau, aussi absurde que cela ait pu paraître.»

Après seulement deux semaines d'exercices sensuels *silencieux,* nos deux amis se sont rendu compte qu'ils ne se disputaient pratiquement plus, et surtout pas à propos de vétilles.

«Cela a bouleversé complètement notre univers, m'a confié Luc. Il semble maintenant que toutes ces années de bavardage étaient notre façon d'éviter de ressentir quoi que ce soit l'un pour l'autre. Une armure de paroles. Eh bien, on n'a plus aucune armure lorsqu'on est nu et silencieux.»

Je ne veux pas nier la valeur de la communication verbale franche pour un couple, mais je suis convaincue que la thérapie non verbale sensuelle fournit une dimension de communication qu'aucune somme de bavardage ne pourrait fournir. Au lieu de vous répéter sans cesse: «Tu n'es pas assez attentif à mes besoins», «Tu ne me donnes pas assez d'espace» et «Nous ne sommes tout simplement pas sur la même longueur d'ondes», vous retournez au stade de la communication la plus ancienne: la communication tactile. Puis, comme par miracle, les sentiments qui passent entre vous transcendent tout ce dont vous vous êtes accusés.

Il n'y a pas longtemps, je partageais la salle d'attente de mon cabinet avec un psychothérapeute traitant lui aussi des couples. Un jour, il est entré dans mon cabinet en m'annonçant que nous avions un problème. Il disait que mes patients dérangeaient *ses* patients.

«De quelle façon? lui ai-je demandé.

— Un bon nombre de vos patients font carrément du pelotage là-dedans, m'a-t-il dit en pointant le doigt vers la salle d'attente, visiblement contrarié. Ils se touchent sans arrêt. Ce qui donne à mes patients un sentiment d'échec total. Quand ils se traînent dans mon bureau, ils sont plus déprimés que jamais parce que la plupart d'entre eux ne se sont pas témoigné d'affection depuis des mois.

— Quel dommage, lui ai-je répondu. Mais prenons cela du bon côté: peut-être que mes patients vont inspirer les vôtres.»

La plupart des couples découvrent qu'ils deviennent de plus en plus affectueux l'un envers l'autre après seulement deux semaines d'exercices sensuels progressifs. Alors qu'ils avaient l'habitude de s'asseoir l'un à côté de l'autre devant le téléviseur en se touchant à peine, ils s'assoient maintenant main dans la main, un bras autour de l'épaule, la tête sur les genoux de l'autre. Alors qu'ils avaient l'habitude de se pelotonner chacun de son côté du lit, ils dorment maintenant l'un contre l'autre, dos contre ventre, une jambe en travers de l'autre, tête sur épaule. La vérité, c'est que lorsque ces couples commencent à se toucher, ils commencent presque tout de suite à s'aimer davantage et, plus ils s'aiment l'un l'autre, plus ils ont envie de se toucher. C'est un cercle délicieux.

«Nos corps sont devenus de si bons amis qu'ils ne nous laissent plus nous disputer», m'a dit une femme en riant à la fin de la deuxième semaine d'exercices.

C'est précisément de cette façon que fonctionne le programme. À mesure que le contact sensuel commence à faire renaître la chaleur et l'affection entre vous, votre colère se met à fondre, vos récriminations cessent d'être pertinentes et votre culpabilité se volatilise.

«Je ne suis pas sûr de vouloir que ma colère fonde. Elle est réelle et je ne veux pas la camoufler avec de quelconques exercices de tendresse bidon.»

Vous voulez dire que votre colère est comme un vieil ami et que vous ne voulez pas la laisser tomber. Je peux comprendre cela. Mais ces exercices ne nient pas votre colère. Vous avez toujours les mêmes récriminations, les mêmes affaires en suspens lorsque vous sortez du lit. Ces exercices ne font que vous donner à tous les deux l'occasion de voir ce que c'est que d'être ensemble dans un contexte d'amour. Cela vous rappelle ce que pourrait être la vie à deux et pourquoi vous voulez qu'elle s'améliore.

«*Ça commence* vraiment *à sonner un peu simpliste, Dagmar. S'il est si facile pour les couples d'établir ce merveilleux contact par ces exercices, pourquoi tout le monde ne les fait-il pas?*»

S'il n'en tenait qu'à moi, tout le monde les ferait. Mais comme vous pouvez le voir, le simple fait d'amener les gens à les entreprendre est déjà toute une aventure. À mon cabinet privé, je vois souvent des couples qui reviennent me voir semaine après semaine sans jamais avoir entrepris leurs exercices à la maison. Je leur dis qu'ils gaspillent leur argent, que ce qui se passe dans mon bureau ne rime à rien s'ils ne font pas leurs devoirs, mais ils continuent de les remettre à plus tard. Les gens préfèrent discuter *ad nauseam* de leurs problèmes plutôt que de simplement se déshabiller et se toucher. Écoutez, vous-même n'êtes pas vraiment prêt à poser cet acte de foi et à essayer mon programme, n'est-ce pas?

«*Eh bien, vous devez admettre que c'est tout de même un peu bizarre de se déshabiller et de se mettre au lit sans aucune intention de faire l'amour. Cette perspective semble juvénile et stupide et passablement humiliante.*»

Écoutez, se sentir juvénile constitue la moitié du plaisir. C'est le premier pas à franchir pour vous débarrasser de toutes ces règles et règlements qui entourent votre vie amoureuse adulte, de cette rigidité qui a fait perdre à votre relation son enthousiasme et son inspiration. Vous devez peut-être risquer de vous sentir un peu ridicule pour qu'il se passe quelque chose de nouveau dans votre vie.

À mon avis, une chose plus fondamentale que la peur du ridicule vous retient, et c'est la même chose qui retient la plupart des gens d'essayer mon programme: je pense que vous craignez que ces exercices ne marchent!

À un certain niveau préconscient, vous avez peur que si vos sentiments sont effectivement libérés, si vous commencez réellement à vous sentir intimement liés l'un à l'autre, vous allez perdre toute maîtrise de votre vie. Vous craignez, une fois ouvert le barrage qui retient vos sentiments, de vous noyer dedans. Vous avez peur, si vous vous détendez complètement sous les caresses de votre partenaire, de perdre tout votre pouvoir dans la relation. Vous craignez, si vous finissez par vous abandonner, d'avoir l'impression d'être un bébé qui pleure, vacillant et impuissant.

Le fait est que cette panique se trouve juste sous la surface en chacun de nous. Il y a un enfant qui meurt d'envie d'être caressé et cajolé sans fin en chacun de nous — dans chaque mari minute et dans chaque femme minute, dans chaque dur et dans chaque superfemme. Et chez la plupart d'entre nous, cet enfant a été renié pendant si longtemps, et ces envies sont devenues si grandes que la seule perspective de réveiller doucement l'enfant nous submerge. Nous sommes terrifiés à l'idée qu'une fois libérés, nous demeurerions à jamais cet enfant.

La vérité est que nous ne serons pas submergés. Et c'est ce qu'il y a de merveilleux dans les exercices sensuels progressifs. Ce régime est conçu de telle façon que nous demeurons toujours maîtres de nos sentiments et n'en sommes jamais les victimes. Les exercices sont progressifs — les degrés de sensualité augmentent progressivement — afin de nous permettre de nous acclimater graduellement à ces sentiments. Ainsi nous découvrons que nous pouvons toucher l'enfant à l'intérieur de chacun de nous tout en ayant la certitude que nous allons demeurer des adultes indépendants et puissants. Ce n'est qu'en ayant cette certitude que nous pouvons donner libre cours à tous nos sentiments. Et une fois que nos sentiments couleront librement, nous nous sentirons plus vivants, plus entiers, plus amoureux que la plupart d'entre nous l'ont été depuis très longtemps. Tout cela grâce au programme. Prodigieux, non?

«Je n'ai pas la moindre idée de ce que vous voulez dire, Dagmar. Toute cette histoire d'enfant à l'intérieur est du jargon de psychologue pour moi. Si j'ai en moi un enfant qui meurt d'envie d'être touché, je n'ai pas eu de nouvelles de lui depuis des années. Et si j'ai inconsciemment peur de perdre les pédales si mon partenaire me caresse le ventre, je suis plus folle que je ne l'ai jamais imaginé. À mon âge, je pense que je peux passer au travers.»

Merveilleux. Alors rien ne vous empêche d'essayer le premier exercice sensuel.

«*Un instant. J'ai besoin de quelques détails supplémentaires avant de m'engager dans quoi que ce soit. Comme de savoir combien de temps cette histoire va durer.*»

Chaque séance de contacts dure entre quinze et quarante-cinq minutes. Mais chaque séance est en réalité une double séance parce que vous êtes à tour de rôle celui qui donne et celui qui reçoit les caresses, ce qui veut dire que chaque double séance durera entre trente minutes et une heure et demie. Et pour tirer le maximum de ce programme, vous devez vous allouer trois doubles séances par semaine pendant les six prochaines semaines.

«*Vous plaisantez sûrement, Dagmar. Une heure et demie trois fois par semaine pendant les six prochaines semaines? Qui a le temps pour ça en dehors des riches mères de famille et des retraitées? Nous avons des emplois, des enfants, des travaux ménagers. Croyez-vous vraiment que je vais tout laisser tomber pour jouer aux câlins avec mon conjoint? Donnez-moi une chance!*»

On en revient toujours au temps, n'est-ce pas? De nos jours, plus personne ne semble penser pouvoir se permettre de *perdre* une heure et demie un jour sur deux simplement pour son propre *plaisir futile.*

«Quand ma tête touche enfin l'oreiller, je ne me suis pas arrêtée depuis dix-sept ou dix-huit heures», a protesté une femme lorsque je lui ai exposé, ainsi qu'à son mari, les grandes lignes de mon programme. «Je n'ai pas l'énergie nécessaire pour quoi que ce soit qui prenne une heure et demie.

— Mais alors pourquoi êtes-vous ici?

— Vous savez très bien pourquoi. Parce que nous ne faisons pratiquement plus jamais l'amour», a-t-elle répondu d'un air renfrogné.

Incroyable!

Les couples ne cessent de me dire que, lorsqu'ils se mettent au lit, ils sont trop fatigués pour faire quoi que ce soit l'un avec l'autre — sans parler d'une «grosse production» comme les exer-

cices sensuels. Et, la seconde suivante, ils veulent connaître le secret d'une vie amoureuse plus satisfaisante.

Mais qu'ont fait ces couples avant de se mettre au lit? Ils sont
sortis dîner avec des amis? Un cocktail? Le théâtre? Le cinéma?
Combien d'heures et demie ont-ils passées dehors avec des collègues et des amis?

*«Ce que nous sommes censés faire, est-ce devenir des er-
mites pendant les six prochaines semaines? Nous serons hors
circuit en moins de deux. Les gens seront froissés si nous refu-
sons autant d'invitations. Nous serons à court d'excuses assez
rapidement.»*

Vous pouvez toujours dire à vos amis que vous avez décidé
de passer plus de temps seuls ensemble — au lit.

«Un peu de sérieux.»

Eh bien, alors pourquoi ne pas dire à vos amis quelque chose
de plus socialement acceptable, par exemple que vous avez besoin
de plus de temps pour votre travail?

Tandis que nous y sommes, jetons un coup d'œil sur ce que
vous faites entre le dîner et le moment où vous vous écroulez dans
votre lit, épuisés. Statistiquement parlant, il y a de bonnes
chances pour que vous passiez au moins une heure à lire le journal ou à regarder les nouvelles à la télévision. Je suis toujours
surprise de voir combien de gens insistent pour dire qu'ils se sentent «frustrés» s'ils manquent le bulletin de fin de soirée avant
d'aller au lit — c'est comme si regarder les nouvelles était leur
façon de dominer le monde. Ce qui m'impressionne le plus, bien
sûr, c'est qu'au fond, ce que ces personnes me disent c'est que
regarder la télévision est plus profondément satisfaisant que
l'amour et la sexualité. Du moins c'est de cette façon qu'ils ont
établi leurs priorités.

Et cela, c'est sans parler de la télé récréative pure et simple.
Les statistiques sur la moyenne de temps passé devant le petit
écran — y compris pour regarder des films vidéo — comparative-
ment au temps passé à faire l'amour sont vraiment remarquables,
particulièrement si l'on considère les nombreux films et émissions
où la sexualité est omniprésente. Il semble que nous n'ayons rien
contre le fait de regarder un film de deux heures contenant des

scènes érotiques, et pourtant il nous semble impossible d'intégrer à nos horaires une heure et demie de caresses. Préférons-nous vraiment regarder d'autres personnes faire l'amour que de le faire nous-mêmes?

«Vous essayez vraiment de nous faire honte pour nous inciter à essayer votre programme, n'est-ce pas, Dagmar?»

Pas de vous faire honte. J'essaie juste de vous aider à remettre de l'ordre dans vos priorités. À vrai dire, c'est maintenant le bon moment pour dresser une liste de vos priorités. Combien de temps accordez-vous à la sexualité et à la sensualité dans votre horaire actuellement? Et combien de temps devriez-vous y consacrer idéalement? Soyez francs. Ne mettez pas la sexualité au premier rang si vous savez pertinemment que le temps consacré à vos enfants et à votre travail passe en priorité. Mais d'autre part, accordez une attention plus grande à l'importance que vous donnez au *plaisir futile* par rapport à votre vie sociale et à vos loisirs. Désirez-vous vraiment que le temps consacré à la sensualité avec votre partenaire soit moindre que le temps consacré à votre émission préférée, au jogging et à la danse aérobique, à planter les bulbes de tulipes et à fendre le bois, aux massages shiatsu et aux cours de yoga?

Il vous serait sans doute plus facile d'établir vos nouvelles priorités si vous cessiez de considérer les exercices sensuels progressifs comme une corvée fatigante et ennuyeuse. Oui, ils peuvent générer de l'anxiété au début, mais ils deviennent très vites apaisants, et non fatigants; fascinants et non ennuyeux. Et voici maintenant la partie vraiment ironique de mon travail: je vais effectivement essayer de vous faire accepter la sensualité en dressant la liste de ses «à-côtés avantageux».

À vrai dire, les exercices sensuels progressifs vous apporteront un bon nombre des avantages que vous recherchez dans vos nombreuses activités *déstressantes*. Ils vous aideront à soulager tous les genres de stress, pas seulement les anxiétés sexuelles. Comme n'importe quel cours de yoga ou massage professionnel, ces exercices vous détendront, vous emmèneront loin de vos préoccupations concernant le travail ou vos problèmes personnels. Les résultats concrets immédiats de ces exercices sont les mêmes que ceux qui découlent des autres activités déstressantes: vous dormirez mieux et aurez besoin de moins de sommeil, aurez moins de maux de tête et de rhumes. Et voici le plus beau: si vous prenez l'habitude de vous prélasser dans la sensualité, il y a des chances que *vous viviez plus longtemps!* (Que dites-vous de cette efficacité ultime? Vous *gagnerez* du temps.) Je suis très sérieuse. Il a été clairement établi que le stress augmente les risques de maladies cardio-vasculaires mortelles; par conséquent, en réduisant le stress on diminue ces risques. Et on accumule de plus en plus de preuves de ce que le contact humain a des vertus prolongeant la vie. Il y a quelques années, la célèbre étude Fels sur les orphelins a révélé que les bébés qui étaient régulièrement caressés présentaient un taux beaucoup plus faible de mortalité infantile que les bébés qui ne recevaient jamais de caresses. Des études récentes laissent entendre que le même phénomène est présent chez les adultes: les gens mariés vivent plus longtemps que les célibataires; même les gens qui ont des animaux de compagnie vivent plus longtemps que les gens qui n'ont rien à caresser. Tout ceci pour dire que vous pouvez vous permettre de laisser tomber le salon de santé et le cours de yoga, et même un jour ou deux de jogging, pour passer quelques heures chaque semaine à la poursuite du plaisir futile avec votre conjoint.

Dans le chapitre suivant, nous parlerons de l'organisation de votre temps pour ces exercices de façon que vous ne soyez pas aux prises avec les enfants ou avec la fatigue excessive. Mais pour l'instant, je me contenterai de vous dire que vous avez du temps si vous le voulez. C'est déjà une bonne raison pour vous livrer à ces trois doubles sessions par semaine. C'est déjà en soi un exercice que de prendre du temps pour votre relation. Voyons les choses en face. Vous n'arriverez jamais à faire l'amour sans vous presser, ne serait-ce qu'*une* fois par semaine, si vous refusez de prendre le temps nécessaire.

«D'accord, Dagmar, je suis déjà convaincue. Je vais essayer ces exercices. Mais mon engagement ne vaut rien — à moins que, bien sûr, je ne fasse ces exercices toute seule. Car voyez-vous, je ne convaincrai jamais mon mec de les faire avec moi.»

Ah oui, le facteur Mec. Il se manifeste chez presque tous les couples. L'un veut essayer les exercices mais l'autre pense que c'est une perte de temps, ou pire, que ça revient à chercher les ennuis. Il (ou elle) affirme qu'il est parfaitement heureux de sa vie amoureuse telle qu'elle est. Puis, lorsque vous lui dites spontanément que vous n'en êtes pas parfaitement heureux, lorsque vous lui dites que vous avez perdu votre sens de l'aventure et du sentimental, que depuis quelque temps vous ne ressentez plus rien lorsque vous avez des rapports sexuels ensemble, il peut très bien en être profondément blessé.

Il vous lancera: «Tu veux dire que tu n'aimes plus faire l'amour avec moi? Tu n'aimes pas ma façon de te faire l'amour?»

Et vous devrez répondre: «Le problème, ce n'est pas les rapports sexuels, ce sont les sentiments. J'ai l'impression que nous avons des rapports sexuels mais que nous ne faisons plus l'amour. Ces exercices sont censés être une façon de ranimer ces sentiments et c'est pourquoi j'aimerais les essayer.»

Alors il va probablement se mettre en colère: «J'ai plutôt l'impression que c'est ton problème, pas le mien. Pourquoi ne le règles-tu pas toi-même?»

Et alors vous n'aurez vraiment pas le choix. Car vous pouvez difficilement lui dire qu'il (ou elle) languit probablement autant que vous, qu'en son for intérieur, il meurt probablement d'envie lui aussi d'un changement dans votre relation — que s'il était honnête avec lui-même, il se rendrait compte que lui aussi souhaiterait ressentir davantage de choses lorsqu'il fait l'amour et être plus sensuel, et que rien ne changera jamais à moins qu'il n'essaie quelque chose de nouveau et de radical comme les exercices sensuels progressifs. Non, ce ne sont pas des choses que vous pouvez dire à votre conjoint. Autrement dit, ce ne sont pas des choses que votre conjoint veut vous entendre lui dire. Donc, vous lui direz autre chose qui est également vrai mais infiniment plus acceptable.

Vous direz: «Fais-le pour moi, chéri. Je ne peux pas faire ces exercices toute seule. J'ai besoin de ton aide. Je t'en prie.»

«Quoi? M'humilier comme ça? Pas question! Je ne vais pas le supplier. Et s'il dit: D'accord, je ferai ces fichus exercices, mais seulement pour te faire plaisir?»

Alors vous avez de la chance. Vous dites merci. Vous pouvez même lui dire qu'il peut faire ces exercices et les détester — pourvu qu'il promette de les faire. Car je vous assure qu'il ne les détestera pas longtemps. Et vous devez comprendre qu'il y a de bonnes chances pour que la seule façon pour lui d'accepter d'essayer les exercices, ce soit de vous dire qu'il le fait pour vous faire plaisir. Autrement, il se sentirait trop humilié et stupide pour les essayer. L'essentiel est que vous soyez maintenant prêts tous les deux à vous engager dans une remarquable aventure.

Enfin presque. Car il y aura sans aucun doute d'autres alibis et d'autres contretemps à surmonter avant que vous ne puissiez entreprendre cette démarche pour de bon. Le premier ressemble généralement à ceci:

«D'accord, je ferai les exercices, mais pour l'instant ça tombe mal. Comme tu peux le constater, je traverse une période où je ressens beaucoup de tensions. Pourquoi ne pas attendre les vacances pour commencer ce régime? De toute façon, nous serons mieux disposés tous les deux, n'est-ce pas chérie?»

Ce à quoi vous répondrez: «Tu te trompes, mon chéri. Tu traverses une période de tension depuis que je te connais. En fait, je crois que c'est une partie de notre problème. Tout ce que je demande est un maximum de quatre heures par semaine qui vont enlever un peu de cette tension, pas en rajouter. Cessons de tourner en rond et passons aux actes, d'accord?»

Vous êtes maintenant sur le point de commencer. Et c'est généralement à ce moment-là que votre Mec lance une dernière tentative pour faire échouer toute l'affaire: «J'espère que tu comprends que je ne me suis engagé à essayer ces exercices qu'une seule fois, chérie.»

Et vous de dire: «Merveilleux. Et si on commençait maintenant?»

Chapitre 10

«*Je veux que tu me caresses, maintenant*»

Première semaine

Commencez par tirer à pile ou face.

Le gagnant sera le premier caressé, celui qui prend l'initiative du premier exercice sensuel, celui qui sera touché le premier.

Vous pourriez très bien le faire à l'instant même. Il faut battre le fer quand il est chaud. Fermez ce livre un instant et tirez à pile ou face pour que, en poursuivant votre lecture, vous sachiez qui est qui: qui est le premier *caressant* et qui est le premier *caressé*.

Voici ce que doit faire le gagnant: au cours de la semaine qui vient, elle (ou il) doit dire tout haut: «Je veux que tu me caresses, maintenant.» Et elle (ou il) doit alors prendre son partenaire par la main et le conduire à la chambre. Là, vous vous déshabillez tous les deux, lumières allumées, et vous vous glissez dans le lit. N'oubliez surtout pas de décrocher le téléphone.

D'ici à ce que la séance soit terminée, vous allez entrer dans un monde centré uniquement sur les sensations. Pas un mot avant que tout soit terminé. Tout ce que vous avez à faire, que vous soyez le caressant ou le caressé, c'est de vous concentrer sur ce que vous ressentez dans votre corps et dans votre cœur.

Caressant, pour les quinze à quarante-cinq minutes qui viennent — au choix du caressé —, vous allez toucher le corps de votre partenaire partout à l'exception de la poitrine (celle des hommes également) et des parties génitales. À l'exception de ces endroits, essayez de couvrir autant de territoire que possible, du cuir chevelu aux orteils. Caressé, vous vous contentez de rester allongé, aussi détendu que possible, à savourer tout cela, en résistant à la tentation de toucher vous aussi. Votre tour viendra ensuite. Et, qu'il arrive quoi que ce soit — au sens propre et au sens figuré —, tenez-vous en tous les deux aux règles: pas de stimulation génitale, pas de pénétration, pas d'orgasme permis. Vous prenez congé de tout cela pour un petit bout de temps. Vous aurez toute la vie pour faire ce qui vous chante ensuite.

Lorsque le caressé donne le signal, il est temps d'inverser les rôles — le caressant devient le caressé et vice versa. Pas de pause. Contentez-vous de changer de place et de vivre des sensations de l'autre point de vue.

Voilà l'essentiel de votre première séance. N'en discutez pas après: pas de critiques ou de *post mortem,* remontez vos bas et revenez à la vie normale. Mais rappelez-vous, à un certain moment au cours du reste de la semaine, ce sera au tour de l'autre d'être l'initiateur, de mettre en marche une autre double séance en annonçant: «Je veux que tu me caresses, maintenant.» Avant la fin de la semaine, changez de rôle encore une fois pour prendre l'initiative d'une troisième et dernière double séance pour cette première semaine.

«C'est tout, Dagmar? C'est là votre grand secret de l'amour et de la sexualité? Deux personnes se touchent à tour de rôle en évitant scrupuleusement le Point Chaud et presto chango, *les voilà devenues des amants intimes et sensuels? Allons, tout ce qui en découlera est un paquet de frustrations. Est-ce là votre but? Vous essayez de nous forcer à réaliser les plus longs préliminaires de l'histoire pour que, lorsque nous aurons enfin la permission d'aller jusqu'au bout, nous soyons si reconnaissants qu'enfin nous le ferons de la bonne façon?»*

Il n'y a pas de bonne ou de mauvaise façon. Faire l'amour n'est pas une performance ou un exercice de gymnastique. Tout ce qui importe, ce sont les sentiments. Et c'est le seul objet de ces exercices. Il ne s'agit pas de préliminaires — ces caresses ne mènent nulle part. *C'est un plaisir fantastique en soi.* Et aussi stupide que cela puisse paraître, oui, c'est l'un de mes grands secrets de l'amour et de la sexualité.

Le simple fait de vous installer durant un minimum de quinze minutes chaque fois pour le pur plaisir passif vous permet de vous familiariser avec l'art de faire durer la sensualité. Mais pour ceux d'entre vous qui ont l'habitude d'avoir des rapports sexuels à la sauvette entre deux activités, pour ceux qui ont un programme surchargé, cela peut se révéler le défi de leur vie.

«C'était comme le purgatoire, m'a confié un homme à propos de sa première séance comme caressé. Au bout de cinq minutes, je regardais l'horloge égrener les secondes jusqu'à ce que je puisse finalement lui dire d'arrêter.»

C'était un homme qui avec les années avait réussi à éliminer pratiquement toute sensualité de sa vie amoureuse. Pour lui, l'essentiel avait toujours été d'atteindre l'orgasme — le sien et celui de sa femme — avant de se retourner et de se dépêcher de prendre quelques heures de sommeil. C'était un expert efficace dans les rapports sexuels: il pouvait terminer tout le *travail* en moins de quinze minutes. Comment allait-il pouvoir endurer cette affaire de caresses pendant quinze minutes?

«Fermez les yeux et oubliez l'heure, lui ai-je dit. Vous n'avez aucun objectif à atteindre pour aujourd'hui, il ne vous reste donc plus qu'à éprouver les sensations du moment. Pourquoi ne pas en profiter au maximum?»

Au cours des trois séances suivantes, cet homme a subi l'épreuve d'être caressé pendant quinze minutes, les yeux collés à l'horloge. Mais, à la quatrième séance, quelque chose s'est produit.

«C'était comme s'il y avait eu un déclic en moi, a-t-il dit. Soudain, je ressentais ces sensations fantastiques dans ma poitrine, dans mon ventre et dans mes cuisses. On aurait dit que je planais. Et lorsque j'ai ouvert les yeux, j'ai vu que je m'y étais abandonné pendant quarante-cinq minutes.»

C'était sa concentration qui avait fait *clic*. Il s'autorisait enfin à se concentrer sur ce qui lui arrivait sur le moment au lieu de penser à l'instant où cela serait terminé.

Notre réticence à demeurer dans le Sensuel Ici et Maintenant est la cause de la plupart de nos insatisfactions sexuelles. Les rapports sexuels chronométrés et ternis par l'anxiété peuvent pousser certains hommes à devenir des éjaculateurs précoces et obliger certaines femmes à cesser d'essayer d'atteindre l'orgasme. Mais les rapports sexuels à la va-vite causent également des ennuis à ceux d'entre nous qui *fonctionnent normalement* et qui pourtant ont l'impression de se faire rouler émotivement, ne ressentent plus rien dans leur cœur et se sentent seuls. C'est pourquoi les exercices sensuels sont bénéfiques à chacun de nous, quelles que soient nos insatisfactions. Le secret pour chacun est de se concentrer sur ce qu'il ressent à l'instant présent sans être pressé et sans penser à ce qui suit. Chez les Alcooliques Anonymes et chez Al-Anon, on vous dit de vous efforcer de vivre un jour à la fois. Dans ce programme, je veux que vous vous concentriez sur une seule sensation à la fois. Vous serez stupéfaits tous deux de la différence que cela peut faire.

«*Allons, Dagmar, vous parlez comme si nous avions toujours des rapports sexuels bâclés et impersonnels et c'est tout simplement faux. Nous nous caressons toujours l'un l'autre pendant un moment avant de passer aux actes.*»

Mais savourez-vous longuement cette sensualité? Ralentissez-vous parfois au point de n'avoir aucune idée de l'endroit où tout cela vous mènera? N'arrivez-vous jamais au point où vous êtes si obnubilés par l'instant présent que plus rien d'autre n'existe?

«*De quoi s'agit-il, Dagmar, d'une thérapie sensuelle ou du bouddhisme zen? À vous entendre, c'est si mystique, et si terriblement artificiel.*»

Eh bien, il y a quelque chose de mystique dans tout cela, je vous le concède. En fin de compte, la raison pour laquelle caresser le corps de son partenaire peut provoquer tant de sentiments profonds est un mystère exquis. Bien entendu, c'est en partie dû au fait que les caresses réveillent des souvenirs de contacts ressentis dans la tendre enfance, mais cela explique-t-il pourquoi le contact lui-même est si puissant?

Je réfute cependant votre affirmation selon laquelle ma façon d'aborder la sensualité est artificielle. Au contraire, je pense que ces exercices vous ramèneront tous deux à la façon la plus naturelle et fondamentale d'avoir un contact l'un avec l'autre. Savourer longuement la sensualité, voilà ce qui est naturel. Malheureusement, nous en avons été privés par le mode de vie que nous impose une société obsédée par le rendement, par nos ego préoccupés par les performances sexuelles et par des croyances qui nous tiennent si fixés sur nos organes génitaux que nous oublions que nous avons également un cœur et un corps.

«Ça va comme ça, Dagmar, j'ai compris. Mais vous devez admettre que vous exagérez lorsque vous insistez pour que nous ne touchions ni la poitrine ni les parties génitales. Voilà qui est artificiel — et passablement pervers.»

Je n'exagère pas, je compense les années pendant lesquelles vous avez créé des habitudes qui ont fait que vous ne ressentez plus rien et vous sentez si seuls. Comme je le disais au début, nous reprenons votre vie sexuelle de A à Z. Et la première étape consiste à sensibiliser tout votre corps — pas seulement vos organes génitaux.

«J'ai eu ce flash incroyable lorsque Bob me caressait doucement l'intérieur du bras et la paume de la main, m'a raconté une patiente. Je me suis souvenue tout à coup de la première fois où un garçon m'a pris la main à une soirée dansante au lycée. Je me souviens d'avoir senti comme un courant électrique me parcourir. Ce n'est pas le genre de sensation forte qu'a une vieille mariée comme moi.

— Il me semble pourtant que c'est ce qui vient de vous arriver, lui ai-je répondu. Et ce n'est que le commencement.»

En omettant de vous toucher la poitrine et les parties génitales dans la première étape de ce programme, vous donnez chacun au reste de votre corps l'occasion de se rattraper. Il est grand temps que vous vous enleviez de la tête l'idée que tous ces points sacrés sont les seules parties sexuelles de votre corps. Vous allez donner congé à vos organes génitaux pendant un moment. Ils ne peuvent simplement pas tout faire pour vous, ne peuvent pas être l'entrepôt de toutes vos sensations, ne peuvent pas jouer le rôle de votre cœur et de votre âme. À mesure que vous relâcherez les commandes qui ont engourdi le reste de votre corps, vous commencerez à vous sentir sensibles de partout. Vous allez bientôt avoir des coudes érotiques et des paupières passionnées, des genoux extasiés et des lobes d'oreille sensuels. Vous allez être une zone érogène de la tête aux pieds. Et cela, je vous le jure, est naturel.

«Merveilleux. Mais laissez-moi vous dire ce qui est artificiel — cette histoire de faire tout un numéro pour amorcer la séance. Je veux que tu me touches, maintenant. *Vraiment! Que sont devenus la spontanéité et la subtilité? Qu'est devenu le romantisme?»*

Vous voulez parler du jeu des devinettes: «Je me demande si elle est d'humeur à le faire maintenant...»? Et que sont devenues les négociations du genre: «La dernière fois tu as voulu le faire et pas moi, mais si tu le fais cette fois-ci, alors que tu ne le veux pas et moi si, la prochaine fois...»? Et que sont devenus ces signaux timides et hésitants que vous aviez l'habitude de vous envoyer (généralement sous les couvertures, avec les orteils, alors que vous étiez tous deux à moitié endormis) et qui étaient intentionnellement ambigus pour qu'une absence de réaction ne soit pas interprétée comme un rejet personnel?

Eh bien, toute cette subtilité, toute cette spontanéité et tout ce romantisme devront rester sur la touche pendant quelques semaines: vous les remplacerez par la forme de communication la plus directe et la plus consciente à laquelle je puisse penser: «Maintenant. Je veux que tu me touches maintenant.»

«J'ai protesté comme un fou lorsque vous nous avez parlé de cette histoire de «Touche-moi maintenant», m'a confié un patient. Mais secrètement, j'étais soulagé.»

Cet homme et sa femme n'avaient pas fait l'amour depuis plus de trois mois.

«Nous nous sommes retrouvés *en chômage* après que Rhéa [sa femme] eut refusé trois fois de suite, a-t-il poursuivi. Je ne pouvais encaisser un nouveau rejet. Alors j'ai simplement cessé de le lui demander.»

Et, bien entendu, sa femme ne le lui a jamais demandé non plus. Selon une règle tacite de leur relation, elle ne pouvait jamais prendre l'initiative pour faire l'amour, chose qui la contrariait de plus en plus. Ils en étaient donc là, tous les deux pris au piège. Nous avons passé un certain temps à discuter de leurs peurs et de leurs ressentiments respectifs, mais je savais que le meilleur moyen de les délivrer était de changer *artificiellement* les règles d'un seul coup. Je leur ai demandé de prendre l'initiative des caresses à tour de rôle, sans poser de questions. Ce n'était pas subtil, ni même romantique sur le moment, mais c'était infiniment plus satisfaisant que ce qu'ils faisaient — ou plutôt ne faisaient pas — auparavant.

Pour bien des couples, le simple fait d'amorcer les rapports sexuels est un problème énorme. Il peut se passer des semaines et même des mois sans que rien ne se produise parce qu'Il a peur qu'Elle le rejette encore ou qu'Elle a peur qu'Il la trouve trop entreprenante, alors Elle cherche des moyens de Lui faire croire que l'idée vient de Lui. Ou bien Il a si peur de ne pas être capable de maintenir son érection qu'Il préfère ne pas essayer. Ou encore, Elle a si peur de prendre trop de temps à jouir qu'Elle préfère ne pas essayer. Ou bien Ils attendent si désespérément tous les deux le moment magique où Ils se jetteront dans les bras l'un de l'autre en s'arrachant leurs vêtements et tomberont dans le lit, brûlants de désir, que toute envie moins «forte» semble trop insignifiante pour faire quoi que ce soit. La liste des raisons que nous élaborons pour ne pas commencer est infinie. Donc, pour les prochaines semaines, nous allons simplement nous débarrasser de cette liste.

Il n'y a qu'une seule raison pour laquelle vous allez commencer à faire vos exercices trois fois au cours de la semaine qui vient: *parce que c'est le marché que vous avez conclu l'un avec l'autre.*

Et non, ce n'est pas subtil de se lever après le bulletin de nouvelles de vingt-deux heures et de déclarer qu'à l'instant même, vous voulez que l'on vous touche. C'est tout à fait le contraire: c'est direct, péremptoire et, le plus effrayant, c'est conscient. Les rapports sexuels n'arrivent pas tout simplement par un concours de circonstances échappant à votre contrôle; vous prenez la responsabilité de faire en sorte qu'ils se produisent. Vous vous avouez à vous-même et vous déclarez à votre partenaire que vous voulez qu'il ou elle vous donne du plaisir et que vous voulez qu'il ou elle le fasse maintenant. Cela peut sembler grossier et peu romantique mais, croyez-moi, vous serez enfin enchanté de vous et de votre sexualité. Bien que ce ne soit qu'un exercice et que vous suiviez simplement les *règles de Dagmar,* cette déclaration franche et honnête de votre désir est un pas de géant pour amener le sexe et l'amour sous votre propre domination. L'attente est terminée; vous allez maintenant à la poursuite de votre plaisir.

Et non seulement votre exigence fait des rapports sexuels un geste conscient, mais elle en fait également un geste égoïste — dans le vrai sens du mot. Lorsque vous tendez la main à l'autre bout du sofa pour prendre celle de votre partenaire, vous ne faites même pas comme s'il y avait quoi que ce soit de réciproque au sujet de votre envie ou du moment choisi. Vous dites: «Je veux que tu fasses quelque chose pour moi, maintenant.» Cela met un terme aux devinettes: il importe peu que votre partenaire soit ou non d'humeur — cela ne fait pas partie du contrat. Vous allez à tour de rôle prendre l'initiative de ces séances au cours des prochaines semaines et cela est parfaitement réciproque, parfaitement équitable. Vous vous apprêtez à commencer les vacances les plus splendides de votre vie à deux: *des vacances au cours desquelles vous n'aurez jamais à vous demander ce que votre partenaire veut ou ressent.*

Finalement, vous pouvez également cesser de laisser toute peur d'échec sexuel vous empêcher de prendre l'initiative de ces séances. Au début, les érections, lubrifications, orgasmes et respirations fortes sont totalement hors de propos. Vous ne pouvez pas échouer, parce que toutes les représentations ont été annulées. Si vous avez un orgasme pendant qu'il vous caresse le dos, merveilleux; et si vous avez une érection pendant qu'elle vous masse les cuisses, très bien. Mais ce n'est pas votre but; ce n'est qu'un effet secondaire.

«Merveilleux. Alors je déclare consciemment et égoïstement que je veux que l'on me touche maintenant. Ce qui veut dire que je serai doublement humiliée lorsqu'il dira non.»

Mais il ne peut pas dire non. C'est là l'essentiel du programme: aucun non n'est permis. Lorsque vous vous êtes engagés tous les deux à essayer ces exercices, vous vous êtes engagés à toujours être là l'un pour l'autre. Absolument et sans poser de questions.

Il est crucial de respecter cet aspect du marché. Lorsque votre partenaire dit: «Maintenant», vous ne pouvez pas dire: «Pas ce soir, je suis exténué», ni «Est-ce qu'on peut remettre ça à plus tard? Je dois terminer la rédaction du rapport Bailey avant demain», ni «Mais je me faisais une fête de regarder ce match de football». En fait, vous ne pouvez même pas dire: «Pourquoi n'attendons-nous pas d'être prêts à nous coucher?»

Si vous n'êtes pas inconscient, vous pouvez le faire. Vous n'êtes pas obligé de le faire correctement ni même de bien le faire. Vous avez seulement à le faire.

«D'accord, alors, je l'ai fait! a ronchonné Ron, à la fin de sa première semaine d'exercices. J'ai fait le gentil garçon. Mais bon sang, j'ai détesté chaque seconde. Je ne vais pas vous raconter d'histoires. Teri s'est approchée de mon bureau d'un pas joyeux en disant: «Allons nous frotter la bedaine, maintenant», alors qu'elle savait très bien que j'avais à terminer la rédaction de ce rapport pour le lendemain. Maintenant si vous pensez que c'est la façon de faire de moi un mari aimant, vous êtes plus folle que je le croyais.

— Et que croyez-vous que j'éprouvais, sachant que toute cette histoire le rebutait? s'est écriée sa femme, Teri, sur un ton de reproche. Comment étais-je censée avoir du plaisir alors qu'il était d'une humeur massacrante?»

Heureusement, ils me blâmaient tous les deux au lieu de se blâmer l'un l'autre — c'était déjà une amélioration. En ma qualité de thérapeute, une partie de mon meilleur travail consiste à servir de punching-bag. Je devais tout de même leur rappeler ce qu'était leur relation avant que quiconque ne mentionne les exercices sensuels.

«Qu'aviez-vous l'habitude de répondre lorsque Teri voulait faire l'amour et que vous pensiez que vous étiez trop occupé? ai-je demandé à Ron.

— Eh bien, je lui expliquais simplement, et avec raison, que je subissais beaucoup de tension, que le temps était mal choisi et que je lui revaudrais ça plus tard, a répondu Ron.

— Et quel effet cela vous faisait-il? ai-je demandé à Teri, connaissant déjà la réponse par l'expression de son visage.

— Un effet épouvantable, a-t-elle répondu. Je me sentais comme une petite fille que l'on traite avec condescendance. Et de toute façon, il est toujours sous pression. Je ne me rappelle pas la dernière fois où le temps était bien choisi.»

Avec les années, je crois que j'ai entendu à peu près toutes les variations imaginables du «Pas ce soir, chérie» et aucune d'entre elles ne favorise l'intimité.

Il y a le refus direct, mais irrité: «Que se passe-t-il avec toi? Es-tu obsédée ou quoi? Tu ne penses qu'au sexe.»

Il y a aussi le refus la-meilleure-défense-est-une-bonne-offense: «Tu as le chic pour choisir le plus mauvais moment pour ces choses-là, n'est-ce pas?»

Et ensuite, bien sûr, il y a l'acceptation martyre qui équivaut à un refus: «Bon d'accord, si tu en as tellement besoin.»

Avec ce programme, vous coupez court à tout ce fatras de culpabilité et de ressentiment. C'est un marché, pur et simple: je serai là pour toi si tu es là pour moi. *Quid pro quo.* Comme je l'ai dit à Ron, ce pacte est le plus court chemin que je connaisse vers l'intimité. C'est un pacte de confiance, qui témoigne de la volonté de se faire plaisir l'un à l'autre, et pour superficiel que cela puisse sembler en ce moment, cela permet de se sentir plus transparents et plus à l'aise l'un avec l'autre qu'après une année entière de discussions angoissées pour savoir qui donne davantage à qui.

Ron n'était toujours pas convaincu.

«Génial. Mais je vais encore lui en vouloir d'être obligé de la suivre jusqu'à la chambre alors que j'ai du travail plein mon bureau, disait-il.

— Parfait. Soyez contrarié, lui ai-je dit. Mais rendez-vous service et ne vous accrochez pas à votre ressentiment si vous vous rendez compte qu'il s'efface tandis que vous prenez plaisir aux caresses de Teri. Et plus tard, si vous vous apercevez qu'il y a quelque chose de rafraîchissant dans le fait d'être débarrassé de toutes ces astuces dont vous aviez l'habitude de vous servir pour amorcer les rapports sexuels, soyez-en heureux, voulez-vous?»

Mais pour l'instant Ron n'était pas heureux et Teri non plus.

«Je ne vois pas en quoi cela pourrait changer quoi que ce soit, disait-elle. Je vais encore me sentir misérable et coupable, sachant qu'il aimerait mieux travailler que d'être au lit avec moi. Où est le plaisir pour moi dans tout cela?

— Le plaisir est toujours là, lui ai-je répondu. Il vous suffit de vous permettre de l'accepter. J'ai l'impression que vous vous efforcez tellement d'être la personne qui fait plaisir dans cette relation que vous avez oublié comment vous faire plaisir à vous-même.»

Puis j'ai dit à Teri une chose qu'elle avait beaucoup de mal à croire: «Vous allez tirer plus de ces exercices si vous arrivez à dire «Je veux que tu me touches maintenant» à des moments où vous savez que Ron ne veut pas. Je sais que cela vous paraît terriblement pervers. Mais en ce moment, c'est exactement le genre d'entraînement dont vous avez besoin. Vous devez vous lancer le défi de gommer ses besoins pour pouvoir enfin vous concentrer sur vos propres sentiments.»

Pour tous ceux d'entre vous qui s'engagent à faire ces exercices, c'est là la seule obligation: se concentrer sur ce que l'on ressent. Cessez, à supposer que vous soyez la caressée, de penser à ce que ressent votre partenaire lorsqu'il vous touche, de vous demander s'il aime cela, s'il vous trouve séduisante, s'il en a assez. Lorsque vous pensez à ces choses, vous détournez votre attention de vos propres sensations. Et surtout, ne mettez pas fin à la séance sous prétexte que vous pensez qu'il en a assez de vous toucher. Prenez vos quarante-cinq minutes si c'est ce que vous voulez. Et si votre partenaire n'a pris que quinze minutes lorsqu'il était le caressé, cela ne doit pas avoir d'influence sur le temps que vous prenez lorsque vient votre tour. Prenez autant de plaisir que vous pouvez le supporter aussi longtemps que vous le voulez.

«Vous savez, je vois déjà d'ici comment cela va tourner. Je vais enfin avoir le courage de prendre l'initiative de la première double séance. Et puis ce sera son tour de prendre l'initiative de la séance suivante — et ça ne se produira pas. Rien. Toute la semaine va s'écouler sans qu'il fasse un seul mouvement en direction de la chambre.»

Attendons la fin de la semaine pour nous inquiéter. Il pourrait bien vous surprendre. Mais, en attendant, une règle fondamentale de ce programme est que vous n'avez pas le droit de le pousser du

coude. Vous n'avez même pas le droit de lui rappeler qu'il commence à manquer de temps. Pas un seul regard, pas même s'il est
vingt-trois heures cinquante le dernier soir de la semaine. Il est
interdit de jouer les poursuivants. Cela détruirait toute la structure
du partage de la responsabilité que vous avez commencé à construire. Assurez-vous simplement de prendre l'initiative de la première séance et d'en retirer le maximum de plaisir.

*«Tout ceci est fascinant en théorie, Dagmar, mais venons-
en à l'aspect pratique, voulez-vous? Notre petit de sept ans a
le sommeil léger et son frère de douze ans ne se couche pas
avant onze heures. Quand sommes-nous censés faire ces exercices — entre deux et trois heures du matin?»*

Si nécessaire, oui. En fait, il vous est même permis de réveiller votre partenaire au beau milieu de la nuit et de lui dire:
«Maintenant. Je veux que tu me caresses maintenant.»

«Et il dira: «Maintenant, je veux divorcer maintenant.»

Non, il ne le dira pas. Car il a le droit de faire exactement la
même chose la fois suivante. Encore là, je ne veux pas vous sembler totalement perverse, mais vous trouverez tous les deux que
c'est franchement grisant de voir jusqu'où vous pouvez pousser
la chose. Allez-y, réveillez-le au milieu de la nuit et dites:
«Maintenant.» Et vous, ouvrez le rideau de la douche et dites-lui:
«Maintenant.» Dépassez les bornes. Voyez par vous-même
comme c'est étourdissant de jouer à Je-serai-là-pour-toi-si-tu-es-
là-pour-moi.

Mais c'est vrai, il y a un aspect pratique que vous devez considérer dans ce programme. Si les enfants vous empêchent
d'avoir l'intimité dont vous avez besoin pour ces exercices
(comme ils peuvent vous avoir empêchés d'avoir une vie amoureuse riche par le passé), il est temps que vous preniez de nouveaux arrangements. Premièrement, si ce n'est déjà fait, munissez
la porte de votre chambre d'un verrou. Et pourquoi ne pas faire
venir une gardienne et louer une chambre d'hôtel pour l'une de
vos séances? Vous vous accordez volontiers un repas au restau-
rant ou une sortie au cinéma, pourquoi vous semble-t-il plus in-
convenant de dépenser le même argent (et de prendre la même
gardienne) pour un peu de plaisir futile? Et de toute façon, où est

le mal? Qui d'autre deviez-vous gâter aujourd'hui? Plus loin dans le programme, lorsque l'amour sensuel sera devenu le centre de vos vies, l'option *rapports sexuels à l'extérieur* dans les hôtels et les motels aura probablement une place de choix dans votre liste de choses à faire les soirs de sortie.

Et voici une idée si évidente qu'on se demande pourquoi si peu d'entre nous y pensent jamais: vous pouvez amorcer une séance d'exercices sensuels (ou plus tard, faire l'amour) *pendant la journée.* C'est bien cela, vous pouvez vous rouler dans l'herbe pendant que le soleil brille au lieu de toujours penser que vous devez faire les foins. Disons un certain samedi, au lieu de ramasser les feuilles mortes, ou un dimanche, au lieu de lire le journal de la première à la dernière page. Fixez un rendez-vous de jeu pour vos enfants et un autre pour votre partenaire de lit. Trop de gens pensent à faire l'amour seulement lorsqu'ils sont déjà déshabillés et prêts à dormir. L'idée d'enlever délibérément ses vêtements simplement pour se donner du plaisir l'un à l'autre semble absolument scandaleuse. Mais ce qui est scandaleux peut être merveilleux! En fait, plus vous avez l'impression de faire une chose scandaleuse et illicite, plus vous avez de plaisir. Il est temps que vous sortiez de vos vieilles routines. Il est temps que vous vous sentiez un peu décadents. Cela ne peut que vous aider à vous sentir plus sensuels.

C'est l'aspect délibéré de l'action de se déshabiller en plein jour qui gêne. Lorsque l'un de vous commence à enlever ses vêtements à deux heures de l'après-midi, il ne peut plus prétendre que cet interlude sensuel arrive par hasard. Non, il en est responsable. Il le fait parce qu'il veut le plaisir que cela procure. Dieu sait qu'il est plus facile pour la plupart d'entre nous d'enlever leurs vêtements au milieu de la journée pour se changer en vue d'un match de tennis que cela ne l'est de se dévêtir pour quelque plaisir sensuel. Ce qui est intéressant, c'est que les couples me disent qu'ils sont souvent excités lorsqu'ils se déshabillent pour revêtir leur tenue de tennis; malheureusement, ils vont rarement jusqu'au bout de leur élan — après tout, le court est réservé, les gens attendent. Mais en ce samedi après-midi, personne n'attend: seuls deux corps s'attendent l'un l'autre.

Mentionnons en passant un ou deux autres détails pratiques. Il n'y a rien de pire qu'une pièce froide pour les exercices sensuels. La sensation n'est pas du tout la même lorsque tout doit être fait sous les couvertures. Premièrement, le caressant finit généralement par se sentir suffoquer. Je vous suggère de vous procurer un radiateur portatif que vous laisserez dans la chambre. Mettez-le en marche dès que vous saurez que vous allez commencer une séance sensuelle. (Peut-être préférerez-vous le mettre en marche une heure à l'avance.) Maintenant, vous pouvez vous allonger nus tous les deux par-dessus les couvertures sans avoir la chair de poule tout au long de la double séance.

Certains couples aiment aussi écouter de la musique et placer des bougies parfumées dans la chambre pour l'occasion. Parfait. Plus tard, nous reparlerons plus longuement de l'aménagement sensuel. Mais pour l'instant, rappelez-vous seulement que le caressé décide de tout: s'il y aura de la musique et de quel genre, des bougies ou pas. Le caressé a la responsabilité pleine et entière de sa propre expérience.

«Une fois que nous sommes déshabillés et qu'elle est allongée sur le lit, qu'est-ce que je suis censé faire? demande le caressant. *Lui faire un genre de massage comme dans les centres de conditionnement physique?»*

Touchez-la comme bon vous semble — des caresses du bout des doigts ici, un tendre massage des muscles tendus là — et soyez assuré que si elle veut quoi que ce soit de différent elle vous le fera savoir. La caressée est votre guide. Elle vous indiquera l'intensité, la vitesse et la durée des caresses qu'elle désire. C'est sa responsabilité entière, alors vous n'avez pas à avoir peur de mal vous y prendre.

Vous n'êtes pas censé devenir un quelconque expert. Vous n'avez pas à «bosser» pour apprendre l'art du massage sensuel ou les méridiens shiatsu. C'est avec vos instincts que je veux que vous preniez contact, pas avec une technique de plus. Je crois que la «technique» a tué la vraie sensualité de notre époque. On entend tellement de théories disant qu'un point nouvellement découvert est le secret de l'excitation ultime, que si vous tonifiez vos muscles vaginaux ici et que vous frottez cette crème là, poussez par ici et tirez par là, vous trouverez la clé de la supersexualité. Quelque part en chemin, nous avons été embobinés, on nous a fait croire que nous n'étions rien de plus qu'une série de boutons d'ordinateur qui doivent être enfoncés dans la bonne séquence pour décrocher le gros lot: le Superorgasme. Je n'en crois pas un mot.

Premièrement, nous sommes simplement trop différents les uns des autres pour que cela soit vrai: le point G d'une personne peut être le point Zzzz chez une autre. Non seulement nos corps sont différents les uns des autres au point de vue de la sensibilité, mais le même corps peut réagir différemment d'un jour à l'autre. Un jour, les pieds de notre partenaire peuvent réagir particulièrement bien alors que le jour suivant, c'est la nuque. C'est pourquoi vous devez toujours vous laisser guider par votre partenaire. Aucun thérapeute ni aucun livre ne peut vous dire où et quand toucher; seul votre partenaire le peut. Et n'oubliez pas que, de toute façon, vous n'êtes pas à la recherche des ses points chauds érotiques. Vous n'essayez pas de susciter l'excitation ou des orgasmes. Vous provoquez toute une gamme de sensations et les émotions qui en découlent.

L'autre raison pour laquelle je fuis la «technique», c'est que je veux que vous mettiez votre esprit rationnel hors circuit pour un certain temps de façon à pouvoir suivre vos impulsions irrationnelles. Pour une fois, laissez vos doigts suivre vos sentiments au lieu de suivre un schéma mental des endroits où vous croyez que l'amant parfait devrait toucher sa partenaire. Car voici le vrai secret: vous, le caressant, allez vous aussi retirer quelque chose de sensuel de cette expérience. Vous n'êtes pas simplement un robot masseur au service de votre partenaire; vous n'êtes pas uniquement branché sur ses réactions. Vos mains sont pourvues de sensibilité elles aussi. Vous souvenez-vous quand, adolescent, vous passiez votre main sous le chandail de votre petite amie et lui touchiez le ventre? C'était électrique. Cette sensation intense vous a traversé tout le corps. Vous allez maintenant la retrouver.

«Alors, je ne la touche qu'avec mes mains?»

Pendant la première semaine, oui. La semaine prochaine vous pourrez être plus créatif, comme vous le verrez. Mais pour le moment, ne faites que toucher votre partenaire avec vos mains et résistez à l'envie de jouer à tic-tac-toe sur son dos ou de faire un dessin sur ses fesses — ce pourrait être un moyen d'éviter de ressentir quoi que ce soit. Et ne la chatouillez pas; c'est probablement la chose la plus antisensuelle que vous puissiez faire. Détendez-vous, ne vous immobilisez pas. Les caressants ont tendance à s'appuyer sur un coude à côté de leur partenaire et à demeurer allongés dans cette même position pendant toute la séance. De cette façon, vous ne pouvez couvrir que la région située entre les genoux et le cou, et c'est dommage car la tête et les pieds de votre conjointe peuvent être très sensibles ce jour-là. Promenez-vous. Sortez du lit et allez de l'autre côté. Tournez-vous et regardez ses pieds. Cela ne vous épuisera pas.

«Et que suis-je censée faire? (demande la caressée). *Rester allongée comme une morte pendant qu'il s'occupe de moi?»*

Voilà. Restez simplement allongée et restez branchée sur ce que vous ressentez.

«Mais que suis je censée ressentir?»

Vous êtes censée ressentir ce que vous ressentez, ni plus ni moins. Aucune prescription. Vous pouvez vous sentir excitée et, si c'est le cas, parfait, sentez-le tout simplement. N'allez pas croire un seul instant que vous deviez faire quoi que ce soit de ce sentiment. Vous pouvez très bien aussi vous sentir sexuellement insensible ces quelques premières fois. Très bien. C'est parfaitement normal. Ressentez simplement ce que vous ressentez et observez. N'allez pas faire l'erreur de penser: «Je devrais me sentir excitée en ce moment.»

Vous pouvez vous sentir mal à l'aise, chatouilleuse, avoir la bougeotte ou être prise de vertige. Vous pouvez aussi vous sentir si somnolente que vous glissez vers le sommeil. C'est très bien aussi. (Et en passant, caressant, si votre partenaire s'endort effectivement pendant que vous la caressez, ne le prenez pas comme un rejet. Tout ce que cela signifie c'est qu'elle est à l'aise et détendue.)

Vous pouvez même vous sentir triste. Bon nombre d'hommes et de femmes pleurent pendant ces séances. Ne repoussez pas ce sentiment. Et ne vous y accrochez pas lorsque vous le sentez partir. Laissez cette émotion courir librement comme n'importe quelle autre.

Le fait est que ces exercices peuvent provoquer nombre de sentiments inattendus. Vous pouvez vous sentir tendu pendant un moment et soudain si détendu que vous avez l'impression de flotter. N'essayez pas de maîtriser ou de prévoir vos émotions. Laissez-les vous surprendre.

«Et si je ressens de l'anxiété?»

Ah, alors vous êtes comme presque tout le monde. Bien des gens deviennent anxieux la première fois qu'ils essaient les exercices sensuels parce qu'ils se sentent stupides, comme si on les renvoyait à l'école. Cela réveille la peur que nous avons tous de régresser. D'autres deviennent anxieux parce qu'ils ont chargé ce premier exercice d'attentes irréalistes: ils veulent qu'il règle tous les problèmes de leur relation immédiatement — d'un seul coup — et lorsque ce n'est pas le cas, ils sont certains que leurs problèmes sont insolubles. Mais ce qui constitue sans doute la principale raison pour laquelle le caressé devient anxieux cette première fois, c'est qu'il craint que le caressant n'apprécie pas son «travail». Il est si obsédé par ce que ressent l'autre — ou plutôt, par ce qu'il croit qu'il ou elle ressent — que tout ce qu'il arrive à ressentir personnellement est de l'anxiété. Mais quelle que soit la raison de cette anxiété, le meilleur moyen de passer outre est de ramener doucement votre attention sur les sensations que ressent votre corps. Essayez simplement de rester en paix. Toutes ces idées génératrices d'anxiété n'existent que dans votre esprit. Elles ne servent qu'à vous aider à éviter de ressentir du plaisir.

«Je ne saisis pas, Dagmar (dit la caressée). *Vous continuez de me dire de ne pas prêter attention à mon partenaire, mais vous venez de lui dire que je serai son guide. Il faudrait choisir.»*

Vous êtes son guide, d'accord, mais vous ne devez vous préoccuper que de ce qu'il vous fait, et non de ce qu'il ressent à ce propos.

Tout le temps que vous êtes la caressée, vous avez le droit et la responsabilité de surveiller la façon dont votre partenaire vous touche. Vous devez communiquer exactement ce que vous voulez:

les endroits où vous voulez être touchée, l'intensité, la rapidité et la durée des caresses. Demandez à votre partenaire de corriger tout contact qui ne correspond pas précisément à ce que vous désirez. Mais rien de tout cela ne doit être communiqué verbalement. Ce qui exige généralement de mettre votre main sur celle de votre partenaire et de le guider, de lui montrer ce que votre cœur et votre corps désirent.

«Ne serait-il pas un peu plus civilisé et moins péremptoire de communiquer par un ou deux mots gentils?»

Non. Les mots ont une façon d'échapper à tout contrôle, de transformer une simple instruction en une litanie de plaintes. «Plus doucement sur mon ventre» devient vite: «Ne peux-tu donc jamais rien faire avec délicatesse?» En un rien de temps, vous vous disputez, ramenant les vieux griefs sur le tapis, vous psychanalysant l'un l'autre — vous faites tout sauf être attentifs aux sensations de votre corps. Les mots viennent du cerveau; laissez celui-ci de côté si vous voulez vous brancher sur vos sentiments.

Il faudra vous exercer un peu, mais vous aurez bientôt acquis tout un vocabulaire de communication non verbale, de simples gestes par lesquels vous pourrez vous indiquer l'un à l'autre les endroits où vous aimeriez être touchés et de quelle façon. Pour la plupart des caressés, cela se traduit par lever la main du caressant et la déplacer vers l'endroit désiré, appuyer sur sa main pour manifester le désir d'une pression plus forte, soulever sa main pour obtenir une pression plus légère, guider sa main pour lui indiquer l'angle et la vitesse jusqu'à ce qu'il fasse exactement les gestes voulus. C'est un *langage* qui ne peut jamais dégénérer en un débat ou en un forum de récriminations.

Voici comment cela fonctionne: cette forme de communication directe, non verbale, vous libère tous deux de la possibilité même de culpabilité et de récriminations. Le caressant — si c'est l'homme — n'est pas inquiet à l'idée de vous toucher incorrectement car il sait que vous le corrigerez si vous n'êtes pas parfaitement satisfaite. Il n'a pas à avoir peur de faire des erreurs ou de ne pas être à la hauteur et il n'a pas à constamment deviner après coup vos désirs. Il sera surpris du sentiment de liberté que cela peut procurer. Qui plus est, cela permet au caressant d'être plus aventureux et créatif. Il peut oser faire ce qu'il n'aurait jamais osé faire avant parce qu'il sait que si vous n'aimez pas cela, vous le lui ferez simplement savoir.

Le caressé — supposons qu'il s'agisse d'une caressée — aussi est libéré. Vous n'avez plus à grimacer et à supporter des caresses que vous n'appréciez pas, à vous priver de ce que vous voulez exactement en raison d'un protocole ridicule ou de votre peur de paraître trop agressive. Le marché que vous avez conclu l'un avec l'autre vous donne la permission de demander et d'obtenir le plaisir que vous désirez.

«*Suis-je censée,* demande la caressée, *lui tapoter la tête ou quelque chose comme ça quand il me touche juste comme j'aime?*»

Non. Votre seule obligation consiste à faire des corrections — pas à faire des compliments. Dès que vous commencez à complimenter votre partenaire sur un travail bien fait — disons, en gémissant délibérément pour montrer votre appréciation —, vous détournez encore une fois votre attention de vos propres sentiments. Si vous laissez échapper un gémissement spontané, très bien, mais ne faites pas de numéro, je vous en prie. Vous n'avez pas à encourager le caressant; vous n'avez pas à lui faire plaisir.

«*J'ai l'impression* (dit le caressant) *que je vais finir par avoir l'impression d'être une sorte de gigolo, un masseur qui travaille sur commande.*»

Merveilleux. Car vous allez finalement vous rendre compte que la seule façon pour vous de tirer quoi que ce soit de tout ceci, c'est de vous concentrer sur vos propres sensations. Vous pouvez avoir l'impression d'être un robot ou d'être un être sensuel doté des mains les plus sensibles qui soient. En fin de compte, c'est à vous de choisir.

«*Tout de même, la seule idée de lui donner des ordres me gêne* (dit la caressée). «*Touche-moi maintenant. Touche-moi là. Pas si fort, plus vite, plus lentement.*» J'ai l'impression d'être un monstre d'égoïsme. Et je me sens coupable puisque je sais qu'il ne le fait que par devoir.*»

Très bien, soyez un monstre d'égoïsme et profitez-en. C'est probablement tout ce dont vous avez besoin pour enfin prendre contact avec vos propres sentiments. Et bon sang, cessez de vous inquiéter de ce qu'*il* ressent! Laissez-le être de mauvaise humeur si ça lui chante. Laissez-le être d'une humeur massacrante et vous en vouloir. Toute cette insistance à vouloir qu'il aime chaque minute des caresses qu'il vous fait est le meilleur moyen de vous assurer que *ni l'un ni l'autre* ne vivrez une expérience satisfaisante. Le fait est que cette préoccupation que vous avez pour ce qu'il ressent face à chacune de vos activités communes — pas seulement les rapports sexuels — est en fin de compte votre manière d'essayer de le dominer. Je vois trop de couples se défaire à cause d'un partenaire qui dit tout le temps: «Mais au fin fond de toi-même tu ne veux pas *vraiment* aller au cinéma, n'est-ce pas?» Et lorsqu'ils ont fini d'analyser tous leurs motifs, il est trop tard pour aller où que ce soit. C'est à en devenir fou. À la fin, ni l'un ni l'autre ne savez comment vous vous sentez véritablement vis-à-vis de quoi que ce soit.

Après avoir prescrit ces exercices à des centaines de couples, je suis certaine d'une chose: votre partenaire se sentira beaucoup mieux le jour où vous cesserez de vous préoccuper de ce qu'il ressent. Car c'est à ce moment-là qu'il pourra finalement être de l'humeur qui lui plaira sans avoir à s'inquiéter de ce que cela vous fera! Vous briserez enfin le cercle vicieux étouffant du «je-ne-peux-pas-me-sentir-comme-ça-à-moins-que-tu-ne-te-sentes-comme-ça». Vous cesserez enfin de vous poser cette éternelle et rebutante question: «Avons-nous commencé à avoir du plaisir?»

Oui, ce sont des exercices d'égoïsme. Vous vous exercez à mettre en marche la dynamique la plus fondamentale de votre relation: comment prendre du plaisir l'un de l'autre sans se laisser seuls l'un l'autre. Et vous vous y exercez dans la chambre où vous avez été entraînés à toujours penser en termes d'expériences mutuelles et simultanées. Nous mettons fin à ces habitudes. Votre façon de faire l'amour a été corrompue par votre désir d'adopter un comportement respectable: toujours chercher des réactions, toujours chercher à plaire. *Mais le premier pas à franchir pour faire l'amour de façon sincère est d'aimer vos propres sensations.* Vous deviendrez un amant merveilleux le jour où vous apprendrez à prendre. Grâce à ces exercices, vous découvrirez qu'en fin de compte l'égoïsme est le plus beau cadeau que vous puissiez faire à quelqu'un: le laisser être et ressentir ce qu'il veut. Alors, si votre partenaire ne semble pas aimer vous toucher à cet instant précis, vous n'avez ni à vous sentir coupable ni à vous sentir reconnaissant. Vous pouvez simplement sentir le plaisir de ses caresses.

«Merveilleux, Dagmar! Alors l'égoïsme est le chemin qui conduit au bonheur. Ça ressemble à un credo yuppie. Mais je croyais que vous nous aviez promis le chemin menant à l'intimité, et l'égoïsme, ça mène plutôt loin de l'intimité.»

Non, en réalité c'est dans la même direction. Pour atteindre à l'intimité véritable l'un avec l'autre, vous devez d'abord vous détacher l'un de l'autre. Vous devez d'abord respecter ce qui vous distingue. Chacun de vous doit d'abord reconnaître que ses sentiments sont séparés de ceux de l'autre, qu'ils ne sont dominés ni par les désirs, ni par les humeurs de l'autre. Ce n'est qu'alors que vous pourrez donner libre cours à vos émotions et les laisser passer entre vous deux. Ce n'est pas un paradoxe, c'est un processus. La plupart d'entre nous demeurent isolés dans leur relation parce qu'ils ont peur de se noyer dans l'intimité. Mais en devenant égoïstes, vous pouvez oser être intimes. En gommant tout contact émotif l'un avec l'autre, vous pouvez commencer à apprendre à vraiment vous aimer. Car ce n'est qu'alors que vous serez sûrs tous deux de ne pas vous perdre dans l'amour et de ne pas vous perdre en faisant l'amour.

«À vous entendre, c'est si impersonnel, comme si nous allions apprendre à faire l'amour avec une souche.»

Non, je veux seulement que vous appreniez à mettre fin à vos interactions négatives de façon que vous puissiez commencer de nouveau à faire l'amour d'une façon positive.

Mais voilà que vous me faites faire exactement ce que je m'étais juré de ne pas faire: discuter de façon abstraite d'une chose que vous devez vivre pour vous-mêmes, tous les deux. C'est là le but ultime de ces exercices: vivre le processus qui vous amène du détachement vers l'intimité. C'est une leçon que votre corps peut donner à votre esprit et à votre cœur.

Alors assez discuté. Fermez ce livre et ne l'ouvrez pas avant une semaine. Et n'oubliez pas, l'expérience commence dès que vous dites: «Je veux que tu me touches, maintenant.»

Chapitre 11

À chacun ses préférences

Fin de la première semaine

Je peux généralement mesurer, dès l'instant où deux personnes mettent les pieds dans mon cabinet à la fin de la première semaine, jusqu'à quel point ils ont bénéficié de leur première série d'exercices. Certains couples marchent main dans la main comme de jeunes tourtereaux — ce qui ne laisse aucun doute: les progrès sont en marche. D'autres arrivent passablement aigris, ce qui indique généralement qu'ils ont évité de faire les exercices. Puis il y a les couples qui se disputent avant même d'avoir pris le temps de s'asseoir — habituellement un signe que les exercices ont ramené à la surface un problème qui couvait entre eux depuis des années. Les réactions varient radicalement, surtout à ce stade peu avancé du programme, mais il y a presque toujours une réaction, quelle qu'elle soit. Le simple fait d'affronter l'idée de faire ces exercices met nos émotions en marche.

Vous devrez associer vos propres réactions à celles qui suivent. Je ne crois pas que vous ayez de la difficulté à reconnaître celles qui s'apparentent aux vôtres. Mais rendez-vous service ainsi qu'à votre partenaire: ne vous servez pas de ce chapitre comme d'une excuse pour recommencer à «discuter de votre relation». C'est exactement ce que nous essayons d'éviter. Servez-vous simplement de ces échanges pour rendre votre prochain exercice sensuel plus satisfaisant.

«NOUS NE SOMMES PAS ARRIVÉS À FAIRE LES EXERCICES.»

Pourquoi donc?

«Nous étions trop pris par notre travail... Les enfants posaient un problème... Nous avons eu des visiteurs à l'improviste... Nous avons eu des invités... Nous n'étions pratiquement jamais à la maison au même moment... Etc., etc.» (Choisissez une excuse.)

Toutes ces excuses sur le manque de temps sont inacceptables. Si vous n'avez pas le temps de faire ces exercices, vous n'avez pas de temps pour faire l'amour. Fin de la discussion.

Si vous étiez dans mon cabinet, je vous rappellerais que vous venez de gaspiller mes honoraires. Ce dont nous parlons dans mon cabinet — et dans ce livre — n'a de valeur que si vous faites les exercices. Contentez-vous de les faire et cessez de faire l'enfant.

«Mais ni l'un ni l'autre n'avons été d'humeur de toute la semaine.»

Vous n'avez pas à être *d'humeur* pour commencer les exercices. En fait, attendre d'être parfaitement disposé est un moyen de finir par ne plus avoir de vie amoureuse du tout. Laissez les exercices influencer votre humeur et non l'inverse.

«Mais je savais que je ne tirerais rien de bon de ces exercices étant donné mon humeur.»

Surprenez-vous.

«Écoutez, je n'y peux rien — c'est juste que j'avais besoin de temps pour dormir.»

Non, vous n'en aviez pas besoin. Minute pour minute, ces exercices remplacent le sommeil. Ils sont tout aussi régénérateurs.

«Nous avons bien essayé. En fait, nous étions sur le point de commencer lorsque nous avons eu soudain une terrible dispute.»

Ah oui. Bien entendu, c'était une coïncidence. Les couples ont fréquemment des disputes avant de commencer leur tout premier exercice — tout comme certains couples se disputent systématiquement lorsqu'ils sont sur le point de faire l'amour. C'est de l'anxiété, pure et simple. Le sujet de votre dispute peut être les rapports sexuels ou à qui le tour de sortir les poubelles, mais l'effet est le même: ça vous permet d'éviter de composer avec les émotions qui seraient provoquées par l'intimité sensuelle. Cette réaction est assez courante. Ne vous en inquiétez pas. Mais la prochaine fois, allez tout de même de l'avant avec les exercices. Souvenez-vous qu'il n'est pas nécessaire que vous soyez en bons termes pour commencer. Contentez-vous de commencer.

«Vous ne me ferez pas avaler ça. Écoutez, j'ai été furieuse contre lui toute la semaine parce qu'il m'a dit une chose absolument épouvantable. Je ne sais pas ce que vous feriez à ma place, mais l'idée de me laisser caresser par une personne contre laquelle je suis furieuse me hérisse.»

Ce n'est pas facile, j'en conviens. Mais demandez-vous pourquoi vous ne pouvez pas vous laisser toucher par votre partenaire lorsque vous êtes furieuse contre lui. Au fond, vous avez probablement peur d'aimer ces sensations, de céder au plaisir que cela vous procure et de ne plus être en colère — et d'avoir alors l'impression qu'il a «gagné».

Mais cela ne doit pas nécessairement être le cas. Vous pouvez jouir du plaisir que vous procurent les caresses de votre partenaire sans considérer l'expérience comme une victoire pour lui et une preuve de votre vulnérabilité. En fait, si vous concentrez toute votre attention sur votre propre plaisir, vous pouvez vivre cet exercice comme votre propre victoire. Après tout, vous êtes celle qui exige. Vous obtenez ce que vous voulez de lui. Vous pouvez même vous permettre d'être quelque peu vindicative dans le choix du moment. Par exemple, attendez qu'il soit installé devant un match de son équipe préférée et dites: «Maintenant, je veux que tu me caresses, maintenant.» Vous n'aurez plus l'impression d'être la perdante.

Pour la plupart des couples, les premières semaines de ce programme sont composées d'exercices destinés à les aider à «se détacher de l'amour» comme disent les thérapeutes. Vous apprenez à cesser de fixer toute votre attention sur les désirs de votre partenaire et de chercher à les satisfaire, et par la même occasion, à laisser vos sentiments amoureux aller vers lui pour grandir et courir librement. Mais pour certains d'entre vous, la colère accumulée est telle que vous devez d'abord apprendre à vous détacher de la colère avant de pouvoir commencer à vous détacher de l'amour. Au moment où votre partenaire commence à vous toucher, vous devez vous dire: «Je vais jouir de ses caresses en dépit de ma colère contre lui. Peu importe à quel point elles seront agréables, elles ne lui serviront pas à me dominer. Je ne me sentirai ni reconnaissante ni faible. Et lorsque nous sortirons du lit, je serai toujours furieuse contre lui.»

«Et cela est censé nous conduire à l'intimité?»

En effet. Parce qu'en fin de compte, plus vous serez égoïste, plus vous vous permettrez de tirer du plaisir de votre partenaire, moins vous serez insatisfaite de lui et moins vous lui en voudrez. Et c'est ainsi que l'intimité commence à grandir. Toute cette colère que vous ressentez envers votre partenaire n'a pas remplacé vos sentiments positifs envers lui; elle a plutôt enterré ces sentiments positifs. C'est le premier pas pour déterrer ces sentiments amoureux.

«Mais je ne suis pas seulement en colère contre lui — j'en ai sérieusement ma claque. Et si j'avais le choix, j'aimerais mieux lui taper dessus que le caresser.»

Si c'est vraiment si grave que cela, vous devriez peut-être vous défouler un peu juste avant d'aller au lit pour ces exercices. Essayez quelques-unes des techniques Esalen, comme vous lancer des balles de ping-pong à dix pas l'un de l'autre. (Certains couples de ma connaissance préfèrent des chaussettes roulées en boule.) Libérez cette colère — faites-lui prendre l'air. Une émotion refoulée peut refouler toutes les autres.

Une autre forme de dispute que je recommande souvent est celle où les antagonistes se tiennent la main. Vous vous tenez la main tandis que vous dites chacun à votre tour ce que vous avez sur le cœur — aucune interruption, aucune justification ne sont permises. Cela procure une impression paradoxale merveilleuse. Vous faites sortir votre colère tout en étant obligés de vous «accrocher» l'un à l'autre, d'écouter le point de vue de votre partenaire. Merveille des merveilles, lorsque tout a été crié, vous êtes encore là l'un pour l'autre. Et la perspective de vous rendre à la chambre à coucher main dans la main peut sembler la chose la plus naturelle à faire ensuite.

Pour certains d'entre vous, la colère est ancrée si profondément que même ces techniques ne suffiront pas. Pour vous, je dois faire une exception à ma règle du silence pendant les exercices. Pendant les quelques premières séances, exprimez votre colère pendant que vous caressez ou que vous êtes caressé. Permettez-vous l'expérience paradoxale de dire: «Je ne peux vraiment pas te sentir», alors que vous sentez le plaisir des caresses de votre conjoint. Avec le temps, vous verrez s'effacer votre colère à mesure que votre attention se détournera sur vos sensations.

«Et moi dans tout ça? (demande le caressant). *Comment suis-je censé continuer de la caresser en l'écoutant me dire qu'elle ne peut pas me supporter?»*

Vous n'avez pas à l'écouter. Faites simplement votre travail — vos devoirs. Vous pouvez même faire semblant de polir une table. Ne vous inquiétez pas de ce que la table pense de vous.

«J'ÉTAIS PRÊT À FAIRE LES EXERCICES, MAIS C'ÉTAIT À ELLE DE COMMENCER ET ELLE N'A JAMAIS PRIS L'INITIATIVE.»

Ne soyez pas hypocrite et n'en faites pas tout un plat. Mais à compter de maintenant, interchangez les rôles. C'est à votre tour de commencer. Passez à l'action.

«NOUS AVONS FAIT LES EXERCICES, MAIS QUEL ENNUI. JE N'AI RIEN RESSENTI.»

Rien du tout?

«Eh bien, pas grand-chose. Peut-être un petit chatouillement les premières minutes, mais ça s'est comme effacé par la suite.»

Se pourrait-il que ce «chatouillement» vous ait fait peur? Que vous ayez eu un léger aperçu du torrent d'émotions que cela pouvait déclencher si vous le permettiez, et que vous ayez bâillonné tout cela, refermé la porte de cette expérience en vitesse et décidé de tout effacer?

«Pas du tout. Je n'ai simplement presque rien ressenti. Sauf lorsque ça s'est mis à me chatouiller. Là, j'ai su que j'en avais assez.»

Mais le chatouillement est un signe infaillible de nervosité, ou, à tout le moins, de crispation. Si c'était simplement un réflexe physique, vous seriez capable de vous chatouiller vous-même, et vous ne le pouvez pas. Je crois qu'il vous faut maintenant mieux comprendre le fait que vous êtes maître de vos sensations. Si vous ne ressentez rien d'autre qu'un engourdissement (ou un chatouillement) lorsque votre partenaire vous caresse, c'est que vous vous empêchez de ressentir quoi que ce soit de plus.

Prouvez-vous-le maintenant.

Caressez l'intérieur de votre avant-bras gauche avec le bout de vos doigts de la main droite. Détendez-vous, repoussez toute pensée anxieuse, fermez les yeux et concentrez-vous sur les sensations que vous ressentez.

Maintenant, caressez-vous de la même façon tout en vous concentrant sur vos anxiétés. Pensez à quel point ces exercices sont enquiquinants; pensez à toutes les choses que vous pourriez (et devriez) être en train de faire maintenant; concentrez-vous sur les bruits que vous entendez dans la pièce voisine.

Maintenant, examinez la différence entre les deux caresses — ou plutôt entre la façon dont vous avez vécu chacune de ces expériences. Nul doute que la première vous aura procuré plus de plaisir.

C'est un point assez simple, mais qu'on a besoin de se faire rappeler: lorsque nous ne sentons «rien», c'est que nous ne laissons rien entrer.

«D'accord, j'ai senti un petit quelque chose, mais rien qui vaille la peine qu'on en fasse tout un plat.»

Vous voulez dire que vous ne vous êtes pas senti excité?

«C'est ça.»

Et ressentir autre chose que de l'excitation équivaut à ne pratiquement rien ressentir du tout, c'est cela? Où allez-vous chercher l'idée que chaque fois qu'une main se pose sur votre corps nu, vous devez instantanément vous sentir excité, être rempli de sentiments sexuels? Cette perspective garantit non seulement l'échec de ces exercices, mais également un sentiment d'échec personnel. Vous vous dites: «Dix minutes et je n'ai toujours pas d'érection», et l'anxiété se traduit par le réflexe défensif: «Je me sens engourdi et ennuyé et je veux mettre fin à ces sottises.»

Mais il est une foule de sentiments sensuels et profonds qui ne vont pas directement à nos organes génitaux et ne nous préparent pas exclusivement aux rapports sexuels. Et dès lors que vous acceptez ce fait et que vous cessez d'attendre vos réactions sexuelles, vous pouvez commencer à vivre la différence entre avoir des rapports sexuels et faire l'amour. En vous permettant de goûter la sensualité, vous apprendrez à faire l'amour en savourant chaque seconde. Vous allez devenir un connaisseur de vos propres sentiments.

«MAIS IL ME TOUCHE DE LA MÊME FAÇON QU'IL FAIT L'AMOUR — COMME UN PAUVRE IMBÉCILE. IL EST TOUT SIMPLEMENT INCAPABLE DE ME CARESSER D'UNE FAÇON SENSUELLE.»

Que fait-il de travers?

«Ses mains ne sont pas assez douces... Elles sont trop froides... Il me flatte comme si j'étais un petit chien... Il revient toujours au même endroit... Il le fait avec un manque total d'imagination, d'inspiration... Etc., etc.» (Choisissez-en autant que vous le désirez.)

Vous me donnez l'impression de vous concentrer sur tout ce qui vous déplaît dans cette expérience et d'oublier ce que vous en aimez. De cette façon, bien sûr, il n'y a rien à apprécier.

Mais le plus important c'est qu'il m'apparaît évident que vous avez mal guidé votre caressant — ce qui était votre responsabilité. S'il n'est pas assez doux, montrez-lui exactement comment vous voulez être caressée. Si ses mains sont froides, réchauffez-les pour lui. C'est fichu: vous ne pouvez plus le blâmer de ne pas bien faire.

«Mais il est si lent à apprendre. Quand c'était mon tour de le caresser, je le touchais exactement comme il aimait. Il aurait pu comprendre.»

Mais les caresses que vous faites à votre partenaire (et leur durée) n'ont rien à voir avec la façon dont il vous touche ou devrait vous toucher. Ce sont deux expériences bien distinctes, pas des leçons que vous vous donnez l'un à l'autre. Vous êtes deux personnes différentes avec des désirs différents et des sensibilités différentes. À chacun ses préférences, à chacun ses caresses. Et l'amour, c'est reconnaître que vous ne ressentez pas la même chose au même endroit et au même moment.

«Je vais tout de même vous dire ce qui me met vraiment en colère. Quelques minutes après qu'il m'ait caressée comme s'il avait eu du plomb dans les mains, je l'ai vu prendre le chat et le câliner on ne peut plus délicatement. J'enviais vraiment le chat.»

Merveilleux. Maintenant vous savez qu'il est capable de vous caresser exactement comme vous le voulez. Tout ce que vous devez faire, c'est le lui communiquer.

«D'accord, mais lorsque c'est à lui de me caresser et que je déplace sa main, il se contente de la laisser là où je l'ai mise jusqu'à ce que je la déplace à nouveau. Et comme si ça n'allait pas déjà assez mal, je le surprends à bâiller tout le temps. Allons, comment suis-je censée être emportée par toutes ces émotions puissantes dont vous parlez si je suis caressée par un amant qui s'ennuie et qui manque d'inspiration? Est-ce également de ma faute?»

Donnez-lui une chance de changer, voulez-vous? Il faut du temps pour mettre au point un langage non verbal qui lui communiquera rapidement ce que vous voulez. Il faudra aussi du temps pour qu'il se détende suffisamment pour répondre à vos désirs. Ces bâillements ne sont pas nécessairement des bâillements d'ennui: ce sont sans doute des bâillements d'anxiété. Vous lui avez sans doute fait savoir plus d'une fois qu'il était un amant maladroit. Il a probablement l'impression d'avoir échoué avant même de commencer l'exercice. Il est difficile de ne pas être un amant (ou un caressant) timide et réservé lorsqu'on a l'impression de subir un test.

D'après moi, vous rêvez d'un amant expert qui sache exactement où, quand et comment vous voulez être touchée avant que vous ne le sachiez vous-même. Mais c'est justement le genre de rêve qui vous empêche d'éprouver des sensations dans l'instant présent. Croyez-moi, vous êtes le seul expert en ce qui a trait à vos propres désirs.

Au risque de me répéter, je vous dirai de vous concentrer sur vos propres sensations et non sur ce que vous pensez que votre partenaire ressent.

«ÉCOUTEZ, J'AI ESSAYÉ DE LE GUIDER ET DE LUI DONNER DES INDICATIONS LORSQU'IL ME TOUCHAIT, MAIS ÇA LE METTAIT TELLEMENT SUR LA DÉFENSIVE QUE J'AI FINALEMENT DÛ LAISSER TOMBER ET ME CONTENTER DE SUPPORTER CE QU'IL ME FAISAIT.»

Comment pouvez-vous dire qu'il était sur la défensive?

«Lorsque j'ai déplacé sa main pour la dixième fois, il a crié: «Rien de ce que je fais ne te fait jamais plaisir! Ça ne sert à rien d'essayer de te plaire! Tu es tout simplement impossible!»

Il semble en effet être un tantinet sur la défensive, n'est-ce pas?

«Je ne suis pas sur la défensive, je dis la vérité! (a lancé son partenaire). *Elle n'est jamais satisfaite. Je ne passe pas mon temps à me plaindre ou à apporter des corrections quand elle me touche. Ce n'est pas que j'aime tout ce qu'elle me fait, mais je ne fais pas l'enfant gâté pour autant.»*

Ne jouez pas les martyrs, je vous en prie. Vous ne semblez pas encore comprendre que ces corrections ne sont pas des critiques personnelles: il s'agit simplement d'une forme de communication. En fait, les critiques servent à libérer le caressant de l'inquiétude de toucher son conjoint d'une façon qui lui déplaît.

Il n'y a qu'une seule façon de vous sortir du cercle vicieux dans lequel vous vous êtes enlisés. La semaine prochaine, vous (le partenaire sur la défensive) devez faire un minimum de cinq corrections aux gestes de votre conjoint chaque fois que vous êtes le caressé. Et vous (le partenaire critique) ne pouvez apporter qu'un maximum de cinq corrections lorsque vous êtes le caressé. Vous pourrez peut-être alors cesser de vous concurrencer et de vous critiquer l'un l'autre pour vous concentrer sur vos sensations.

«JE N'EN REVIENS PAS DE LA FAÇON DONT IL VEUT QUE JE LE TOUCHE. IL VEUT QUE JE LUI PÉTRISSE LE DOS, QUE JE LUI MASSE LES MOLLETS COMME SI J'ÉTAIS SON ENTRAÎNEUR DE GYM, PAS SON AMANTE. C'EST BIEN COMME JE PENSAIS: CE TYPE A UN CORPS DÉPOURVU DE TOUTE SENSUALITÉ.»

Pour une fois dans votre vie, donnez à votre partenaire ce qu'il désire et non ce que vous pensez qu'il devrait désirer. C'est là le cadeau ultime. C'est le respect qui mène à la véritable intimité.

«ELLE A CHOISI LE PIRE MOMENT POUR DIRE: «JE VEUX QUE TU ME CARESSES MAINTENANT.» «EN PLEIN MILIEU D'UN MATCH DE BASE-BALL.»

C'est probablement la raison pour laquelle elle a choisi ce moment — parce qu'elle en avait marre de toujours vous voir diriger votre attention ailleurs que sur elle.

«Mais ce n'est vraiment pas une façon de me mettre d'humeur pour ce genre de chose.»

Ne prenez pas vos humeurs tellement à cœur. Elle a obtenu votre attention, n'est-ce pas?

«IL A CHOISI LE PIRE MOMENT POUR DIRE: «JE VEUX QUE TU ME CARESSES MAINTENANT». «IL A ATTENDU JUSQU'À ONZE HEURES ET DEMIE ET J'ARRIVAIS À PEINE À GARDER LES YEUX OUVERTS.»

Il y a probablement pensé toute la soirée et il était si anxieux qu'il n'a cessé de repousser le moment. Nul doute qu'il lui soit très difficile de demander du plaisir de cette façon. Il ne faut pas lui en vouloir.

«QUAND C'EST SON TOUR D'ÊTRE TOUCHÉ, IL A LES YEUX COLLÉS À L'HORLOGE ET M'ARRÊTE DÈS QUE LE MINIMUM DE QUINZE MINUTES EST ÉCOULÉ. LORSQUE C'EST MON TOUR, J'AI ENVIE DE PRENDRE BEAUCOUP PLUS DE TEMPS QUE ÇA, MAIS JE N'OSE PAS.»

Ne vous sentez pas coupable, estimez-vous chanceuse. Chanceuse d'être capable de retirer davantage de cette expérience. Prenez toutes vos quarante-cinq minutes, si c'est ce dont vous avez envie. Cela incitera peut-être votre partenaire à prendre plus de temps pour lui-même la fois suivante.

Quant à vous (le caressé qui ne veut jamais prendre plus de quinze minutes), je veux que vous ajoutiez cinq minutes à chaque séance à compter de la prochaine séance, jusqu'à ce que vous arriviez enfin à ne plus surveiller l'heure. Vous êtes probablement encore intimidé par ce rôle passif, encore réticent à vous permettre de prendre du plaisir *égoïste*. Tout ce que je vous dis c'est: «Essayez, vous aimerez cela». Vous ne serez pas vidé de toutes vos forces, vous ne perdrez pas tous vos moyens et vous ne deviendrez pas une femmelette. Au contraire. Vous serez plus fort et plus vivant.

«NOUS AVONS TRICHÉ. APRÈS AVOIR CARESSÉ SON VENTRE PENDANT À PEU PRÈS DIX MINUTES, JE N'AI PU RÉSISTER PLUS LONGTEMPS ET J'AI CARESSÉ SES SEINS (OU SON VAGIN) (OU LES DEUX). MAIS C'ÉTAIT FANTASTIQUE. NOUS ÉTIONS TOUS LES DEUX PLUS EXCITÉS QUE NOUS NE L'AVIONS ÉTÉ DEPUIS DES ANNÉES.»

Félicitations. Mais vous êtes passés complètement à côté de l'essentiel du programme. Vous êtes encore si obsédés par les relations sexuelles que vous continuez de vous priver des joies de faire durer le plaisir sensuel ou de flotter dans le plaisir futile.

«Mais vous ne comprenez pas, Dagmar. Notre vie sexuelle est assez tiède depuis des années. Cette excitation est une occasion rare. Nous ne voulions pas la laisser passer.»

Comprenez-moi bien; je suis heureuse que vous ayez été plus excités que vous ne l'avez été depuis longtemps. Et rassurez-vous, ce n'est que le début d'une série de surprises sensuelles que ces exercices vous réservent. Bref, vous serez excités de cette façon encore et encore — cela ne s'en ira pas. À moins que vous ne persistiez à court-circuiter le reste de vos sentiments! Mais ce que vous avez fait, c'est vous amputer d'une gamme d'autres sentiments en vous jetant tête première dans les rapports sexuels. Si vous vous en tenez au programme, vous pourrez avoir tout cela: des sentiments intimes intenses et des rapports sexuels puissants.

«NOUS AVONS TRICHÉ ET NOUS AVONS FAIT L'AMOUR. VOUS NOUS AVEZ DIT DE NOUS PERDRE DANS NOS SENTIMENTS, N'EST-CE PAS? EH BIEN NOS

SENTIMENTS NOUS ONT CONDUITS DIRECTEMENT AUX RAPPORTS SEXUELS.»

Écoutez, l'excitation, ça va, ça vient. Habituez-vous à ce fait et vous pourrez alors être confiants. Vous n'avez pas à voir chaque occasion comme si c'était la dernière.

«Ce n'est pas ce que je dis, Dagmar. Nous étions simplement arrivés à un point où il aurait été trop pénible de nous arrêter. J'ai été sexuellement frustré toute mon adolescence; je ne vois aucune raison de me contraindre à ce genre de torture maintenant.»

Ah oui, la fameuse excuse du *serrement des testicules.* Eh bien, si vous trouvez réellement inconfortable de ne pas *finir,* il vous reste toujours le recours de vous masturber une fois la séance terminée.

«Vous plaisantez? Là, sur-le-champ?»

Vous pouvez vous retirer dans une autre pièce si cela vous embarrasse.

«Là vous allez trop loin, Dagmar. Vous essayez vraiment de faire de nous des déviants sexuels, n'est-ce pas?»

Pas du tout. Je veux simplement vous dégeler. Mais nous aborderons cet ultime secret plus tard, si c'est ce que vous voulez.

«UNE CHOSE MERVEILLEUSE S'EST PRODUITE LA SEMAINE DERNIÈRE. IL NE S'EST PAS PASSÉ GRAND-CHOSE AU COURS DES DEUX PREMIÈRES SÉANCES. EN FAIT, NOUS PENSIONS ABANDONNER TOUTE L'AFFAIRE. MAIS AU COURS DE LA TROISIÈME SÉANCE, J'AI COMMENCÉ À RESSENTIR TELLEMENT DE CHOSES QUE JE ME SUIS MISE À PLEURER. JE ME SUIS SENTIE À LA FOIS TRÈS RASSURÉE, TRÈS AIMÉE ET TRÈS VIVANTE. ET J'AI RESSENTI UNE IMMENSE GRATITUDE ENVERS MON PARTENAIRE POUR LE PLAISIR QU'IL ME DONNAIT. MAIS POUR UNE FOIS, CETTE GRATITUDE N'ÉTAIT PAS TEINTÉE DE CULPABILITÉ OU DE PEUR D'ÊTRE SUBMERGÉE PAR LUI. C'ÉTAIT PUR ET JE POUVAIS SENTIR MON AMOUR POUR LUI ME PARCOURIR.»

«L'expérience a été spéciale pour moi aussi (dit son partenaire). *Ça m'a tellement libéré d'oublier d'être le* bon amant *pour une fois et de me plonger dans mes propres sensations. C'était comme si mon corps entier sortait de son cocon. Et l'ironie c'est que je ne lui ai jamais fait autant plaisir et que je ne me suis jamais senti aussi sexuel.»*

Merveilleux. Vous êtes prêts à passer au stade suivant.

Chapitre 12

Faites un gâchis
de votre vie amoureuse

Deuxième semaine

Je me souviens d'un ami qui était allé à Paris étudier la peinture. Au premier semestre, son professeur ne lui permettait de mettre qu'un seul pigment avec du blanc sur sa palette.

«J'ai appris énormément sur l'observation et la création au cours de ces six mois, me confia-t-il plus tard. Je n'aurais jamais pu imaginer tous les effets que je pouvais créer en utilisant seulement du vert.»

Au cours de la semaine qui vient, je veux que vous voyiez combien d'*effets* vous pouvez créer — à quel point vous pouvez être sensuel et combien de tabous vous pouvez transgresser — *tout en continuant* de ne pas toucher la poitrine ni les parties génitales de votre conjoint. Le plan général reste le même: vous prenez encore à tour de rôle l'initiative des trois doubles séances au cours de la semaine. Mais il est maintenant temps d'être plus créatifs. Je veux que vous essayiez de découvrir toutes les différentes façons dont vous pouvez vous toucher l'un l'autre et tous les différents endroits où vous pouvez le faire.

Caressez le dos de votre partenaire avec vos pieds. Effleurez son ventre avec vos cheveux. Explorez son nombril avec votre langue. Faites courir vos ongles le long de l'intérieur de ses cuisses. Frottez vos joues contre ses fesses. Les combinaisons sont infinies et infiniment délicieuses. Tout est possible. *À moins, bien sûr, que cela ne mette votre partenaire mal à l'aise: le caressé conserve toujours son droit de veto; il peut toujours faire des corrections.*

Vous vous souvenez du délice de sentir un souffle doux dans votre oreille? Et d'un petit coup de langue? Ou d'avoir fait un suçon dans le cou de votre amant? Pour trop d'entre nous, ces plaisirs ont été sacrifiés aux rapports sexuels génitaux purs et efficaces. Revenons à ces plaisirs. Savourons-les lentement.

Il est maintenant temps de briser la routine qui consiste à toujours vous livrer l'un à l'autre vos corps nus pour une stimulation maximale des organes génitaux et ce dans un seul but. Pensez à tout ce que vous avez manqué: vos pauvres pieds négligés (et souvent très sensuels); votre dos assoiffé d'affection; votre cou languissant.

Mettez votre imagination à l'épreuve. Voyez ce qu'il y a d'intéressant dans votre placard, dans l'armoire à pharmacie, dans le réfrigérateur, dans le coffre à jouets de votre enfant. Frôlez-lui les jambes avec une plume. Secouez votre manteau de fourrure sur son dos. Massez-lui les pieds avec de l'huile pour bébé. Tapotez-lui le contour des fesses en mouvements circulaires avec une houppette. Étendez-lui de la peinture aux doigts sur le ventre et dessinez un chat. Recherchez les nouvelles sensations que vous pouvez donner et que vous voulez recevoir.

Et cherchez de nouveaux endroits pour les essayer. Changez le lieu du rendez-vous: vous briserez de vieilles routines et modifierez les réactions habituelles. Pour une fois, sortez de la chambre; elle empeste les routines et les attentes. Emmenez-la dans la salle de séjour, étendez une couette sur le plancher puis étendez-la dessus. Commencez une séance sous la douche — avec une éponge et du savon. Installez-le sur la table de la salle à manger. Et, tandis que vous y êtes, faites un festin de son corps. Tartinez-lui de la confiture sur les reins et léchez-les jusqu'à ce qu'ils soient propres. Emplissez-lui le nombril de sirop d'érable et buvez-le. Garnissez de crème fouettée sa poitrine et son ventre.

Laissez-vous aller, amusez-vous et surtout, faites du gâchis.

Il est pratiquement impossible de vous abandonner à toute une gamme de sentiments sensuels si vous vous préoccupez de rester propre. Dépassez doucement ces contraintes de pureté et d'ordre; puisez dans ce délicieux monde enfantin des pâtés de sable et jouez avec votre nourriture. Le fait de vous permettre ces petites transgressions inoffensives peut déclencher des tonnes de sentiments. Quand on s'accorde le droit de faire un peu de gâchis avec de la confiture ou de la crème fouettée, le droit de montrer un peu d'audace avec de la fourrure ou des plumes, on se débarrasse de l'idée omniprésente selon laquelle nos corps sont sales et répugnants. Et pendant que vous faites un gâchis de votre vie amoureuse, vous découvrez, ô surprise, que vous ne perdez pas la maîtrise de vous-même et n'êtes pas frappé par la maladie.

Ce que je veux que vous fassiez, c'est répandre la sensualité dans tous les aspects de votre vie. La sensualité a une façon merveilleuse de passer doucement d'une partie de votre vie à une autre. J'ai toujours maintenu que quelqu'un qui apprend à manger sensuellement — à mâcher langoureusement, à faire courir sa langue à l'intérieur de sa bouche, à se lécher les lèvres et à savourer la texture de chaque bouchée et les subtilités de chaque épice — commence automatiquement à faire l'amour plus sensuellement. Et vice versa.

Lorsque les couples en sont à ce stade des exercices sensuels, ils font état de toutes sortes de nouvelles sensations.

«Au bureau, on me dit que je suis devenue une espèce d'hédoniste, me racontait une femme avec une fierté non dissimulée. Je passe mon temps à frôler un carré de soie contre ma joue ou à glisser mon doigt dans mon corsage pour me caresser distraitement le ventre. Je suis devenue une véritable sybarite.»

Une autre femme m'a déclaré qu'elle avait troqué les douches pour les longs bains chauds simplement parce c'est si bon. Elle m'a même dit qu'elle avait découvert un petit côté sensuel à laver la vaisselle dans de l'eau chaude savonneuse.

De même, un homme m'a dit qu'il s'était mis à promener son chien «parce que l'air du soir est si bon sur ma peau».

Ces personnes ont vécu la renaissance de leur propre sensualité.

«Je me sens comme si je me réveillais d'une anesthésie, me disait une femme. Je ne me suis rendu compte à quel point j'étais engourdie qu'après avoir entrepris les exercices.»

De façon plus significative, les partenaires commencent à voir des changements reliés à la sensualité dans leur relation l'un avec l'autre. Ils constatent qu'ils se touchent au cours de la journée comme ils ne l'avaient pas fait depuis des années.

«Notre cuisine est petite et nous passions notre temps à nous esquiver lorsque nous y étions, m'a raconté une femme du nom d'Évelyne. Mais depuis que nous sommes engagés à fond dans les exercices, nous nous permettons de buter l'un contre l'autre, nous aimons les petits coups et les dos à dos amicaux. Il nous arrive même de nous blottir l'un contre l'autre comme avant. Je ne sais pas ce qui se passe, mais j'aime ça.»

Pendant des années, les rapports sexuels n'étaient pour Évelyne qu'un *devoir conjugal*. Non seulement ces exercices sensuels l'ont resensibilisée au plaisir du contact physique, mais ils l'ont libérée, ainsi que son mari, de l'idée que chaque contact doit être un prélude aux rapports sexuels génitaux. Il se permettent dorénavant des caresses *désintéressées* sans se sentir obligés de poursuivre. Elle était donc dorénavant libre d'apprécier les frôlements et les dos à dos pour ce qu'ils étaient. Le paradoxe, bien sûr, c'est que cela la préparait à enfin prendre son plaisir dans les rapports sexuels plus tard dans le programme.

Mais les changements ne s'arrêtent pas là. Le contact sensuel détendu favorise une relation plus tendre. C'est vraiment très simple: lorsque vous vous donnez du plaisir, vous commencez à vous aimer davantage l'un l'autre. En faisant ces exercices, il se peut très bien que vous constatiez que vous vous disputez moins, surtout pour des choses insignifiantes.

«Ce n'est pas comme si les questions avaient changé, m'expliquait un mari qui se disputait avec sa femme depuis des années. Nous avons toujours nos mêmes vieilles divergences, mais elles ne me mettent plus dans tous mes états.»

«Vous avez retiré tout le plaisir de nos disputes, d'ajouter sa femme en feignant la colère. Maintenant, nous préférons faire quelque chose d'ennuyeux comme nous tenir la main ou avoir une conversation agréable. Nous sommes en train de devenir un couple ordinaire.»

Après avoir fait les exercices pendant quelques semaines, les couples me disent souvent qu'ils trouvent leurs conversations plus satisfaisantes. Je crois que cela est largement dû au fait que les exercices permettent de vivre concrètement le caractère distinct de chacun. Tous deux apprennent que lorsqu'elle ressent une chose et qu'il en ressent une autre, cela ne veut pas dire que la relation se désagrège. Cela signifie simplement qu'il s'agit de personnes différentes avec des sensibilités différentes. De même dans les conversations, tous deux découvrent qu'ils peuvent être à l'écoute des divergences de chacun — différentes expériences et points de vue différents — sans voir l'autre comme une menace; chacun sait qu'il ne se perdra pas.

Mais la meilleure *retombée* des exercices sensuels, et de loin, m'a été décrite par une femme de trente ans, les yeux pétillants. «J'ai rougi comme une collégienne lorsque Carl [son mari] est venu me rejoindre au bureau l'autre jour. J'étais tout simplement contente qu'il soit là. Vous vous imaginez?»

J'imagine, en effet. Cette jeune femme heureuse percevait à nouveau son mari comme une source de plaisir et de réconfort. Son corps l'avait récemment réappris, et maintenant le message était parvenu à son esprit et à son cœur et, apparemment, à ses joues rougissantes.

«Tout cela est bien beau, Dagmar, sauf pour une chose: j'ai la nette impression que je suis en train de troquer les rapports sexuels pour quelque affection châtrée et tendre à l'excès. Combien de temps encore devons-nous retarder les vrais rapports sexuels si nous ne voulons pas finir par avoir une relation d'eunuques?»

Ne vous en faites pas. Vous êtes en voie d'être plus excités l'un par l'autre, pas moins. Mais enfin vous ne vous limitez plus à des sentiments érotiques/génitaux. La sexualité est toujours là; elle ne s'en ira pas. Vous allez simplement ne rien faire sur ce plan. Pas encore.

Maintenant, je veux que vous ajoutiez à vos séances un élément qui vous aidera à mieux comprendre la différence entre avoir des rapports sexuels et faire l'amour. Les baisers.

Je suis frappée par le nombre de couples qui viennent me consulter et qui, même s'ils ont régulièrement des rapports sexuels, incluant souvent les rapports bucco-génitaux, ont pratiquement abandonné le baiser sensuel, lèvres contre lèvres. Certains ne s'embrassent que pendant les rapports sexuels, d'autres évitent de le faire même à ce moment-là. Pour eux, le baiser a été réduit à de rapides bises anémiques, ressemblant plus à un salut qu'à un contact sensuel intime.

Il y a une raison à cela. À sa façon, le baiser est un acte infiniment plus intime que le coït. Face à face, il nous est impossible de nier l'individualité de l'autre. Lorsque nous nous embrassons, nous ne pouvons pas dépersonnaliser l'expérience ou nous perdre dans un fantasme où figure une autre personne. Tout cela est tellement plus facile à faire lorsque nous sommes simplement en train de frotter nos organes sexuels les uns contre les autres. J'ai l'impression que, depuis la révolution sexuelle, alors que les rapports sexuels sont devenus plus désinvoltes et par conséquent moins personnels, le baiser revêt un caractère davantage chargé d'émotions. Cette idée m'est venue lorsqu'une call-girl m'a raconté que le seul acte auquel elle ne se livrait pas avec ses clients était le baiser; cela était réservé exclusivement à son amant. Pour elle, c'était le geste le plus intime.

Pourtant, avec l'intimité vient l'anxiété. Pour bien des gens, les longs baisers sensuels éveillent la peur infantile d'être aspiré par Maman. Quelque part au plus profond de notre moelle, les longs baisers de notre partenaire nous rappellent notre impuissance ancienne. L'humidité en elle-même peut provoquer l'anxiété chez de nombreuses personnes. Le baiser lui aussi semble trop malpropre, trop primaire. D'une façon ou d'une autre, nous pouvons nous accommoder de l'humidité de nos organes génitaux — ils sont *en bas*. Mais ici, *en haut,* nous pourrions nous y noyer.

Au cours de la semaine qui vient, nous allons réapprendre l'art du baiser. Au milieu de chaque séance — lorsque vous interchangez les rôles —, je veux que vous fassiez l'expérience du baiser. Comme pour le reste de ces exercices, vous devrez successivement jouer le rôle du partenaire actif et celui du partenaire passif. Et comme toujours, c'est le partenaire passif qui tient les commandes. Si, pour une raison quelconque, les baisers sont trop pour vous, provoquent trop d'anxiété, vous pouvez y mettre fin ou en ralentir le rythme.

.   Au début, il vous est permis à tous les deux de garder les yeux fermés — vous allez laisser l'intimité entrer graduellement. Essayez de faire en sorte que vos corps ne se touchent pas — nous allons concentrer toutes vos sensations sur vos lèvres, votre langue et votre bouche. Là encore, procédez lentement et concentrez-vous sur les sensations que vous éprouvez. Ne vous occupez pas de savoir comment et si votre partenaire réagit; cela n'importe pas pour le moment. Frôlez ses lèvres avec les vôtres. Sentez comme elles sont douces, moelleuses. Tracez leur contour puis l'espace qui les sépare avec votre langue. Pressez lentement vos lèvres contre les siennes. Sucez-les et tirez dessus. Glissez doucement votre langue dans sa bouche. Sentez sa chaleur et sa moiteur. Retirez-vous dès que l'un de vous se sent mal à l'aise ou envahi.

La première fois, limitez-vous à cinq minutes chacun. Mais la fois suivante, prenez le double du temps si c'est ce que vous voulez tous les deux. La deuxième fois, le partenaire passif peut rendre le baiser s'il le désire — mais il n'est pas obligé de le faire. Et cette fois, vous pouvez tous les deux commencer l'exercice les yeux ouverts puis les fermer.

Le contact visuel, comme le baiser, est chargé d'une anxiété relative à l'intimité. Nos yeux, nous dit-on, sont les fenêtres de notre âme, et l'on nous signale que les gens qui évitent le contact visuel — qui regardent par terre ou ailleurs lorsque nous scrutons leur visage — fuient l'intimité, cachant leur âme. De nombreuses thérapies du Nouvel Âge mises de l'avant dans les années soixante, qui donnaient énormément d'importance à la franchise et à l'intimité, faisaient des exercices de contact visuel le point central de la thérapie de groupe et de couple. Mais je crois que lorsqu'on est le moindrement obligé d'établir un contact visuel avec quelqu'un, on risque plus de s'éloigner de l'intimité que de s'en rapprocher. Cela peut devenir une forme d'intimidation, de harcèlement même, de subtils rapports de force. De tels exercices dégénèrent trop facilement en ce jeu auquel jouent les enfants qui consiste à se regarder fixement l'un l'autre jusqu'à ce que l'un des deux pouffe de rire. Dans ce jeu, on doit faire taire ses émotions si l'on veut gagner. Dans une relation adulte, l'obligation de se regarder peut également détourner des autres sentiments, surtout des sentiments sensuels. Je répugne donc à les prescrire comme une étape nécessaire sur la route de l'intimité. D'un autre côté pourtant, il est vrai que lorsque vous êtes capable de vous regarder ouvertement l'un l'autre dans les yeux, sans être sur la défensive, de merveilleux sentiments peuvent courir entre vous, d'incroyables liens peuvent être créés. Je souhaite donc que vous expérimentiez le contact visuel, *mais toujours en restant maître de l'expérience.*

Commencez par lancer des regards furtifs à votre partenaire au cours de cette deuxième séance de baisers. Ne forcez pas les sentiments. N'essayez pas de transmettre des messages d'amour avec vos yeux. Et ne vous attendez pas à ce que des sentiments puissants s'éveillent en vous. Dès que l'un de vous se sent le moindrement mal à l'aise ou envahi, fermez les yeux. Aucun blâme ni aucune récrimination ne sont permis. Comme pour le reste de ce programme, vous devez établir un contact intime l'un avec l'autre de façon très progressive. Vous devez être à l'aise dans une étape avant de passer à la suivante.

L'heure des bons vieux devoirs est maintenant arrivée. Pour cette deuxième semaine du programme, je veux que vous gardiez chacun un calepin, un *Journal sensuel,* sur votre table de chevet. Et immédiatement après chaque double séance, je veux que vous sortiez chacun votre calepin et que vous notiez en détail les expériences que vous venez de vivre en répondant en détail au questionnaire qui suit.

«Grands dieux, Dagmar, juste comme ces exercices commençaient enfin à avoir l'air amusants, vous en faites un projet de recherche. Vous nous dites de cesser de réfléchir et de nous concentrer sur nos sentiments et, l'instant d'après, vous nous dites que nous devons nous mettre à écrire un journal.

Qu'est-ce que vous voulez au juste?»

Les deux. Répondre au questionnaire vous obligera à prêter une plus grande attention à vos sensations. Résultat: au cours de la séance suivante, vous serez plus attentifs aux différentes nuances de sentiments et aux différentes façons que vous avez de vous arrêter de ressentir. Au début, tenir un calepin peut vous intimider, mais cela vous amènera finalement à ressentir davantage.

QUESTIONNAIRE

1. Qui a pris l'initiative de la séance et quand?
   a. Si c'est vous, quel effet cela vous a-t-il fait? Donnez une réponse aussi détaillée que possible. Avez-vous eu à surmonter beaucoup de timidité ou la peur d'être rejeté?
   b. Une fois que vous avez commencé, comment vous sentiez-vous? Fier? Honteux? Dépassé?

2. Avez-vous tenu la séance hors de la chambre à coucher?
   a. Sinon, qu'est-ce qui selon vous vous a retenu d'essayer un nouvel endroit?
   b. Si oui, comment vous sentiez-vous par rapport à cela? Aventureux? Effrayé? Dépassé? Excité?

3. Qu'avez-vous préféré: être le caressant ou être le caressé?

4. Est-ce que le fait d'être le caressé vous rendait nerveux?
   a. Vous sentiez-vous coupable, aviez-vous l'impression d'être égoïstement centré sur votre propre plaisir? Ou encore, l'idée que vous et votre partenaire ayez chacun votre tour vous aidait-elle à accepter ce plaisir sans vous sentir coupable?
   b. (Hommes) Vous êtes-vous senti faible ou émasculé d'être allongé là passivement tandis que votre partenaire vous caressait? Ou pouviez-vous au contraire accepter ces petits soins comme s'il étaient prodigués par un masseur ou une geisha?
   c. Aviez-vous du mal à vous empêcher de toucher vous aussi?

5. Seriez-vous capable de faire complètement abstraction de votre partenaire et d'être totalement absorbé par vos propres sensations?

6. Étiez-vous préoccupé par le fait d'être excité sexuellement ou non?
a. (Hommes) Avez-vous vérifié si vous aviez une érection? (Femmes) Avez-vous vérifié si vous étiez lubrifiée? Ou étiez-vous capable de ne plus penser à vos organes génitaux pour seulement vous concentrer sur les sensations que vous ressentiez?
b. Avez-vous trouvé ces exercices sexuellement frustrants ou pouviez-vous au contraire faire durer l'excitation sans être de plus en plus obsédé par l'idée d'avoir un orgasme?

7. Où avez vous aimé davantage être touché? Soyez aussi précis que possible.
a. Avez-vous découvert une partie de votre corps où c'était bon d'être touché?
b. Dessinez votre corps et ombrez les parties (avant et arrière) qui étaient les plus sensibles et qui réagissaient le plus.

8. Quel genre de caresses vous procuraient le plus de plaisir?
a. Décrivez la sensation. Soyez aussi exhaustif et poétique que possible.

9. Ces caresses vous ont-elles ému? Excité? Vous ont-elles procuré un sentiment de sérénité? D'excitation sexuelle? Vous ont-elles laissé rêveur? Transporté de joie? Amoureux? Rempli d'émotion? De mélancolie?

10. Comment vos sentiments ont-ils changé au cours de la séance?

11. Combien de fois avez-vous dirigé ou corrigé les caresses de votre partenaire?

a. Auriez-vous aimé faire davantage de corrections? Aviez-vous peur de froisser votre partenaire ou de paraître trop exigeant?

b. Y a-t-il quoi que ce soit qui vous ait retenu de faire plus de corrections?

12. Qu'est-ce qui vous a décidé à déplacer la main de votre partenaire d'une partie de votre corps à une autre? L'avez-vous fait lorsque vous aviez eu assez de caresses à un endroit ou lorsqu'un autre endroit avait un besoin pressant d'attention?

13. Combien de temps vous êtes-vous accordé?
a. Pourquoi avez-vous décidé de mettre fin à la séance? Avez-vous eu peur de prendre plus de temps pour ne pas exagérer?

b. Pensez-vous que vous pourrez consacrer plus de temps à la prochaine séance?

14. Avez-vous trouvé ennuyeux d'être le caressant?
a. Avez-vous passé votre temps à espérer que votre partenaire vous dise qu'il ou elle en avait eu assez?

15. Aviez-vous peur de ne pas bien faire?
a. Vous sentiez-vous en colère, sur la défensive ou froissé lorsque votre partenaire apportait des corrections? Selon vous, pourquoi cela vous faisait-il cet effet-là?

16. Avez-vous été capable de prendre plaisir à toucher votre partenaire ou étiez-vous trop absorbé par la façon dont il réagissait pour ressentir vous-même quoi que ce soit?

17. Avez-vous l'impression que ces exercices ont changé quelque chose pour vous?

18. Avez-vous appris quoi que ce soit à votre sujet que vous ne saviez pas auparavant?

Répondre à ce questionnaire est une occasion d'être parfaitement honnête avec vous-même. Résistez à la tentation de dire simplement que c'était bon et d'en rester là. Forcez-vous à noter le moindre détail de votre expérience. Écrivez (par exemple): «Au début je me sentais hésitante et coupable de lui demander de me toucher et, durant les premières minutes, je me suis laissée aller à me demander l'effet que cela lui faisait au lieu de me concentrer sur mes propres sentiments...» Croyez-moi, lorsque vous arrivez à vous mettre à l'écoute des différences et fluctuations subtiles de vos sentiments, vous êtes en voie de devenir beaucoup plus sensuel que si vous vous dites simplement que «c'est bon» tout le temps.

Voici maintenant la partie vraiment difficile. À la fin de cette deuxième semaine du programme, je veux que vous preniez rendez-vous ensemble pour vous faire la lecture de votre journal. Choisissez un endroit à l'extérieur de la maison, disons dans un café ou dans un bar. Là, chacun à votre tour, lisez à haute voix ce que vous avez écrit.

«Vous plaisantez sûrement, Dagmar. Vous êtes bien déterminée à nous humilier l'un en face de l'autre, n'est-ce pas?»

Bien au contraire. Vous ne vous sentirez pas humiliés, vous vous sentirez soulagés. Ce sera l'une des expériences les plus libératrices que vous ayez jamais vécues parce que vous allez enfin avoir l'occasion de reconnaître que vous vivez des choses différentes. Et quel soulagement ce sera d'être enfin libérés de cette idée absurde selon laquelle vous devriez ressentir toujours la même chose au même moment.

«Mais cette confession *va détruire la dernière parcelle de romantisme de notre relation. Cela va transformer toute l'expérience en thérapie de groupe.»*

Mais non. Car selon les règles, aucune discussion, aucune critique ni aucune analyse ne sont permises. Tandis que vous faites la lecture de votre *Journal sensuel,* tout ce que votre partenaire peut faire c'est écouter. Il ne peut pas vous interrompre, grimacer ni même rouler des yeux avec incrédulité. Et lorsque vous avez terminé, il n'a absolument pas le droit de critiquer ou d'analyser votre rapport.

Dieu sait qu'il sera tenté. La plupart des gens ont la certitude que leur partenaire s'est trompé ou qu'il a mal compris. Ils ne peuvent tout simplement pas croire que leur partenaire a vécu une expérience différente de la leur. Un homme avec lequel j'ai travaillé, Bill, était convaincu que sa femme, Ruth, mentait toujours dans son journal.

«Elle a écrit que je lui serrais les mollets, mais je sais que je ne l'ai pas fait — je les ai seulement tapotés. Elle s'est même trompée lorsqu'elle a donné la température de la chambre — elle disait qu'elle était froide alors qu'il faisait vraiment chaud.

— Mais vous n'avez pas vécu la même expérience! lui ai-je dit pour la dixième fois. Vos tapotements sont pour elle des serrements. Il n'y a aucune vérité objective ici. Vous devez apprendre à écouter Ruth sans lui imposer votre point de vue.»

Bien entendu, Bill se sentait menacé par l'idée qu'il ne pouvait pas dominer complètement ce que sa femme ressentait. Il a dû lire plusieurs fois son journal pour découvrir que cela le déchargeait effectivement de la responsabilité des sentiments de sa femme, qu'il n'avait pas à toujours se sentir coupable lorsqu'elle ne ressentait pas ce qu'elle désirait ressentir.

Certaines personnes sont tentées d'empêcher leur partenaire de continuer sa lecture parce que leur amour-propre est blessé. Lorsqu'un mari a raconté qu'il s'ennuyait lorsqu'il touchait sa femme, celle-ci s'est exclamée: «Oh Seigneur, et c'était si bon. Maintenant tu as tout gâché.

— Mais c'était bon pour vous, lui ai-je dit. Et rien de ce qu'il dit ne peut vous enlever cela. Une fois que vous aurez vraiment compris cela, vous vous sentirez beaucoup mieux tous les deux.»

La vérité c'est qu'il est beaucoup plus facile d'admettre que l'on se sent misérable tandis que son partenaire passe un merveilleux moment que d'admettre que l'on se sent bien alors qu'il s'ennuie à mourir. Comme toujours, on préfère blâmer son partenaire plutôt que de se sentir coupable envers lui.

La tentation la plus destructrice est sans doute celle de psychanalyser les réactions de son partenaire. Une femme que je connais n'a pas cessé de secouer la tête pendant que son mari faisait la lecture de son journal et lui a ensuite déclaré: «Tu viens de prouver ce que j'ai toujours dit: tu es une personne très inhibée, tout comme ton père.»

Dieu nous préserve de tous ces conjoints qui se prennent pour des thérapeutes! C'est l'un des grands fléaux de notre temps. Souvent pratiquée au nom de la franchise, la pseudo-psychanalyse est un moyen certain d'empêcher toute intimité dans une relation.

Bref, fermez-la et respectez l'individualité de votre partenaire. Il faut du courage pour lire son propre journal, du courage et de la confiance. Certains couples trouvent plus facile de se faire la lecture en se tenant la main et je suis tout à fait d'accord avec cela. Lorsque votre partenaire a achevé la lecture de son *Journal sensuel*, c'est à votre tour de lire le vôtre. Ensuite on referme les calepins et on continue.

Chapitre 13

Partagez votre secret le plus intime

Troisième semaine

Vous avez atteint le stade des exercices sensuels progressifs où vous êtes prêts à ramener les rapports sexuels génitaux dans votre vie.

Mais nous allons réintroduire les rapports sexuels d'une façon totalement différente. Pour cette semaine seulement, je veux que vous terminiez chacune des trois doubles séances en vous masturbant simultanément l'un en face de l'autre — ce que j'appelle la masturbation en tandem. Je sais que cette façon de procéder peut sembler tout à fait contraire à l'intimité, mais croyez-moi, une fois que vous aurez osé franchir cette limite, une fois que vous aurez partagé votre ultime secret l'un avec l'autre, vous aurez la chance de vivre une intimité si profonde que tous les aspects de votre relation en seront enrichis pour toujours. Ce ne sont pas de vaines promesses. Maintes et maintes fois, j'ai vu des couples pour qui cette expérience s'est révélée une découverte capitale. Grâce à cet acte tout simple, les inhibitions s'envolent, des années de malentendus sexuels disparaissent. Soudain, deux personnes qui n'ont jamais été capables d'établir un véritable contact l'une avec l'autre se retrouvent intimement liées.

«C'était comme un éclair de conscience exaltée, m'a dit Léon. Je dirais que c'était mystique sauf que c'était absolument réel. Pour la première fois de ma vie, j'ai vraiment vu Margot [sa femme] comme un être sexuel ayant ses propres sentiments et ses propres peurs tout comme moi. Ce fut une véritable révélation: elle n'existe pas que dans ma tête, elle est bien réelle et je l'aime!»

Tout le monde ne vit pas sa première expérience de masturbation en tandem de façon aussi spectaculaire que cet homme, mais j'ai l'habitude d'entendre les gens dire que «les barrières sont tombées» et, surtout, que leur partenaire leur a semblé soudain si réel. De façon plus significative, après avoir vécu cette expérience, la plupart des couples commencent à vivre une relation différente — une relation où il y a davantage d'empathie et beaucoup moins d'anxiété et de colère. Et lorsqu'il s'agit d'établir un contact sensuel, leurs sentiments sont plus forts, leur sens de l'intimité beaucoup plus intense. C'est un acte de révélation qui marche.

«Magnifique! Ça marche — tout comme les électrochocs. Mais j'aimerais mieux recevoir les chocs d'une électrode que de m'imposer cela. Je refuse de m'exposer et de m'humilier devant mon partenaire de cette façon. C'est trop laid et totalement inutile.»

Écoutez, je sais que la perspective de se masturber l'un en face de l'autre fait peur. C'est précisément pour cela qu'il est si important que vous le fassiez — pour surmonter cette peur. Une fois qu'on a essayé cet exercice, on se rend compte qu'on ne meurt pas de honte et qu'on n'annihile pas son partenaire. Dès qu'on a découvert cela, la relation se trouve libérée d'un lourd fardeau.

«Quel fardeau? Vous parlez comme si j'avais toujours eu cet ardent désir de me livrer à cette histoire de masturbation en tandem avec mon partenaire. Eh bien, l'idée même n'a jamais fait partie de mes fantasmes les plus fous. Alors de le faire ne me soulagera d'absolument rien.»

Mais oui. Parce qu'avec les années, je suis de plus en plus convaincue que vos sentiments concernant la masturbation de votre partenaire et la vôtre reflètent vos sentiments les plus fondamentaux face à vos sexualités respectives. Cela vous révèle ce que vous trouvez «sale» dans la sexualité et ce que vous trouvez égoïste, ce qui vous fait peur dans la sexualité de votre partenaire et ce qui selon vous menace la vôtre. Il est assez remarquable de voir quels sentiments cachés sont révélés lorsque les gens sont confrontés à cet exercice.

Bien des femmes n'ont jamais vraiment vu leur mari éjaculer et cette simple perspective inspire de la répugnance à nombre d'entre elles.

«Je peux vivre heureuse le reste de ma vie sans avoir à le regarder répandre cette saleté partout, merci bien, a protesté en grimaçant Claudette L. lorsque je lui ai parlé de masturbation. Admettons-le, on a intérêt à ne pas voir certaines choses dans la vie.

— Vous voulez dire qu'il n'y a pas de mal à ce qu'il mette cette saleté dans votre vagin, là où vous n'avez pas à la voir, lui ai-je dit. Mais alors, serait-ce que vous considérez votre vagin comme une poubelle?»

J'ai pensé qu'il était particulièrement important que Claudette voie son mari éjaculer. J'étais certaine que la réalité de cette expérience serait passablement bénigne comparée à ce qu'elle imaginait. Elle a finalement pu cesser de considérer la sexualité comme une chose laide et dégradante. En fait, lorsqu'elle s'est finalement obligée à regarder son mari se masturber jusqu'à l'orgasme, elle a pouffé de rire.

«Max [son mari] était blessé sur le coup, me disait-elle. Il pensait que je me moquais de lui. Mais je lui ai alors expliqué que je riais de moi. Je me disais: je suis mariée à ce type depuis vingt ans: je l'ai vu dans la salle de bains un millier de fois; je l'ai vu vomir, s'évanouir et avoir des crises d'urticaire; pourquoi est-ce que j'ai fait tout un plat de ceci?»

D'un seul coup, cette femme avait démystifié le sexe, s'était débarrassée de la notion exagérée de *saleté* sexuelle qui l'avait inhibée.

«Démystifié? Elle a rabaissé la sexualité au même niveau que le fait d'aller aux toilettes. Qu'est devenu le romantisme?»

Le romantisme n'a pas de place tant que nous nous sentons anxieux l'un avec l'autre. Pour que Claudette puisse vraiment aimer le corps de Max, elle devait d'abord le voir comme étant réel. Oui, c'était le même corps qu'elle voyait quotidiennement dans la salle de bains; il n'était ni dangereux ni sale. C'était un corps qui donnait du plaisir à Max — *et qui pouvait faire de même pour elle.*

Le mari d'une autre femme m'a raconté que lorsqu'ils ont essayé pour la première fois la masturbation en tandem, au moment où il était sur le point de jouir, sa femme s'est soudainement couvert les oreilles. Elle avait peur qu'il soit sur le point d'exploser littéralement devant ses yeux. Cette femme a finalement été capable de commencer à aimer le pénis de son mari lorsqu'elle a vu qu'il ne s'agissait pas d'un feu d'artifice.

Je rencontre aussi beaucoup d'hommes qui reculent devant la masturbation en tandem, affirmant que cela rabaisserait leur partenaire.

«Lucie est une femme très sensible, m'a dit Arnold en privé. Je ne veux pas lui imposer cela.

— Vous voulez dire que vous la croyez trop sensible pour la sexualité?» ai-je répondu.

Il s'agissait d'un homme et d'une femme qui avec les années faisaient l'amour de moins en moins souvent, affirmant tous les deux qu'ils en avaient simplement perdu l'envie. Mais moi j'étais certaine que l'envie était toujours présente: elle avait seulement été étouffée par leur anxiété. Le sentiment d'Arnold selon lequel sa femme était *au-dessus* de la laideur des choses de la chair était une anxiété fondamentale. Il avait mis sa femme sur un piédestal et se ramenait, lui, au plus bas niveau. Pas surprenant qu'ils aient perdu l'envie: dans leurs positions respectives, ils n'auraient jamais pu se rejoindre.

Arnold avait une attitude semblable à celle de beaucoup d'autres hommes. Il voyait sa propre sexualité comme étant sale et destructrice. Elle pouvait *faire du mal* à une *bonne femme*. Pour que Lucie et lui commencent à tirer du plaisir l'un de l'autre, sa femme devait être démystifiée. Il fallait la faire descendre de son piédestal et la ramener au lit avec lui. Eh bien, la masturbation en tandem la fit descendre rapidement de ce piédestal. L'exercice se révéla beaucoup plus facile pour Lucie qu'Arnold n'aurait jamais pu l'imaginer.

«Mon Dieu, que c'était excitant!» racontait Arnold après leur première séance en tandem. Il avait enfin découvert que sa femme était aussi sexuelle que lui. Loin d'avoir été blessée en le voyant se masturber, elle avait été soulagée et excitée d'être ramenée sur terre et dans le monde du plaisir *défendu* et *sale*. Cela lui avait donné le courage de remplir sa part du marché — de se masturber simultanément devant lui. L'envie leur était soudain revenue à tous les deux.

«Depuis ce jour-là, c'est comme si nous étions deux personnes différentes, m'a dit Arnold plusieurs semaines plus tard. Et le meilleur c'est que nous ne sommes plus si obsédés l'un par l'autre lorsque nous sommes ensemble.»

En effet, la plupart des relations souffrent de trop d'*attentions* et il est pratiquement impossible de se sentir intime si vous êtes toujours accaparé par les petites attentions. Le cadeau ultime de la masturbation en tandem est l'acceptation mutuelle. Les deux partenaires ont une nouvelle perception l'un de l'autre: «Je t'ai vu dans ce que tu as de plus intime, dans ta nudité primaire. Et tu m'as vue aussi dans cette même nudité. Nous avons partagé notre secret le plus intime et nous sommes toujours là l'un pour l'autre. Deux personnes peuvent difficilement être plus intimes que cela.»

«Je dois vous le concéder, Dagmar, vous seule pouvez nous donner l'impression que la masturbation est un acte d'intimité. Mais vous semblez — sans doute volontairement — oublier une chose: la masturbation est un geste solitaire. Vous n'avez besoin de personne autour pour le faire.»

C'est pourquoi l'idée même de voir leur partenaire se masturber rend tant de gens anxieux. Vous faites face à l'une de vos plus grandes peurs: qu'il ou elle se satisfasse mieux que vous ne le pourrez jamais. Les hommes, en particulier, sont souvent torturés par cette peur: «Je ne pourrais jamais garder mon érection aussi longtemps, être aussi dur, bouger aussi vite. Qui pourrait jamais la manipuler avec autant de savoir-faire? Qui peut rivaliser avec sa propre main?»

Inversement, certaines personnes dont le partenaire a perdu son appétit sexuel repoussent l'idée même de cet exercice, qui leur rappelle tout le rejet dont ils sont l'objet.

«Vous savez, la masturbation constitue à peu près toute ma vie sexuelle ces temps-ci, m'a dit une femme dans la cinquantaine. Tout ce que cet exercice va faire c'est de me le rappeler — de me rappeler que nous n'avons pas fait l'amour ensemble depuis Dieu sait combien de temps.

— Pour l'instant, sortez votre secret du placard, lui ai-je dit. Vous ne pouvez pas être à l'aise avec votre mari sans être à l'aise avec votre propre sexualité. C'est là la première chose à faire pour ranimer votre vie sexuelle commune.»

Bien des gens — en particulier des femmes — sont dérangés par l'idée de la masturbation en tandem pour la raison inverse: parce qu'ils ont peur de donner à leur partenaire l'impression de ne pas être à la hauteur.

«Je sais ce qu'Henri [son mari] va penser, me disait Virginie. Que je m'y prends mieux que lui. Non, pire — qu'il est un amant si médiocre que je dois le faire moi-même.

— Courez ce risque, lui ai-je dit. Mais d'après moi, il sera soulagé — sinon au début, du moins plus tard.»

Henri vivait constamment avec la peur d'être un amant médiocre: le plus sûr chemin pour *devenir* un amant médiocre. Croyant que sa femme allait être frustrée sexuellement s'il ne faisait pas son travail convenablement, Henri s'était peu à peu éloigné de toute relation sexuelle. C'était un cercle vicieux, mais heureusement, l'exercice de masturbation en tandem y a mis fin. Plutôt que d'avoir davantage l'impression de ne pas être à la hauteur, Henri fut instantanément soulagé de voir que Virginie pouvait satisfaire ses propres besoins sexuels. Cela enleva tout le poids qu'il sentait sur ses épaules. Virginie ne dépendait pas de lui pour avoir des orgasmes; ils pouvaient maintenant être ensemble sans ressentir toutes ces anxiétés d'une relation chargée de dépendance. Cela permit à Henri de suivre le seul chemin par lequel il pourrait devenir un meilleur amant: se concentrer sur ses propres sensations sexuelles.

Une fois de plus, nous nous rendons compte que, pour atteindre à l'intimité, il faut accepter l'égoïsme — le vôtre et celui de votre partenaire. Lorsque vous vous masturbez en tandem, vous n'oubliez jamais que, premièrement, vous êtes le maître absolu de votre propre sexualité et que, deuxièmement, vous et votre partenaire vivez ensemble des expériences sexuelles différentes. Ce sont là les deux règles les plus importantes qui vous permettront désormais de faire l'amour avec intimité et audace.

En reconnaissant que vous seul êtes responsable de votre satisfaction sexuelle, vous pouvez cesser de blâmer votre partenaire pour une expérience sexuelle décevante. Mais cela signifie également que vous êtes libéré des critiques inhibitrices de votre partenaire. Vous pouvez cesser de vous concentrer sur les réactions de votre partenaire au point d'en oublier votre propre plaisir sexuel. Lorsque vous vous masturbez, vous commencez à accepter le fait que votre sexualité vous appartient, tout comme vos plaisirs vous appartiennent. Lorsque vous arriverez à l'étape suivante du partage de votre sexualité avec votre partenaire, vous serez sûr d'une chose: vous saurez que vous ne perdrez pas ces plaisirs lorsque vous les partagerez.

L'un des résultats les plus libérateurs de cet exercice est que, le soir où l'un des deux partenaires sera trop fatigué ou malade, il pourra dire sans se sentir coupable: «Dis donc, je suis épuisé. Que dirais-tu de le faire toi-même pendant que je regarde?»

Lorsque vous en arrivez au point où vous êtes aussi libres l'un avec l'autre, c'est que l'intimité a remplacé la honte dans votre relation.

«Tout ceci est fascinant en théorie, Dagmar, mais ça n'a rien à voir avec la réalité. Je n'ai même jamais dit à ma partenaire que je me masturbais et, pour ce que j'en sais, elle ne le fait pas. Je ne suis pas certain d'être prêt à en parler, encore moins que nous commencions à le faire l'un devant l'autre.»

Je ne suis pas surprise. En fait, je suis pratiquement certaine que la masturbation est un secret dans la plupart des ménages, ce qui est plutôt surprenant lorsqu'on y pense. J'ai vu des centaines de couples ayant partagé le même lit pendant je ne sais combien d'années, élevé des enfants ensemble, fait leur déclaration d'impôts ensemble, cherché à découvrir l'âme de chacun ensemble, qui n'avaient pas osé une seule fois parler du «sujet interdit». Lorsque je commence à parler de masturbation avec un couple au cours d'une consultation, souvent les deux partenaires nient s'être masturbés depuis l'adolescence; pourtant, lorsque je les rencontre séparément, chacun d'eux confesse qu'il se masturbe effectivement régulièrement et l'a toujours fait. Il y en a même qui trouvent plus facile d'admettre une infidélité que d'admettre qu'ils se masturbent.

Pour la plupart d'entre nous, la honte de la masturbation est profondément ancrée. En effet, rares sont les personnes qui ne se sont pas masturbées pour la première fois sous le spectre de la honte. Quand ce n'étaient pas les parents qui disaient que c'était mal, c'étaient les copains d'école qui racontaient que ça faisait pousser des verrues sur les mains, ralentir la croissance ou l'accélérer. Même ceux qui ont grandi à l'abri de ces mythes affreux s'accrochent encore au mythe destructeur selon lequel *il n'y a que les gens laids et seuls qui se masturbent.* «Je n'ai pas besoin de ça, disent-ils. J'ai une femme pour ça.»

Dans les foyers où la rareté des rapports sexuels est devenue un problème, admettre à son partenaire que l'on se masturbe peut être particulièrement humiliant.

«Je crois que je m'attendais à ce qu'elle pense que j'avais perdu tout intérêt dans la sexualité, m'a expliqué un mari qui n'avait pratiquement plus de relations sexuelles avec sa femme. Et pourtant, lorsque nous avons fait l'exercice de masturbation en tandem, j'ai avoué que je le faisais quatre à cinq fois par semaine depuis le début. J'ai cru que cela allait être une vraie gifle, mais elle s'est alors tournée vers moi et m'a dit qu'elle faisait la même chose; au lieu d'en éprouver du ressentiment, nous nous sommes mis à rire tous les deux. Je crois que nous étions plus que soulagés de voir enfin ce terrible secret révélé au grand jour.»

En effet, pour la plupart des couples, la seule confession de ce secret est un énorme soulagement. Sans s'en rendre tout à fait compte, ils ont chacun porté le fardeau de la culpabilité. La confession — souvent *mutuelle* — commence à atténuer cette culpabilité sur-le-champ. Et l'étape suivante, celle où vous faites la démonstration de votre secret l'un devant l'autre, libère ce qui vous reste de culpabilité.

«Mais peut-être que mon partenaire ne se masturbe vraiment jamais. Tout le monde ne le fait pas, vous savez?»

Je sais. Mais au risque de passer pour perverse, je dois dire que je pense que tout le monde devrait essayer la masturbation de temps à autre. «Gardez la main», comme se plaît à dire l'un de mes collègues très spirituel. Il y a quelques années, Masters et Johnson innovaient en déclarant que, pour recommencer à aimer la sexualité, nous devions reprendre nos premières expériences sexuelles. Ils voulaient dire par là que nous devrions revenir au pelotage, mais en fait, notre toute première expérience, nous l'avons faite avec nous-mêmes et c'est là que nous devrions commencer. Cette expérience peut se révéler très bénéfique et nous donner l'impression de renaître sexuellement.

Je suggère généralement aux personnes qui n'ont pas eu de rapports sexuels d'aucune sorte depuis longtemps de commencer par se masturber seules une fois par jour pendant une semaine. Cela suffit souvent à réveiller les corps endormis des personnes qui ont fui les sentiments sexuels depuis si longtemps que se refroidir est devenu pour elles un réflexe. C'est un début. Cela les convainc qu'elles ont bien une vie sexuelle, mais qui n'est pas encore mutuelle. Les changements dans les réactions sexuelles surviennent lentement. Si ces changements vous mettent mal à l'aise lorsque vous êtes seul, vous aurez du mal à les assumer avec votre partenaire. Ou, comme Woody Allen le dit en termes plus positifs: «Je suis un amant sensationnel parce que je m'exerce beaucoup.»

Je vous recommande deux très bons ouvrages qui expliquent en détail comment vous pouvez explorer vos propres sentiments sexuels par la masturbation en solo: pour les femmes, *For Yourself* de Lonnie Barbach et, pour les hommes, *Male Sexuality* de Bernie Zilbergeld.

«Je crois tout de même qu'il me sera impossible de faire cela devant mon partenaire. Ma honte est peut-être irrationnelle mais elle fait partie de moi.»

Ce sera difficile mais pas impossible. Une façon de dissiper pratiquement toute votre anxiété serait de vous en tenir à la règle:

masturbez-vous simultanément. De cette façon, ni l'un ni l'autre ne se sentira si exposé; votre partenaire ne dirigera pas toute son attention sur vous.

Certains d'entre vous préféreront entreprendre cet exercice progressivement: disons, d'abord sous les couvertures ou en vous tournant le dos dans le lit. La fois suivante, vous pouvez vous révéler un peu plus, étape par étape, jusqu'à ce que vous soyez finalement capable d'être ouverts l'un avec l'autre.

Écoutez, je sais que vous allez trouver toutes les façons possibles de refuser de faire cet exercice. Cela fait peur, aucun doute là-dessus. Mais c'est une aventure qui peut être aussi excitante que la première fois où vous avez fait l'amour. Et c'est un pas de géant vers l'intimité.

Chapitre 14

Comme un beau fruit

Quatrième semaine

Un jeune mari m'a décrit ce qu'il appelle l'un des plus grands mystères de la vie: «Je me souviens encore en détail de la première fois où j'ai touché un sein nu. C'était absolument délirant. Ma petite amie et moi étions en train de nous embrasser et j'ai glissé ma main sous son pull, je l'ai remontée sur son ventre et alors, mon Dieu, quel beau fruit! Si lisse! Si doux! C'était sensationnel. J'avais quatorze ans et j'étais au paradis. J'ai joui sur-le-champ.

«C'était il y a seulement quinze ans. Maintenant je suis marié à une femme qui a des seins tout à fait charmants, mais lorsque je les touche, ça me fait le même effet que de toucher son coude. Qu'est devenu ce beau fruit?»

J'entends fréquemment des lamentations de ce genre dans mon cabinet. Où est passée la sensation intense de ce premier baiser, de cette première caresse, de ces premiers ébats amoureux?

«Mes endocrines m'abandonnent-elles?» m'a demandé un homme avec tout le sérieux du monde.

Il n'est jamais possible de recréer l'excitation d'une première expérience, qu'il s'agisse du premier sein nu que nous ayons touché ou de la première mousse au chocolat que nous ayons goûtée. De telles expériences ne peuvent être parfaitement uniques et innocentes qu'une seule fois. Mais cela ne veut *pas* dire que la seule contrepartie soit l'ennui et l'insensibilité. C'est *là* une chose que nous nous infligeons nous-mêmes en bloquant nos sentiments. Nos endocrines ne nous abandonnent pas: c'est nous qui abandonnons nos sentiments. L'un des buts de ces exercices est de ranimer ces sentiments ainsi qu'une bonne partie des sensations fortes des *grandes premières.*

«Ah, maintenant je comprends pourquoi il ne nous était pas permis de nous toucher la poitrine pendant les trois premières semaines. Pour en faire de nouveau un fruit défendu! Vous nous avez fait haleter comme des adolescents pour faire éclater le tabou encore une fois. C'est un sale tour.»

Écoutez, si ça marche, ça marche. Mais il n'y a pas que l'aspect interdit qui vous a fait haleter d'impatience de toucher ou de vous faire toucher les seins. Il est possible qu'avec les années, vous vous soyez tellement préoccupé de stimuler les seins et les organes génitaux que vous avez pratiquement exclu le reste de votre corps. Les seins ne sont pas des boutons qui doivent être tournés pour *allumer* une réaction sexuelle. Ils ont dû faire tout le travail et donc, avec les années, ils sont devenus de moins en moins sensibles, tant pour le caresseur que pour le caressé. Mais après que vous aurez fait les exercices sensuels pendant trois semaines, tout votre corps sera plus sensible qu'il ne l'a été depuis des années et vos seins seront «reposés», avides de caresses et prêts à les recevoir.

Au cours de la semaine qui vient, je veux que vous commenciez à inclure les seins — mais pas les organes génitaux — dans chacune des trois doubles séances. Caressée, c'est à vous de décider du moment exact où vous voudrez que votre partenaire touche vos seins. Mettez sa main là lorsque vous serez prête. Ce qui veut dire que le caresseur n'a pas le droit de se jeter sur les seins en tout premier lieu ni de se concentrer totalement sur eux à l'exclusion du reste du corps, ce qui vous ferait simplement reprendre vos mauvaises habitudes. Non, émoustillez d'abord le reste de votre corps; cela fera des caresses sur vos seins un délice encore plus enivrant.

Souvenez-vous, le caressé reste toujours totalement maître de la situation. Si elle (ou il) n'aime pas la façon dont on la touche, elle a le devoir de montrer exactement comment elle veut que cela soit fait. Elle peut le faire en posant sa main sur celle de son conjoint pour le guider. Elle peut aussi lui faire la démonstration de ce qu'elle désire en caressant elle-même ses seins. Et lorsqu'elle désire passer d'un mode de caresses à un autre, elle le signale aussi. Mais pas de sermon. Pas un mot. «Ne me parle pas d'amour, montre-moi.» Enfin, si à quelque moment elle se sent anxieuse ou mal à l'aise, elle conserve le recours de prendre la main du caresseur et de la placer à un tout autre endroit sur son corps.

Ce qui est triste, c'est que bien des femmes passent leur vie de femmes mariées à laisser leur mari toucher leurs seins d'une façon qu'elles n'aiment vraiment pas parce qu'elles sont trop timides ou qu'elles ont peur de demander le genre de caresses qu'elles désirent vraiment. Voici l'occasion de changer tout cela. Certaines femmes trouvent ce stade des exercices particulièrement plaisant précisément pour cette raison.

«Pour la première fois en dix-huit ans, je suis finalement arrivée à ce que Roger cesse de me pincer le bout des seins et se mette à les exciter avec plus de délicatesse, m'a confié Geneviève. J'ai fantasmé là-dessus pendant des années, mais si cela n'avait pas fait partie des exercices, je ne pense pas que j'aurais eu le courage de le lui demander. Et je ne pense pas non plus qu'il l'aurait accepté aussi bien.»

On pouvait difficilement blâmer le mari de Geneviève de lui toucher les seins de la *mauvaise façon* si elle lui cachait la *bonne façon*. Mais grâce aux règles de ces exercices, elle a rompu la glace et lui a montré exactement ce qu'elle voulait. De son côté, Roger avait abandonné un peu de sa domination pour répondre aux désirs de sa femme. Finalement, tous deux en étaient plus heureux. Ils avaient désormais tous les deux la *permission* de toujours se montrer ce qu'ils désiraient vraiment.

«Je vous jure, j'ai commencé à aimer Roger davantage ce jour même, me disait cette femme. Est-ce possible?

— Oscar Wilde a dit un jour qu'aimer, c'est être reconnaissant du plaisir que l'on reçoit, lui ai-je répondu. En une seule journée, vous êtes passée du déplaisir que l'on endure au plaisir que l'on reçoit. À mon avis, cela vous donne certainement de bonnes raisons d'aimer votre mari.»

Le mari d'une autre femme était totalement stupéfait de la réaction de sa femme au cours de leur première séance de caresses des seins.

«Elle a attiré ma tête vers ses seins et m'a fait clairement comprendre qu'elle voulait que je lui suce les mamelons, me disait-il. J'ai été sidéré. Vous comprenez, c'est ce dont j'avais follement envie depuis des années, mais j'étais certain qu'elle détestait cela. En fait, je me souviens parfaitement d'une fois où elle m'avait empêché de le faire.

— Quand cela?» lui ai-je demandé.

Il s'est frotté les yeux un moment puis il a souri, embarrassé.

«Il y a environ vingt ans», a-t-il dit.

Cette anecdote peut sembler comique, mais j'en entends des variantes pratiquement toutes les semaines. Une femme a déjà dit *une fois* à son conjoint qu'elle n'aimait pas ceci ou cela et c'est devenu une règle de leur relation gravée dans le granit depuis ce jour. Mais le fait est que nos désirs et nos réactions changent non seulement d'une décennie à l'autre mais d'une journée à une autre. Et la poitrine est probablement la partie du corps d'une femme qui soit le plus sujette à de tels changements. Pour la plupart des femmes, la sensibilité des seins change constamment au cours du cycle menstruel. Par exemple, bien des femmes ont les seins douloureux juste avant ou pendant les menstruations et n'endurent aucune caresse. De plus, certaines femmes ont simplement plus de réactions dans les seins que d'autres; certaines peuvent atteindre l'orgasme par la stimulation des seins tandis que d'autres seront à peine excitées. Je peux dire toutefois qu'un grand nombre de femmes ayant fait partie du groupe des *insensibles* ont découvert que leurs seins devenaient de plus en plus sensibles à ce stade des exercices. Le processus est le même pour tous les exercices: plus vous dominez la situation, plus vous êtes à l'aise; plus vous êtes à l'aise, plus vous êtes sensible.

«Et s'il me caresse les seins exactement comme je le désire et que je ne suis pas excitée?»

«Et si je lui caresse les seins exactement comme elle le désire et que je n'ai pas d'érection?»

Cessez de vous inquiéter de savoir si vous serez excité ou non. Tout ce que vous avez à faire c'est de ressentir ce que vous ressentez. Concentrez-vous sur ces sentiments. Profitez de ces sentiments! Encore une fois, ils ne vous serviront à rien d'autre, alors c'est tout ce que vous pouvez en faire.

Expérimentez autant que vous le pouvez. Voyez combien de nouvelles sensations s'offrent à vous. Vous pourriez désirer simplement que votre partenaire vous touche les seins avec ses mains, mais vous désirez peut-être voir si vous aimeriez aussi sa bouche et sa langue. Vous êtes peut-être curieuse de sentir son ventre contre vos seins pour voir l'effet que cela fait. Ses cuisses, ses fesses. Vous aimeriez peut-être qu'il mange de la crème fouettée sur vos seins ou voir l'effet que cela vous fait lorsqu'il frôle vos mamelons avec une plume. Tout est permis — si vous le permettez. Et c'est maintenant le moment ou jamais d'expérimenter toutes les variantes ayant déjà traversé vos fantasmes.

Un dernier point: je parle comme si seules les femmes avaient les seins et les mamelons sensibles. Ce qui n'est absolument pas le cas. Un grand nombre de couples se livrant à cet exercice découvrent à leur grande surprise que les mamelons de l'homme sont tout aussi sensibles et lui procurent tout autant de plaisir. Bien des hommes s'aperçoivent même que leurs mamelons durcissent lorsqu'on les stimule sensuellement. Ne soyez pas gêné et ne succombez pas à l'idée ridicule que c'est là une réaction féminine. Ce n'est qu'une réaction sensuelle de plus pour vous. Ce n'est qu'un plaisir de plus à vous donner l'un à l'autre.

Chapitre 15

Je te montre les miens si tu me montres les tiens

Cinquième semaine

Avoir des rapports sexuels est le meilleur moyen de ne jamais voir vos propres organes génitaux ni ceux de votre partenaire. Vous pouvez avoir des rapports sexuels complets sans avoir à regarder *en bas*. Et si vous êtes particulièrement doué, vous pouvez même ne jamais avoir à toucher *ça* avec vos mains; vous pouvez atteindre votre objectif par commande à distance.

«Un instant, Dagmar, vous vous contredisez encore. Je pensais que ce que vous reprochiez surtout aux rapports sexuels était le fait qu'ils soient trop centrés sur les organes génitaux.»

C'est vrai, les rapports sexuels sont tellement centrés sur la stimulation des organes génitaux qu'ils négligent tous les autres sentiments. Mais en même temps, avoir des rapports sexuels vous éloigne de vos propres organes génitaux et de ceux de votre partenaire. Vos organes génitaux sont *en bas,* faisant ce qu'ils ont à faire, tandis que vous restez *en haut* dans votre tête, attendant que la sensation forte soit relayée à votre cerveau. Vous ne voyez jamais vos organes génitaux ou ceux de votre partenaire comme une partie intégrante de vous-même. Vous ne les aimez jamais vraiment.

«Mais je suis folle de mes organes génitaux. Ils font partie de mon corps et me donnent presque tout mon plaisir. C'est

vous qui n'en tenez pas compte avec vos histoires de toucher partout sauf là.»

Si vous êtes si fou de vos organes génitaux, pourquoi êtes-vous si réticent à laisser votre partenaire les voir vraiment? La triste vérité est qu'au fond, nous éprouvons un sentiment, sinon de honte, du moins d'insécurité lorsqu'il s'agit de l'apparence de nos organes génitaux.

Tout cela a commencé avec Adam et Ève et quelques feuilles de vigne. «Couvrez votre nudité!» les avertit sévèrement leur Créateur et par le mot «nudité», Il ne désignait qu'une chose: les organes génitaux. C'étaient là les parties de leur corps qui devaient être cachées au seul autre être humain sur terre. Nous avons entendu ce même avertissement de la part de nos parents depuis lors. Appelez cela de la modestie si vous voulez, mais la modestie se rapproche dangereusement de la honte. À mesure que nous grandissons, le message devient plus clair: lave-toi les mains soigneusement après t'être touché là; ne porte jamais les sous-vêtements d'une autre personne même s'ils ont été lavés un millier de fois. *Là,* c'est la toilette de ton corps, sa section des déchets. Ne comprends-tu pas? *C'est sale.*

Plus tard on nous bombarde d'un autre message de honte. Les seuls organes génitaux — surtout les organes génitaux féminins — que l'on exhibe publiquement sont infiniment plus beaux que les nôtres (ou ceux de notre partenaire). Combien de fois avez-vous vu un nu au pubis largement touffu? Non, les seuls poils pubiens que nous ayons jamais l'occasion d'étudier de près ont été idéalisés pour avoir l'air d'appartenir à une fillette de onze ans. Dieu nous garde, nos propres organes génitaux ne ressemblent pas à cela: ils sont poilus, charnus, broussailleux — tout sauf bien coiffés. Nous jugeons qu'il est préférable de tenir cette vilaine chose hors de vue — de la nôtre et de celle de notre partenaire. *C'est tellement laid.*

En plus de notre propre honte, il se peut que nous ayons à composer avec les peurs profondément enracinées de notre partenaire en ce qui a trait à la vue et au contact de nos organes génitaux. De nombreux hommes sont submergés d'anxiété à la vue d'un vagin: à un certain niveau préconscient, ils le perçoivent comme une toile d'araignée, un piège dont ils ne pourront jamais s'échapper, un gouffre qui peut les engloutir. Ces hommes ne peuvent avoir de rapports sexuels que si le vagin de leur partenaire est hors de vue. Il y a aussi de nombreuses femmes qui sont effrayées par la vue d'un pénis, surtout d'un pénis en érection: cela a l'air dangereux, effrayant, gigantesque — une arme. Les femmes ayant de telles peurs préféreraient de beaucoup avoir affaire à un pénis sous les couvertures et dans le noir — ou de préférence, pas du tout.

«Écoutez, si faire des choses sous les couvertures est ce qu'il faut pour avoir de bonnes relations sexuelles, qui s'en soucie? Si ça marche, ça marche, comme vous dites tout le temps.»

Mais ça ne marche pas, pas vraiment. Aussi longtemps que nous portons ces peurs et ces hontes en nous, nous ne pouvons jamais vraiment faire l'amour. Aussi longtemps que nous n'acceptons pas réellement nos parties les plus intimes, nous ne pouvons jamais être totalement intimes l'un avec l'autre.

Alors, avant de commencer à inclure les caresses génitales dans les exercices sensuels, nous devons faire connaissance avec nos organes génitaux — intimement.

À un certain moment avant votre prochaine double séance, je veux que chacun de vous se tienne seul et nu devant un miroir en pied et s'évalue d'un coup d'œil de la tête aux pieds. (Si vous n'avez pas de miroir en pied, allez en acheter un; il est temps pour vous de voir votre corps comme un tout plutôt que comme la somme de parties isolées.) En vous regardant des pieds à la tête, dirigez votre attention sur les endroits de votre corps qui vous plaisent. Vous *savez* ce qui ne vous plaît pas; vous avez dirigé votre attention *là-dessus* des centaines de fois. Cette fois-ci, «accentuez le positif et éliminez le négatif», comme dit la chanson. Quel est votre plus beau profil? Dites tout haut ce qui vous plaît. Qu'aimez-vous de vos yeux? De votre bouche? Qu'aimez-vous de votre poitrine? Pour une fois, ne vous attardez pas à ruminer vos récriminations: vos seins ne sont ni trop petits ni trop gros, ni trop hauts ni trop bas. Tenez-les dans vos mains en coupe et annoncez au monde ce qu'ils ont de particulièrement attrayant. Ne les comparez pas automatiquement à ceux que vous avez vus sur la couverture du dernier numéro de *Cosmopolitan*. En fait, ne les comparez avec ceux de personne d'autre. Même si vous vous êtes imposé une image misérable de vous-même pendant des années, je sais que vos seins ont quelque chose qui vous plaît vraiment, une chose que vous étiez peut-être trop timide pour vous avouer avant — disons, l'ombre sensuelle qui se forme entre les deux ou la douce texture de la peau autour de vos mamelons. Pour une fois, faites étalage de ce que votre corps a de beau au lieu de toujours avoir le réflexe de cacher ce qui vous déplaît. Surmontez votre peur — que vous vous êtes entrée de force dans la tête — d'être trop fière. Bannissez toute gêne. Trouvez au moins cinq choses que vous aimez de votre corps et dont vous pouvez vous vanter, et chantez tout haut vos louanges. Terminez cet exercice en disant: «Je t'aime» à votre reflet.

«On croirait entendre Norman Vincent Peale. Je ne peux pas m'amener à penser que je suis belle simplement en pratiquant quelque pensée positive bidon. Je suis encore réaliste et j'en suis fière.»

Pourquoi est-que les réalistes croient qu'il n'y a que les perceptions négatives qui soient vraies? Je ne vous demande pas de nier ce qui vous paraît peu attrayant; je vous demande seulement pour une fois de vous concentrer sur ce qui est attrayant. C'est également réel. Écoutez, bien des gens ont de la difficulté à être fiers de leur corps; mais qu'avez-vous à perdre exactement?

Nous arrivons maintenant à la partie difficile: regarder de près vos organes génitaux. Cette seule perspective peut donner le vertige à ceux d'entre nous qui sont plus discrets. Un miroir à main sera très utile. Messieurs, faites un examen complet: regardez de près votre périnée — cette arête de peau sensible entre votre anus et votre scrotum; tenez vos testicules en coupe dans vos mains et sentez leur poids; sentez comme ils changent selon la température de la pièce; dégagez votre prépuce et regardez bien le bout de votre pénis. Décrivez tout haut tout ce que vous voyez, comme un médecin dictant un bilan de santé. Mesdames, vous avez plus de coins et de recoins à explorer. Il pourrait être utile de poser un miroir à main sur le plancher et de vous accroupir au-dessus. Écartez les grandes lèvres — les lèvres extérieures de votre vagin — et scrutez l'intérieur. Retirez le capuchon recouvrant votre clitoris et examinez-le d'aussi près que possible. Il est vraiment surprenant de voir combien de femmes traversent la vie sans voir une seule fois l'endroit le plus sensible de leur corps. Dites-lui bonjour. Soyez à l'aise avec lui.

Heureusement, le simple fait d'examiner objectivement vos organes génitaux peut vous mettre plus à l'aise face à eux. En réalité, ils ne sont ni aussi sales ni aussi laids que vous l'aviez imaginé.

«J'étais littéralement terrifiée à l'idée de regarder mes organes génitaux, m'a révélé une femme après avoir essayé cet exercice. Je les avais entendu appeler une «boîte» et une «barbe» depuis si longtemps que je m'attendais à ce que cela ait l'air de sortir du *musée des horreurs*. Mais je juge maintenant que c'est plutôt joli, tout rose et tout.»

Une autre femme m'a raconté qu'elle avait toujours été embarrassée parce que sa vulve ne ressemblait pas au «bouton de fleur pure» généralement représenté sur les statues. Puis elle a regardé longuement la sienne pendant cet exercice.

«J'ai découvert entre autres que je ne suis pas faite de marbre après tout, disait-elle en riant. La mienne n'est peut-être pas d'apparence aussi parfaite que celle de la Vénus de Milo, mais elle a l'avantage d'être douce et chaude et rosée.»

C'est maintenant le temps de jouer à «Montre-moi les tiens, je te montrerai les miens». Juste avant de commencer votre prochaine double séance d'exercices sensuels, je veux que vous fassiez ensemble l'exercice du miroir. En vous tenant nus tous les deux devant le miroir en pied, décrivez-vous à tour de rôle à votre partenaire. Encore une fois, accentuez le positif. Si vous êtes vraiment trop gêné pour seulement vanter vos bons points, allez-y de quelques mauvais points également — mais ne vous laissez pas aller de ce côté. *Ne dites pas un mot* lorsque c'est au tour de votre partenaire de parler de son propre corps. Ne faites ni corrections ni compliments. Vous savez ce qui vous plaît du corps de votre partenaire, écoutez maintenant ce qu'il a à en dire.

Lorsque votre partenaire en arrive à ses organes génitaux, vous voudrez probablement tous les deux poursuivre l'examen dans le lit. Penchez-vous entre ses jambes et regardez de près. Mettez vos lunettes et utilisez une lampe-stylo ou une lampe de poche pour scruter l'intérieur. Laissez votre partenaire guider votre main tandis que vous «furetez», explorant ses «parties intimes». Vous ne devriez ni l'un ni l'autre vous concentrer sur les sentiments d'excitation à ce stade — ce n'est pas ce à quoi nous voulons en arriver pour l'instant — alors pour l'amour du ciel, ne vous crispez pas si vous n'êtes *pas* excité. Vous faites simplement connaissance avec les organes génitaux de votre partenaire. Habituez-vous à les manipuler. Vous serez tous les deux nerveux et pudiques au début, je puis vous l'assurer, mais cette partie de l'exercice peut être amusante si vous essayez. Réduisez la tension en faisant de cet exercice un jeu. Jouez au docteur, à l'explorateur ou, comme l'a fait un mari inventif, jouez les ventriloques.

«Lorsqu'il est arrivé à son pénis, m'a raconté sa femme, il s'est mis à l'agiter avec sa main et à parler de cette drôle de voix: «Bonjour, je suis Dick, la quéquette de Jonathan. On ne s'est pas déjà vus quelque part?» Je me tordais littéralement de rire.»

Faire chacun connaissance avec les organes génitaux de l'autre est l'un des actes d'intimité les plus simples quoique les plus profonds que je connaisse.

«Je ne me suis jamais sentie si timide avec quiconque depuis mon adolescence, m'a révélé une femme. C'était comme si j'étais nue pour la première fois devant Clayton et cela me donnait d'une certaine façon comme un sentiment d'innocence, comme si nous partagions vraiment quelque chose de nouveau.»

Pour cette femme et son mari, ce jeu était le prélude à une nouvelle intimité dans leur relation. Ils n'avaient plus rien à cacher.

«C'est tout simplement merveilleux, Dagmar, mais tout ceci semble aussi sexy que de faire un bonhomme de neige. J'ai de plus en plus l'impression d'être dans un laboratoire d'hôpital, pas dans une chambre conjugale. Vous êtes détermi-née à gommer tout le mystère et le romantisme des rapports sexuels, n'est-ce pas?»

Je ne gomme pas le mystère et le romantisme des rapports sexuels, seulement la honte et la peur. Mon but est de vous désen-sibiliser à toute aversion, cachée ou autre, que vous pourriez avoir face à vos propres organes génitaux ou à ceux de votre partenaire. En regardant de près ces *parties intimes* sans subir les pressions de la performance sexuelle, vous pouvez calmement faire la paix avec eux. Non, ils ne sont pas sales, ni laids, ni dangereux; ils ne vous dévoreront pas. Ce sont des parties merveilleuses de votre corps que vous pouvez partager. Les rapports sexuels n'ont rien perdu, c'est l'amour qui a gagné quelque chose.

Maintenant que vous êtes au lit tous les deux, vous êtes prêts à commencer votre premier exercice sensuel de cette semaine. Comme la semaine dernière, prenez un minimum absolu de quinze minutes pour toucher/être touché partout à part les seins et les organes génitaux. Faire l'amour est *une expérience pour le corps au grand complet,* pas seulement pour les *points chauds.* Ensuite, passez un peu de temps, si vous êtes le caresseur, à ca-resser la poitrine de votre partenaire. Prenez votre temps. Ne re-gardez pas l'heure. Soyez créatif selon vos désirs *à tous les deux* — servez-vous de vos lèvres, de votre langue, d'une plume, de crème fouettée. Comme toujours, concentrez-vous sur vos propres sentiments et non sur les réactions de votre partenaire.

Quand votre partenaire sera prêt, il prendra votre main et la posera sur ses organes génitaux. Souvenez-vous, le caressé est maître de la situation et c'est à lui de décider *où, comment et pour combien de temps* il veut que vous touchiez ses organes géni-taux. Pendant les trois premières séances de caresses génitales, *le*

caressé doit garder sa main en tout temps sur celle du cares-
seur lorsqu'il est dans la zone génitale. Pas seulement pour les
corrections: tout le temps. C'est le caressé qui commande. C'est
le professeur.

Caressé, pour l'instant, ceci doit être pour vous une expérience au cours de laquelle *vous vous stimulez vous-même en*
vous servant de la main de votre partenaire. Vous savez ce que
vous éprouvez; vous savez ce que vous voulez. C'est maintenant
le temps de vous le donner. Ne soyez pas timide ou gêné ou honteux — vous allez rendre la pareille à votre partenaire dans un moment. Écoutez, vous êtes sur le point d'enseigner à votre partenaire quelque chose qu'il meurt d'envie de savoir: *comment vous*
donner ce que vous voulez quand vous le voulez.

Il est tellement triste de constater que des gens qui vivent ensemble pendant des années ont peur de montrer à leur partenaire
ce qui leur donnerait du plaisir. Ils préfèrent endurer leurs frustrations pendant des années plutôt que de prendre simplement la
main de leur partenaire pour lui montrer ce dont ils ont envie —
disons, jouer avec ses testicules du bout des doigts ou chatouiller
le dessous de la tête de son pénis. Proclamer ouvertement ce que
l'on veut semble beaucoup trop égoïste et jouisseur, ou pire, trop
manifestement sensuel. Mais le terrible paradoxe, c'est que leur
partenaire a probablement un sentiment d'échec parce qu'il veut
lui donner du plaisir mais ne sait pas comment.

Mais, pour l'amour de Dieu, comment sommes-nous censés
savoir exactement ce qui donnera du plaisir à notre partenaire s'il
ne nous le dit pas — ou plus exactement ne nous le montre pas?
Sommes-nous censés le savoir par intuition?

«Je croyais que c'était ça l'amour, m'a dit une jeune femme
un jour. S'il m'aimait vraiment, il saurait exactement où me toucher et quand. Il saurait exactement comment m'exciter.

— Devrait-il connaître également le moment exact où vous
allez éternuer? lui ai-je demandé. Et le moment où vous avez faim
et précisément ce que vous voulez manger? Donnez-lui sa chance.
Il n'est pas dans votre peau. Montrez-lui ce que vous voulez. Ce
n'est qu'alors qu'il pourra vous montrer qu'il vous aime en vous
donnant exactement ce que vous voulez.»

Pourquoi ne pas vous résoudre à mettre fin à ce secret ridicule entre vous deux? Désormais: montrez ce que vous voulez; obtenez ce que vous voulez; donnez à votre partenaire ce qu'il veut. Et souvenez-vous, les désirs changent constamment. Vous ne pouvez pas mémoriser les désirs de votre partenaire, mais vous pouvez toujours lui communiquer vos désirs du moment. C'est vraiment très simple. Et cela fera en sorte que vous vous aimerez beaucoup plus que vous ne vous êtes jamais aimés auparavant.

«Un instant, Dagmar, ce n'est vraiment pas aussi simple que cela. Si je prends la main de ma femme et que je la pose, disons, sur mes testicules et qu'elle réagisse très mal? Pensez-vous que cela nous fera nous aimer follement?»

C'est un risque, je vous l'accorde. Mais c'est un risque que vous devez être prêts à prendre tous les deux dès maintenant. Autrement, ni l'un ni l'autre ne pourrez jamais obtenir ou donner le plaisir que vous méritez; ni l'un ni l'autre ne pourrez jamais grandir. Je ne crois pas que vous deviez contraindre votre partenaire à faire quoi que ce soit qu'elle ne veuille pas faire, que vous deviez forcer sa main contre son gré. Mais, par la même occasion, c'est là une chance pour vous, le caressant, de surmonter certaines inhibitions importantes. Essayez de considérer votre main comme totalement passive lorsque votre partenaire la guide là où il le désire. Pour un court instant, permettez-vous de vous dissocier de votre main, ne tenez pas compte de ses sensations. Ensuite, à mesure que votre anxiété et votre pudeur initiales s'estompent, reprenez contact progressivement et concentrez-vous sur ce que vous éprouvez lorsque vous le caressez dans la *zone interdite*. Pas si mal, n'est-ce pas? Simplement une autre partie du corps. Vous pouvez vraiment vous désensibiliser à une inhibition aussi facilement, aussi rapidement. Qui sait? Vous pourriez peut-être même commencer à aimer cela vous-même, sur-le-champ. Si ce n'est pas cette fois-ci, ce sera peut-être la prochaine fois.

Arrivés à ce stade, les couples se heurtent parfois à un autre danger: par exemple l'homme apprend qu'il a caressé sa partenaire de la *mauvaise* façon pendant toutes ces années, ce qui le rend maussade et le met sur la défensive.

«Il a toujours plongé droit sur mon clitoris, le tortillant plus fort et plus vite que je ne le voulais vraiment, essayant de me donner un orgasme aussi rapidement que possible, m'a raconté une épouse dans la cinquantaine. C'était l'occasion pour moi de lui montrer comment j'aimais ça — qu'il me caresse plutôt lentement, en traçant des cercles légers autour de mon clitoris jusqu'à ce qu'il se retire sous le capuchon. Alors il n'est plus aussi sensible et j'aime les choses plus fortes et plus rapides. Alors j'ai guidé sa main de cette façon. Et puis tout à coup son visage s'est assombri comme celui d'un petit garçon qu'on a blessé. Quelle douche froide! J'ai mis un terme à la séance sur-le-champ.

— Ne vous en faites pas pour lui, lui ai-je dit. Il est difficile de ne pas tenir compte de sa réaction mais vous devriez essayer. En cours de route, il pourrait bien grandir un petit peu et découvrir que, jusqu'à maintenant, il n'avait aucun moyen de savoir ce que vous vouliez.»

PREMIÈRE SÉANCE GÉNITALE

Pour cette première séance, incorporez les organes génitaux comme s'il ne s'agissait que d'une autre partie du corps, pas plus érogène que le coude. Nous ne visons pas l'excitation pour cette fois. Il ne s'agira que d'une extension du «Je te montre les miens si tu me montres les tiens». Caressé, si vous êtes anxieux, ne craignez pas de déplacer la main de votre partenaire vers une autre partie de votre corps pendant un moment; puis ramenez-la vers vos organes génitaux lorsque vous vous sentez plus détendu. Il s'agit ici de se sentir parfaitement à l'aise.

«Tout ça et pas d'orgasme? Jusqu'où suis-je censé endurer cette torture?»

Abstenez-vous une dernière fois. (Si c'est pour vous un tel supplice, vous pouvez toujours terminer cette double séance par la masturbation en tandem.) Mais, pour le moment, je veux que vous viviez pleinement ce que c'est que de faire durer l'excitation. Concentrez-vous sur ces sentiments d'excitation et de plaisir qui montent en vous. Sentez-les irradier dans tout votre corps — votre ventre, vos cuisses, vos seins, votre anus, votre nuque, la pointe de vos orteils. Ce sont les sensations mêmes que la plupart d'entre nous court-circuitent habituellement en visant directement l'orgasme. Il n'y aura pas d'orgasme cette fois-ci, alors vous pouvez bien ralentir et déguster le plaisir que vous donne votre partenaire. En faisant cet exercice, bien des gens comprennent enfin le but premier de ce programme. Ils apprennent l'ultime leçon à propos du plaisir sensuel: ce n'est pas un moyen d'arriver à une fin, c'est une fin en soi.

«Je ne pense pas avoir été déjà aussi excité de toute ma vie, m'a révélé un patient après sa première séance de caresses génitales. J'éprouvais des sensations que je n'avais jamais ressenties auparavant. J'avais des fourmis partout. Bien sûr, une partie de moi mourait d'envie de jouir, mais je ne voulais pas non plus mettre fin à tous ces sentiments.

— La prochaine fois vous pourrez tout avoir, lui ai-je dit. Mais vous saurez que vous ne gagnerez rien à précipiter votre orgasme.»

Savourer l'excitation sans se presser permet de saisir l'une des différences fondamentales entre avoir des rapports sexuels et faire l'amour. Dans un état prolongé d'excitation, les sensations sexuelles et les sentiments émotionnels vont de pair.

«Avant de vous emballer, Dagmar, laissez-moi vous poser une question: Que se passe-t-il si elle caresse mes organes génitaux et que ça ne m'excite pas? Et si je n'ai pas d'érection? Et s'il n'y avait pas d'excitation à savourer?»

Ne vous en faites pas. Jouissez simplement du plaisir que vous éprouvez. Et si vous êtes toujours anxieux, déplacez simplement la main de votre partenaire vers une autre partie de votre corps. Ce n'est ni un concours ni un défi. Certains d'entre vous peuvent avoir besoin de plusieurs séances avant d'être suffisamment détendus et à l'aise pour être excités. Il n'y a aucun temps limite pour être excité.

DEUXIÈME SÉANCE GÉNITALE

Si vous avez connu tous deux l'excitation au cours de la première séance génitale, il est maintenant temps d'expérimenter cette excitation — de la sentir monter puis s'évanouir puis monter de nouveau. Non, ce n'est pas un quelconque jeu pervers que je prescris là; c'est une façon de doubler, de tripler et même de quadrupler votre plaisir. Mais avant d'expliquer comment *jouer* avec l'excitation, laissez-moi vous assurer que, oui, cette fois les orgasmes font partie du programme. Essayez pourtant de les retarder autant qu'il vous sera possible de le faire. Si vous devez avoir un objectif, que ce soit celui-ci: voir combien de temps vous pouvez faire durer l'excitation avant d'avoir un orgasme.

Comme au cours de la première séance génitale, vous, le caressé, devez faire en sorte que votre partenaire passe un long moment à vous caresser le reste du corps avant de le laisser aller vers les seins ou les organes génitaux. Comme auparavant, c'est à vous de décider où et comment votre partenaire vous touchera; tenez votre main continuellement posée sur la sienne lorsqu'elle est dans la zone génitale. Mais cette fois, après avoir fait durer l'excitation pendant un moment, déplacez la main de votre partenaire vers une autre partie de votre corps, laissant votre excitation s'estomper. Messieurs, cela veut dire permettre à votre érection de disparaître avant de ramener la main de votre partenaire vers votre pénis.

«Et recommencer depuis le début? De quoi s'agit-il, Dagmar, vous avez imaginé une nouvelle sorte de torture?»

Pas une nouvelle torture — une nouvelle sécurité! Car, surprise, votre excitation — et votre érection — vont revenir. Et encore et encore. Tout homme a besoin d'être rassuré sur ce fait de temps à autre, qu'il ait connu ou non une nuit d'impuissance. Presque tous les hommes nourrissent la peur secrète de perdre leur érection et de la perdre *à jamais*. L'anxiété née de cette peur est l'une des principales raisons pour lesquelles les hommes ont tendance à précipiter les rapports sexuels — ils veulent atteindre l'orgasme avant de courir le risque de perdre leur érection. Encore une fois, les sentiments sont sacrifiés à l'anxiété sexuelle. Cet exercice sert à dissiper cette anxiété de la façon la plus simple à laquelle je puisse penser: vous vous prouvez à vous-même que votre érection est prête à revenir quand vous le voulez.

Bien des femmes nourrissent une peur similaire. Elles sont convaincues que lorsqu'elles perdent leur excitation, celle-ci ne

reviendra pas de la nuit. Bonjour et bonne chance d'ici la prochaine fois. Et si elles pensent que la raison pour laquelle elles ont
perdu leur excitation est que leur amant a fait une pause ou a changé de main; elles finissent par lui en vouloir. Quel gaspillage!
L'excitation d'une femme ne disparaît pas pour de bon, pas plus
que celle d'un homme. Vous ne la *perdez* pas. Oui, elle diminue;
votre clitoris peut être moins engorgé et moins sensible pendant
un moment. Mais l'excitation est toujours là qui attend, et son intensité augmentera lorsque vous ramènerez la main de votre partenaire pour être stimulée davantage. Qui plus est, cette fois vous
atteindrez probablement un plateau d'excitation plus élevé. Encore
une fois, déplacez la main de votre partenaire pour un moment et
ramenez-la ensuite. L'excitation est toujours là, prête à atteindre
un nouveau sommet. Lorsque vous aurez enfin la certitude que
votre excitation ne disparaîtra pas pendant ces *pauses,* vous trouverez beaucoup plus facile de faire durer l'excitation et de ne pas
vous dépêcher d'atteindre l'orgasme.

«Toute ma vie j'ai pensé que l'orgasme était le nec plus ultra,
m'a raconté une femme après avoir fait l'expérience de cet exercice. Si je ne l'atteignais pas du premier coup, je pouvais ne jamais avoir une autre occasion. Alors chaque fois que j'étais excitée, j'essayais d'avoir un orgasme le plus vite possible. Je sais
maintenant ce que j'ai manqué pendant toutes ces années. Premièrement, je manquais des orgasmes vraiment puissants — ceux qui
se développent pendant des heures.»

Permettre à l'excitation d'aller et de venir est également une
bénédiction pour ces femmes qui ont toujours peur de prendre
trop de temps pour atteindre l'orgasme. Bon nombre de ces
femmes avaient pris l'habitude de simplement abandonner la partie lorsqu'elles étaient incapables de jouir à l'intérieur d'une certaine limite de temps qu'elles s'étaient imposée. Désormais, après
avoir appris à *profiter du voyage,* elles avaient des orgasmes
presque chaque fois. Lorsque vous en arrivez finalement au point
où vous ne pouvez pas résister plus longtemps et que vous voulez
avoir un orgasme maintenant, assurez-vous de garder votre main
sur celle de votre partenaire jusqu'au bout *et même après.* Pour
la plupart d'entre nous, la stimulation du clitoris ou du gland du

pénis est désagréable et même douloureuse après l'orgasme. Pourtant, bien des gens s'empêchent d'enlever la main de leur partenaire de peur de tout gâcher ou de blesser leur partenaire. Sottises. Vous tenez toujours les commandes et votre partenaire désire toujours savoir ce qui vous procurera le plus de plaisir. Vous voulez peut-être simplement qu'il vous serre dans ses bras. Ou qu'il vous caresse doucement le dos, les fesses ou les jambes. La séance ne doit pas nécessairement se terminer simplement parce que vous avez eu un orgasme. Goûtez le plaisir jusqu'au bout. Laissez couler vos sentiments.

Je crois qu'il est important pour toutes les femmes de connaître plus d'un chemin menant à l'orgasme, pas seulement le coït. Cela vous donne un choix, à vous et à votre partenaire, et ce choix peut vous libérer d'un fardeau d'anxiété. L'orgasme *via* la stimulation manuelle par votre partenaire devrait constituer l'une des possibilités. Et cette possibilité demeure, qu'il ait envie ou non d'avoir des rapports sexuels lorsque vous en avez envie. Comme le dit l'un de mes collègues: «L'avantage de la stimulation manuelle, c'est que c'est toujours à portée de la main.»

Si vous éprouvez de la difficulté à atteindre l'orgasme lorsqu'il vous caresse avec sa main, essayez d'abord de vous servir de votre propre main tandis que la sienne repose sur la vôtre. Vous devrez peut-être essayer quelques fois avant d'être suffisamment à l'aise pour vous laisser aller et avoir un orgasme. Par la suite, mettez sa main sur le capuchon de votre clitoris. Tenez sa main et bougez votre corps contre elle. De cette façon, vous tenez toujours les commandes. À la prochaine séance, vous serez en mesure de le laisser *prendre la stimulation en main*. Là encore, vous devrez peut-être essayer quelques fois avant d'être assez à l'aise pour atteindre l'orgasme.

Puisqu'il est question de confort, messieurs, lorsque vous caressez le clitoris de votre partenaire, appuyez-vous sur votre poignet et laissez vos doigts faire les caresses. Il n'y a aucune raison de vous épuiser quand vous commencez à peine à vous amuser.

Me voilà encore en train de jouer les sexothérapeutes et d'enseigner des techniques alors que j'ai juré que la plupart des techniques étaient bonnes pour la mécanique sexuelle, pas pour les amants. Mais, croyez-moi, ces techniques sont de celles qui soulagent l'anxiété sexuelle et qui donnent libre cours à vos autres sentiments — vos sentiments d'amour en particulier.

Une femme m'a révélé ceci: «Quand j'ai appris à avoir un orgasme avec sa main, j'ai finalement cessé de dépendre autant de ses humeurs. Je n'avais plus à toujours attendre qu'il soit excité lorsque je me sentais sexy. Je pouvais demander un orgasme chaque fois que j'en voulais un. Le simple fait de savoir cela fait de moi une femme heureuse — et amoureuse.»

TROISIÈME SÉANCE GÉNITALE

Si vous étiez tous les deux à l'aise au cours de votre dernière séance, voyez jusqu'où vous pouvez pousser vos limites cette fois-ci. Vous voudrez peut-être changer d'endroit à nouveau, disons dans la salle de séjour où le caresseur pourra s'agenouiller sur le tapis devant le divan et où le caressé sera étendu langoureusement, les jambes bien écartées. Faites preuve d'imagination. Servez-vous de ce que vous avez — un boa de plumes, un manteau de fourrure, des huiles parfumées. Comme prélude au contact bucco-génital, vous aimeriez peut-être «garnir» les organes génitaux de votre partenaire avec quelque chose de délicieux comme de la confiture de framboises ou du fondant à la guimauve. Osez.

Bien des gens deviennent anxieux à la perspective même des rapports sexuels bucco-génitaux parce qu'ils s'inquiètent de la propreté des organes génitaux de leur partenaire. Je connais une méthode infaillible pour surmonter cette anxiété: lavez-les vous-même! C'est bien cela, emmenez votre partenaire sous la douche et savonnez-le (surtout ses organes génitaux), et assurez-vous qu'il soit propre comme un sou neuf. Mais je vous avertis, certains d'entre vous pourraient finir par avoir tant de plaisir qu'ils y resteront jusqu'à ce qu'il n'y ait plus d'eau chaude.

Je connais une femme dans la soixantaine qui avait rêvé de faire l'amour bucco-génital toute sa vie d'adulte, mais qui n'avait jamais osé demander à son mari de le lui faire parce qu'elle ne pouvait pas se convaincre elle-même de le lui faire à lui — tout cela parce qu'elle avait l'impression que les organes génitaux étaient sales et *impropres à la consommation*. Je leur ai conseillé vivement, à elle et à son mari, de passer à la douche ensemble avec un pain de savon. C'est tout ce qu'il a fallu pour réduire son anxiété suffisamment pour arriver à réaliser son fantasme.

«Maintenant nous avons un nouveau problème, m'a confié son mari avec un clin d'œil. Elle ne me laisse jamais prendre ma douche en paix.»

Au cours de cette troisième séance, comme toujours, passez au contact des seins et des organes génitaux lentement et progressivement. Il n'y a aucune raison de vous presser. Vous savez qu'il y a du plaisir qui vous attend *tout le long du chemin*. Caressé, restez aux commandes, vos mains sur celles de votre partenaire, surtout dans la zone génitale. Jouez avec l'excitation. Laissez-la monter. Si vous voulez que votre partenaire caresse vos organes génitaux avec ses lèvres et sa bouche, attirez-le doucement vers vous. Gardez vos mains sur sa tête et guidez-le en lui signalant par vos mouvements d'aller plus lentement ou plus vite, en le soulevant dès que vous vous sentez mal à l'aise. Vous franchissez peut-être ainsi des barrières, mais vous êtes toujours aux commandes.

C'est maintenant l'occasion rêvée pour une femme n'ayant jamais eu deux orgasmes de suite de l'essayer. Le secret, comme toujours, c'est de rester maîtresse de la situation. Guidez bien votre partenaire. Éloignez-le de votre clitoris dès que vous avez votre premier orgasme et ne l'y ramenez qu'une fois que vous aurez senti que votre clitoris s'est retiré sous son capuchon de nouveau. Faites durer l'excitation aussi longtemps que vous le pouvez cette fois, mais laissez tout de même le second orgasme se produire. Certaines femmes nourrissent l'illusion que seules les femmes particulièrement douées sont capable d'orgasmes multiples. C'est faux. Le seul *don* qui soit nécessaire est de croire que vous méritez le plaisir et de vouloir le prendre. C'est un don que vous pouvez vous faire à vous-même — avec une petite contribution de votre partenaire.

De nombreux couples trouveront difficile de passer à ces séances génitales. Soudain, ces *séances d'amour* sont redevenues des *rapports sexuels véritables* et toutes vos vieilles anxiétés relatives à la sexualité peuvent revenir pour de bon. Pour composer avec ces anxiétés, vous pouvez vous retrouver en train de ressortir tous les vieux trucs qui vous servaient à vous soustraire aux rapports sexuels: vous disputer juste avant qu'une séance commence ou pire, *oublier* de la commencer. Cette résistance signifie que vous êtes très près de changer. N'abandonnez pas maintenant. Ces exercices sont en train de lessiver des peurs et des anxiétés que vous n'avez peut-être jamais soupçonnées. Vous forcer à les dépasser est le seul moyen pour vous — et pour votre relation — de grandir.

Sixième semaine

La plupart d'entre vous savez maintenant par expérience ce que je veux dire quand j'affirme que la clé de l'intimité est l'égoïsme et que la clé pour donner libre cours à ses sentiments est la maîtrise. Ce ne sont pas des paradoxes après tout: ce sont les secrets pour donner et recevoir du plaisir; ce sont les secrets pour faire l'amour.

Au cours des cinq dernières semaines, vous avez été à tour de rôle le caresseur et le caressé, celui qui donne et celui qui prend. Vous vous êtes rendu compte que vous ne perdez pas tous vos moyens, que vous n'êtes pas englouti et que vous ne mourez pas de honte lorsque vous vous accordez du plaisir futile sans limite. Au contraire, la plupart des gens se sentent plus intégrés, plus vivants, plus amoureux. En étant passif à votre tour, vous avez appris comment vous concentrer sur vos propres sentiments et vos propres sensations plutôt que de toujours surveiller les réactions de votre partenaire. Vous avez pris le risque le plus libérateur qui soit; permettre à votre partenaire d'être séparé de vous. Ce qu'il faut maintenant, c'est continuer à vous concentrer égoïstement sur vous-même lorsque vous recommencerez à faire l'amour simultanément.

Mais auparavant, glissons un mot sur la simultanéité. Quelque part en chemin, on a collé à l'amour romantique la notion absurde que les amants devraient toujours tout faire et tout sentir *au même moment*. Si elle caresse mon visage, je devrais lui caresser le visage moi aussi. Si elle est excitée, je devrais certainement être excité moi aussi. Et, bien entendu, si elle a un orgasme, je devrais en avoir un aussi, précisément au même instant. Les seuls bons orgasmes sont les orgasmes simultanés. Autrement, notre amour est imparfait. Autrement, on fait sûrement quelque chose de travers.

Sornettes!

À mes yeux, l'intimité véritable nous permet toujours de passer du rôle passif de celui qui reçoit au rôle actif de celui qui donne et de nouveau à celui qui reçoit. Le fait est que vous ne pouvez jamais vous concentrer aussi totalement sur votre propre plaisir que lorsque vous le savourez passivement. Mais, bien entendu, la réciprocité a aussi ses joies. C'est un peu comme la danse: vous réagissez l'un à l'autre; ses caresses me donnent envie de le caresser à mon tour, et ainsi de suite. C'est tout à fait différent d'une réaction compulsive. Vous faites écho à vos propres sentiments, pas à un quelconque sentiment d'obligation. Vous êtes toujours concentré sur ce que vous éprouvez vous-même et non sur ce que vous pensez que votre partenaire ressent.

Lorsque vous ferez vos exercices sensuels cette semaine, commencez à jouer avec cette réciprocité. Vous allez encore devenir à tour de rôle le caressé et le caresseur, et le caressé sera encore aux commandes, mais cette fois, lorsque le cœur lui en dit, il peut répondre. Il peut rendre les caresses. Toutefois, dès l'instant où il s'aperçoit qu'il perd contact avec ses propres sensations, il doit redevenir totalement passif jusqu'à ce qu'il reprenne ce contact. Là encore, passez aux seins et aux organes génitaux aussi progressivement que possible. Faites durer chaque sensation aussi longtemps que vous le pouvez. Lorsque vous en serez aux caresses génitales, bon nombre d'entre vous désirerez être à tour de rôle celui qui donne et celui qui reçoit plutôt que de diluer votre concentration en visant l'orgasme simultané. Cela signifie simplement que vous vous appréciez plus que jamais. Vous aimez le plaisir que vous vous donnez l'un à l'autre. Vous vous sentez suffisamment libres pour prendre autant de plaisir que vous le pouvez.

«Je me sens comme cette fille dans le film *Danse lascive,* m'a révélé une femme à ce stade des exercices. Pendant toutes ces années, j'ai fait *les bons mouvements* au lit, mais c'était comme si quelqu'un d'autre avait conçu la chorégraphie. Il a fallu que j'écoute les battements de mon cœur, que je ressente mes propres sentiments, et puis, tout d'un coup, je me suis retrouvée à l'intérieur de mon corps, *dansant* sans y penser. J'imagine que c'est vraiment cela faire l'amour, n'est-ce pas?»

C'est cela en effet.

Septième semaine

En Orient, des yogis recommandent qu'aucun des partenaires ne bouge pendant la *première* heure d'une relation sexuelle. Ça, c'est faire durer l'excitation! Eh bien, avant d'être submergé par l'anxiété de la compétition, souvenez-vous que ce sont ces mêmes yogis qui arrivent à dormir sur un lit de clous; ils consacrent leur vie à maîtriser leur corps. Tout de même, le simple fait de savoir qu'un être humain est capable de faire l'amour avec aussi peu d'empressement nous porte à réfléchir. En Occident, nous sommes trop nombreux à l'autre extrême: les rapports sexuels minute. Dès que la relation sexuelle est amorcée, nous nous agitons frénétiquement pour atteindre l'orgasme au plus vite. Résultat: nous ratons la plupart des plaisirs que nous pourrions ressentir — tant sensuels et émotionnels que sexuels.

Changeons tout cela maintenant.

Mais avant de vous donner quelques indications *yogi* de mon propre cru, j'aimerais mettre de l'ordre dans la confusion d'ordre linguistique dont nous sommes victimes depuis tant d'années: le rapport sexuel n'est pas le seul moyen de *faire l'amour.* À mon

avis, tout ce que vous avez fait ces six dernières semaines, c'est
faire l'amour — y compris les séances sensuelles sans orgasmes.
Le coït n'est qu'une possibilité de plus, une autre façon de donner
et de recevoir du plaisir, une autre façon d'atteindre l'intimité. Le
coït n'est pas le but premier de ce programme, ce n'est ni votre
accomplissement suprême ni votre ultime récompense. Les sentiments, quelle que soit la façon dont vous les faites redémarrer,
sont votre récompense. C'est *cela* l'amour que vous faites.

Encore une fois, lors de votre première séance sensuelle de la
semaine, passez par toutes les étapes lentement avant de toucher
aux organes génitaux. Ne laissez rien tomber, pas une seule partie
du corps, pas une seule sensation. Il y a plus d'un mois que vous
avez eu votre dernier rapport sexuel, nous allons donc y arriver
lentement et par un *angle* nouveau. C'est maintenant l'heure de ce
que j'appelle *une agréable visite.*

Lorsque vous vous serez amusés tous les deux avec
l'excitation pendant un bon moment, laissez votre partenaire
(homme) s'allonger sur le dos tandis que vous (femme) vous mettez à califourchon sur vos genoux au-dessus de lui. Maintenant
prenez son pénis de façon à former un angle de 45° par rapport à
son ventre et insérez doucement *le bout seulement* dans votre
vagin. Faites comme les yogis — personne ne bouge. Concentrez-vous sur chacune des sensations que vous éprouvez. Demeu-
rez ainsi pendant un moment puis retirez son pénis. C'est tout. La
première visite est terminée. Recommencez à vous caresser. Vous
pourriez avoir envie d'une autre visite plus tard, mais résistez à la
tentation d'insérer le pénis complètement pour aujourd'hui. Faites
durer l'excitation aussi longtemps que vous pouvez avant de passer aux orgasmes. Bien entendu, aucun orgasme par pénétration
n'est permis pour cette fois.

Cette *agréable visite* peut paraître simple et peut-être un peu
stupide, mais bien des femmes m'ont dit que cela avait été pour
elles ce qui se rapprochait le plus de la *première fois.* Elles

avaient été capables de se concentrer sur les merveilles des caresses génitales sans immédiatement diriger leur attention sur l'orgasme que ces caresses sont censées produire.

«J'avais oublié ce choc merveilleux de simplement sentir un pénis en moi, me disait en riant une femme d'âge mûr. Mince alors, je me sentais comme une vierge de quarante-six ans.»

Cette femme éprouvait des sensations qu'elle avait abandonnées à des routines sexuelles qui l'engourdissaient.

«*Écoutez, je ne suis pas un yogi — alors qu'est-ce qui se passe si je perds mon érection pendant votre visite* immobile?»

Il arrive que vous continuez d'apprécier tout ce que vous ressentez — tous les deux. Votre pénis, monsieur, ne s'engourdit pas dès l'instant où votre érection ramollit, pas plus que ne disparaît la sensation agréable que vous procure le bout de votre pénis dans l'ouverture de son vagin. J'ose espérer que vous avez fini par découvrir que faire l'amour n'est pas quelque chose qui doit s'arrêter brusquement dès l'instant où une érection montre des signes d'affaiblissement. Cette érection reviendra — probablement dès que vous cesserez de vous en inquiéter et que vous porterez de nouveau votre attention sur ce que vous ressentez.

Mais à mon avis, vous serez surpris de découvrir qu'il ne vous est pas nécessaire de stimuler votre pénis à chaque seconde pour maintenir votre érection. Les sensations sont toujours là, c'est ce que nous enseignent les yogis. Vous n'avez qu'à vous détendre et à vous concentrer sur elles.

Au cours de la séance suivante, répétez l'agréable visite, mais (femme) faites entrer très progressivement le pénis de votre partenaire complètement en vous. Là encore, ne bougez pas. Concentrez-vous sur chaque sensation. Sentez ses pulsations en vous. Sentez ses testicules tout contre vous... Vous, l'homme, sentez comme vous la remplissez. Sentez sa chaleur et sa douce humidité... Regardez tous les deux de près comment vous êtes unis l'un à l'autre. Pour certains d'entre vous, c'est peut-être la première fois que vous voyez véritablement vos organes génitaux réunis. Pendant des années, vous avez peut-être fait l'amour sous les couvertures, dans l'obscurité, ou les yeux fermés, de peur de constater visuellement ce qui se passait *en bas*. Maintenant vous êtes prêts à vous accorder l'émerveillement de ce spectacle. Cette expérience unique pourrait bien rendre votre sexualité plus réelle à vos yeux qu'elle ne l'a jamais été. Vos dernières réticences s'envolent. *C'est en train de se produire, maintenant.* Ce moment peut être incroyablement érotique. Et ce peut être un moment d'intimité intense.

«C'était la première fois que je sentais que son pénis était vraiment là pour moi, m'a révélé une jeune épouse. Je me sentais comme une charmante hôtesse qui l'avait invité à entrer et qui pouvait lui demander de partir quand bon lui semblerait. C'était pour moi aussi — pas seulement quelque chose qu'on me faisait.»

Cette femme venait de se rendre compte que, lorsqu'il s'agissait de rapports sexuels, elle avait toujours abandonné la possession de son vagin à son mari. Comme tant de femmes, elle avait supposé que les rapports sexuels étaient fondamentalement faits pour l'homme, et la colère de se sentir envahie et dominée par lui avait bloqué tout sentiment amoureux à l'égard de son mari. Cette simple visite se révéla être l'interaction la plus amoureuse qu'ils aient eue depuis des années. Soudainement, son vagin lui appartenait de nouveau — pour son plaisir à elle aussi. Finalement, elle était capable de s'en servir pour faire l'amour.

Il est temps maintenant d'aller *jusqu'au bout*. Vous pouvez commencer à bouger et à vous laisser aller jusqu'à l'orgasme. Maintenant, vous n'avez plus à vous retenir. Encore une fois, je demande à la femme d'être au-dessus et de s'occuper de l'insertion du pénis. Dans la plupart des cas, l'homme a assumé presque entièrement la responsabilité des rapports sexuels depuis le début de la relation; c'est maintenant au tour de la femme de se sentir le maître. Plus de femmes ont des orgasmes dans cette position parce qu'elles se sentent plus libres. Messieurs, c'est là votre chance de vous vautrer dans la passivité. Admirez le paysage et laissez-la faire le travail.

Une femme qui n'avait jamais été par-dessus m'a fait part de sa première expérience en ces termes: «Quand j'ai finalement rassemblé mon courage et que je suis montée sur lui, un formidable sentiment de puissance m'a envahie et j'ai vraiment commencé à être excitée. J'ai regardé mon mari qui souriait, m'encourageant. J'ai joui avec lui à l'intérieur de moi pour la première fois depuis que nous nous sommes mariés il y a un million d'années. Et mon Dieu, j'avais l'impression d'être retombée follement amoureuse de lui.»

Au cours de votre prochaine séance, lorsque vous en serez à la pénétration, installez-vous sur le côté, ce qui vous assurera à tous les deux une plus grande liberté de mouvements. (Dans cette position, la femme a une jambe sur son partenaire et une autre en dessous. Remontez la jambe qui est en dessous jusqu'à la cavité de sa hanche, de manière à ce que vos os ne forment pas saillie l'un sur l'autre.) Ne bougez pas pendant un moment, mais ensuite, commencez lentement, toujours en vous concentrant sur vos sensations et vos sentiments et non sur quelque idée préconçue de la façon dont vous devriez bouger ou dont vous croyez que votre partenaire aimerait que vous bougiez. Écoutez votre cœur. C'est à vous de jouer maintenant — ensemble.

C'est ici que je cesse de vous donner des instructions et des recettes précises. Comme je l'ai dit au début de ce livre, je ne crois pas à la technique sexuelle *per se*. Je ne recommande pas de

positions *érotiques* ou de zones érogènes particulières. Je ne suggère même pas de vous pendre au lustre — je laisse cela à mes
collègues à l'esprit plus athlétique. Je ne crois pas qu'il y ait de
plaisirs secrets que vous ne puissiez découvrir vous-mêmes.
Vous êtes votre propre expert. Maintenant que vous pouvez sentir
vos propres sensations librement et sans honte, vous savez exactement quels plaisirs vous voulez, et où et quand et comment vous
les voulez. Et, heureusement, ces plaisirs ne seront plus jamais un
secret — surtout pas pour votre merveilleux partenaire.

Chapitre 16

L'amour que vous faites

« J e veux fêter ça!» me disent souvent les gens en arrivant à la fin du programme. «Je veux fêter la remise des diplômes! Mieux encore, une seconde cérémonie de mariage! C'est comme si nous recommencions notre relation depuis le début.»

Ce sont là les plus beaux moments de mon travail. J'ai encore les larmes aux yeux quand je constate que le procédé a marché encore une fois et que deux personnes ont appris à jouir pleinement l'une de l'autre. Pendant un moment, je me permets de croire que Cupidon, après tout, était sexothérapeute.

C'est en effet l'occasion pour deux conjoints de célébrer leur relation. De petites vacances semblent indiquées, ne serait-ce qu'une nuit dans un hôtel du coin. Mais bien des couples choisissent de célébrer beaucoup plus longtemps en faisant de leur foyer un endroit plus agréable et plus sensuel.

«Je voulais acheter quelque chose de spécial pour célébrer, m'a raconté une femme au téléphone. Alors je suis allée acheter des draps de soie noirs pour notre lit. Puis je me suis retrouvée au rayon de la fine lingerie et je me suis acheté une chemise de nuit de soie noire assortie.»

Le mari de cette femme l'a surprise le soir même avec son propre cadeau: un disque du *Boléro* de Ravel.

«Il dit que c'est sa nouvelle chanson thème, m'a-t-elle raconté en riant. Il dit que ça commence lentement et que ça fait durer l'excitation plus longtemps que toute autre pièce qu'il connaisse.»

Bien des femmes et des hommes m'ont raconté qu'ils célé-
braient leur nouvelle sensualité en achetant quelques nouveaux vêtements qui étaient doux et sensuels sur leur peau ou en achetant
des huiles et des mousses pour mieux goûter de longs bains vo-
luptueux.

«Je n'ai jamais eu de problème à dépenser de l'argent pour
moi-même, me disait une femme. Je pouvais payer trois cents
dollars pour des vêtements à l'allure professionnelle, mais je
n'aurais jamais osé acheter un slip de soie juste parce qu'il faisait
sensuel. Eh bien, hier, je suis allée m'acheter une bonne douzaine
de slips — chacun d'une couleur différente.»

Un mari a jugé que ce dont sa femme et lui avaient besoin
pour compléter l'aménagement de leur *chambre sensuelle,* c'était
un petit réfrigérateur qu'ils pourraient dévaliser lorsqu'ils seraient
nus sans avoir à se soucier d'être vus par les enfants.

«C'est bien plus pour ses provisions de crème fouettée, m'a
dit sa femme avec un large sourire. Depuis la deuxième semaine
des exercices, c'est devenu indispensable à nos ébats amoureux.»

Un autre mari s'est rendu tout droit à la quincaillerie pour *re-
décorer* sa maison pour célébrer sa vie amoureuse nouvellement
retrouvée.

«J'ai acheté des verrous pour toutes les portes de la maison, y
compris celles de la cuisine et de la salle à manger, m'a-t-il dit. Ça
n'a peut-être pas l'air romantique, mais Jennifer était plus excitée
que si je lui avais apporté une douzaine de roses. Nous pouvons
enfin faire l'amour dans n'importe quelle pièce de la maison sans
avoir peur qu'un des petits fasse irruption.»

Dans le même esprit, un autre mari a célébré la *remise des diplômes* en achetant des stores vénitiens pour les fenêtres de la
salle de séjour de leur appartement.

«Je récupère le canapé du salon pour notre vie sexuelle, dit-il
en faisant un clin d'œil. Bien que je déteste décevoir mes voi-
sins.» D'autres couples m'ont révélé que, bien qu'ils aient eu
envie de fêter leur nouvelle intimité, ils craignaient que cela ne
dure pas.

«Rien d'aussi bon ne peut durer toujours, me disait une jeune
épouse qui avait connu l'orgasme avec son mari pour la première

fois. J'ai peur que dans quelques mois nous soyons redevenus les Papa Maman insensibles que nous étions.

— Vous pouvez continuer de faire l'amour de cette façon le reste de votre vie, lui ai-je dit. Il vous suffit de ne pas oublier que vous pouvez toujours reprendre ces exercices depuis le début et que vos sentiments seront là.»

En fait, bien des couples voient soudain réapparaître un vieux symptôme ou un vieux problème juste comme ils arrivent à la fin du programme. J'appelle cela le rappel *voyons si les vieilles défenses marchent toujours*: un ancien éjaculateur précoce recommence à jouir en moins d'une minute; une femme autrefois préorgastique ne sent tout à coup plus rien. C'est une façon de nous tester nous-mêmes. Mais, Dieu merci, après avoir terminé le programme, nous savons que nous sommes maîtres de la situation. Tout ce que nous avons à faire, c'est de prendre les mesures nécessaires pour retrouver nos sentiments. Vous savez que vous êtes véritablement guéri d'une mauvaise habitude ou d'un symptôme lorsque vous êtes certain que vous pouvez revenir en arrière et le régler vous-même.

Ils nous arrive à tous de revenir à certains éléments de ces exercices encore et encore. De nombreux diplômés de mon programme jouent encore tour à tour le rôle de l'initiateur pour ne pas retomber dans leurs vieilles habitudes. Et nombre d'entre eux prennent régulièrement plaisir à des séances de caresses sans passer aux organes génitaux ou à l'orgasme.

«Je sais maintenant que la sexualité ne s'en ira jamais, m'a confié une patiente. Mais j'ai besoin de sentir qu'il en est de même pour la tendresse. Et maintenant que tout cela ne nous fait plus peur, c'est devenu la pierre de touche de notre relation.»

Montrer avec ses mains exactement où et comment on veut être caressé devient généralement partie intégrante des ébats amoureux d'un couple diplômé. Cela devient une partie naturelle et inconditionnelle de leur entente amoureuse de se donner l'un à l'autre tout le plaisir possible.

Certains couples font entrer régulièrement la masturbation en tandem dans leur vie amoureuse, «simplement pour nous ramener sur terre lorsque nous en avons besoin», comme me le disait un homme. Et certains couples me disent que désormais, chaque fois qu'ils ont des rapports sexuels, ils commencent par une *agréable visite*. C'est devenu leur façon de se dire: «Bonjour, je suis là, avec toi, dans cette aventure.»

Mais, par-dessus tout, je suis heureuse de dire que tous mes diplômés conservent l'assurance joyeuse d'être capables d'ouvrir la porte et d'entrer, ou de se retourner et de dire: «Maintenant, je veux que tu me touches maintenant, mon amour.»

Ce sera toujours le début des meilleurs ébats amoureux qui soient.

Au sujet de l'auteur

Dagmar O'Connor, d'origine suédoise, a fait ses études avec Masters et Johnson à St. Louis. Elle pratique la sexothérapie à New York où elle dirige le programme de thérapie sexuelle du département de psychiatrie de l'hôpital St. Luke-Roosevelt, en plus d'enseigner la psychiatrie à l'Université Columbia. Elle pratique la sexothérapie depuis plus de quinze ans.

À H.P.

Remerciements

Je désire remercier mon ami et collaborateur, Daniel M. Klein, sans l'aide duquel je n'aurais pu écrire ce livre.

J'aimerais remercier, pour leur soutien professionnel et leurs critiques, Ruth Maxwell, le Dr Lothar Gidro Frank et le Dr Alexander Elder.

Je désire également exprimer ma reconnaissance à mes amis Jeffrey Sandler, April Singer ainsi que Brigitta et Stu Tray pour leur critiques, à Sylvia Latcher, à Sarah Busk et à William Mears pour leur soutien, à mon agent Mel Berger et à mon conseiller juridique Lawrence Gould et enfin à mon éditrice Jennifer Brehl.

Un merci bien spécial à Ian et à Eric pour avoir permis à maman d'écrire un autre livre.

D.A.O.

Table des matières

Ouvrages parus chez les éditeurs du groupe Sogides

* Pour l'Amérique du Nord seulement

AFFAIRES

ANIMAUX

ANIMAUX

Vous et votre boxer, Herriot, Sylvain
Vous et votre braque allemand,
Eylat, Martin
Vous et votre caniche, Shira, Sav
Vous et votre chat de gouttière,
Mamzer, Annie
Vous et votre chat tigré, Eylat, Odette
Vous et votre chihuahua, Eylat, Martin
Vous et votre chow-chow,
Pierre Boistel
Vous et votre cocker américain,
Eylat, Martin
Vous et votre collie, Éthier, Léon
Vous et votre dalmatien, Eylat, Martin
Vous et votre danois, Eylat, Martin
Vous et votre doberman, Denis, Paula
Vous et votre fox-terrier, Eylat, Martin
Vous et votre golden retriever,
Denis, Paula
Vous et votre husky, Eylat, Martin

Vous et votre labrador,
Van Der Heyden, Pierre
Vous et votre lévrier afghan,
Eylat, Martin
Vous et votre lhassa apso,
Van Der Heyden, Pierre
Vous et votre persan, Gadi, Sol
Vous et votre petit rongeur,
Eylat, Martin
Vous et votre schnauzer, Eylat, Martin
Vous et votre serpent, Deland, Guy
Vous et votre setter anglais,
Eylat, Martin
Vous et votre shih-tzu, Eylat, Martin
Vous et votre siamois, Eylat, Odette
Vous et votre teckel, Boistel, Pierre
Vous et votre terre-neuve,
Pacreau, Marie-Edmée
Vous et votre yorkshire,
Larochelle, Sandra

ARTISANAT/BRICOLAGE

Art du pliage du papier, L',
Harbin, Robert
* Artisanat québécois, T.1, Simard, Cyril
* Artisanat québécois, T.2, Simard, Cyril
* Artisanat québécois, T.3, Simard, Cyril
* Artisanat québécois, T.4, Simard, Cyril
et Bouchard, Jean-Louis
* Construire des cabanes d'oiseaux,
Dion, André

* Encyclopédie de la maison québécoise,
Lessard, Michel et Villandré, Gilles
* Encyclopédie des antiquités,
Lessard, Michel et Marquis, Huguette
* J'apprends à dessiner, Nassh, Joanna
Taxidermie moderne, La, Labrie, Jean
* Tissage, Le, Grisé-Allard, Jeanne et
Galarneau, Germaine
Vitrail, Le, Bettinger, Claude

BIOGRAPHIES

* Brian Orser - Maître du triple axel,
Orser, Brian et Milton, Steve
* Dans la fosse aux lions, Chrétien, Jean
* Dans la tempête, Lachance, Micheline
* Duplessis, T.1 - L'ascension,
Black, Conrad
* Duplessis, T.2 - Le pouvoir,
Black, Conrad
* Ed Broadbent - La conquête obstinée
du pouvoir, Steed, Judy
* Establishment canadien, L',
Newman, Peter C.
* Larry Robinson, Robinson, Larry et
Goyens, Chrystian
* Michel Robichaud - Monsieur Mode,
Charest, Nicole

* Monopole, Le, Francis, Diane
* Nouveaux riches, Les,
Newman, Peter C.
* Paul Desmarais - Un homme et son em-
pire, Greber, Dave
* Plamondon - Un cœur de rockeur,
Godbout, Jacques
* Prince de l'Église, Le, Lachance, Micheline
* Québec Inc., Fraser, M.
* Rick Hansen - Vivre sans frontières,
Hansen, Rick et Taylor, Jim
* Saga des Molson, La, Woods, Shirley
* Sous les arches de McDonald's,
Love, John F.
* Trétiak, entre Moscou et Montréal,
Trétiak, Vladislav

BIOGRAPHIES

* Une femme au sommet - Son
  excellence Jeanne Sauvé,
  Woods, Shirley E.

CARRIÈRE/VIE PROFESSIONNELLE

* Choix de carrières, T.1, Milot, Guy
* Choix de carrières, T.2, Milot, Guy
* Choix de carrières, T.3, Milot, Guy
  Comment rédiger son curriculum vitae,
  Brazeau, Julie
  Guide du succès, Le, Hopkins, Tom
* Je cherche un emploi, Brazeau, Julie
  Parlez pour qu'on vous écoute,
  Brien, Michèle

Relations publiques, Les, Doin, Richard
et Lamarre, Daniel
Techniques de vente par téléphone,
Porterfield, J.-D.
* Test d'aptitude pour choisir sa carrière,
  Barry, Linda et Gale
Une carrière sur mesure,
Lemyre-Desautels, Denise
Vente, La, Hopkins, Tom

CUISINE

* À table avec Sœur Angèle,
  Sœur Angèle
* Art d'apprêter les restes, L',
  Lapointe, Suzanne
  Barbecue, Le, Dard, Patrice
* Biscuits, brioches et beignes,
  Saint-Pierre, A.
* Boîte à lunch, La,
  Lambert-Lagacé, Louise
  Brunches et petits déjeuners en fête,
  Bergeron, Yolande
  100 recettes de pain faciles à réaliser,
  Saint-Pierre, Angéline
* Confitures, Les, Godard, Misette
  Congélation de A à Z, La, Hood, Joan
  Congélation des aliments, La,
  Lapointe, Suzanne
  Conserves, Les, Sœur Berthe
  Crème glacée et sorbets, Lebuis, Yves
  et Pauzé, Gilbert
  Crêpes, Les, Letellier, Julien
  Cuisine au wok, Solomon, Charmaine
  Cuisine aux micro-ondes 1 et
  2 portions, Marchand, Marie-Paul
* Cuisine chinoise traditionnelle, La,
  Chen, Jean
* Cuisine créative Campbell, La,
  Cie Campbell
  Cuisine facile aux micro-ondes,
  Saint-Amour, Pauline
* Cuisine joyeuse de Sœur Angèle, La,
  Sœur Angèle
  Cuisine micro-ondes, La, Benoît, Jehane

* Cuisine santé pour les aînés,
  Hunter, Denyse
  Cuisiner avec le four à convection,
  Benoît, Jehane
* Cuisiner avec les champignons sau-
  vages du Québec, Leclerc, Claire L.
  Faire son pain soi-même,
  Murray Gill, Janice
* Faire son vin soi-même,
  Beaucage, André
  Fine cuisine aux micro-ondes, La,
  Dard, Patrice
  Fondues et flambées de maman
  Lapointe, Lapointe, Suzanne
  Fondues, Les, Dard, Patrice
  Je me débrouille en cuisine,
  Richard, Diane
  Livre du café, Le, Letellier, Julien
  Menus pour recevoir, Letellier, Julien
  Muffins, Les, Clubb, Angela
  Nouvelle cuisine micro-ondes I, La,
  Marchand, Marie-Paul et
  Grenier, Nicole
  Nouvelles cuisine micro-ondes II, La,
  Marchand, Marie-Paul et
  Grenier, Nicole
  Omelettes, Les, Letellier, Julien
  Pâtes, Les, Letellier, Julien
* Pâtisserie, La, Bellot, Maurice-Marie
* Recettes au blender, Huot, Juliette
* Recettes de gibier, Lapointe, Suzanne
* Robot culinaire, Le, Martin, Pol

DIÉTÉTIQUE

Combler ses besoins en calcium,
Hunter, Denyse
* Compte-calories, Le, Brault-Dubuc, M.
et Caron Lahaie, L.
* Cuisine du monde entier avec Weight
Watchers, Weight Watchers
Cuisine sage, Une, Lambert-Lagacé,
Louise
Défi alimentaire de la femme, Le,
Lambert-Lagacé, Louise
* Diète Rotation, La, Katahn, Dr Martin
* Diététique dans la vie quotidienne,
Lambert-Lagacé, Louise
Livre des vitamines, Le, Mervyn, Leonard
Menu de santé, Lambert-Lagacé, Louise
Oubliez vos allergies, et… bon appétit,
Association de l'information sur les
allergies

* Petite et grande cuisine végétarienne,
Bédard, Manon
* Plan d'attaque Weight Watchers, Le,
Nidetch, Jean
* Plan d'attaque Plus Weight Watchers,
Le, Nidetch, Jean
* Régimes pour maigrir,
Beaudoin, Marie-Josée
Sage bouffe de 2 à 6 ans, La,
Lambert-Lagacé, Louise
* Weight Watchers - Cuisine rapide et
savoureuse, Weight Watchers
* Weight Watchers - Agenda 85 -
Français, Weight Watchers
* Weight Watchers - Agenda 85 -
Anglais, Weight Watchers
* Weight Watchers - Programme -
Succès Rapide, Weight Watchers

ENFANCE

* Aider son enfant en maternelle,
Pedneault-Pontbriand, Louise
Années clés de mon enfant, Les,
Caplan, Frank et Thérèsa
Art de l'allaitement maternel, L',
Ligue internationale La Leche
Avoir un enfant après 35 ans,
Robert, Isabelle
Bientôt maman, Whalley, J., Simkin, P.
et Keppler, A.
Comment nourrir son enfant,
Lambert-Lagacé, Louise
Deuxième année de mon enfant, La,
Caplan, Frank et Thérèsa
Développement psychomoteur du
bébé, Calvet, Didier
Douze premiers mois de mon enfant,
Les, Caplan, Frank
* En attendant notre enfant,
Pratte-Marchessault, Yvette
* Enfant unique, L', Peck, Ellen
Évoluer avec ses enfants,
Gagné, Pierre-Paul
Exercices aquatiques pour les futures
mamans, Dussault, J. et Demers, C.
* Femme enceinte, La,
Bradley, Robert A.

* Futur père, Pratte-Marchessault, Yvette
Jouons avec les lettres,
Doyon-Richard, Louise
Langage de votre enfant, Le,
Langevin, Claude
Mal des mots, Le, Thériault, Denise
Manuel Johnson et Johnson des
premiers soins, Le, Rosenberg,
Dr Stephen N.
Massage des bébés, Le,
Auckette, Amédia D.
Mon enfant naîtra-t-il en bonne santé?
Scher, Jonathan et Dix, Carol
* Pour bébé, le sein ou le biberon?
Pratte-Marchessault, Yvette
* Pour vous future maman, Sekely, Trude
Préparez votre enfant à l'école,
Doyon-Richard, Louise
Psychologie de l'enfant de 0 à 10 ans,
Cholette-Pérusse, Françoise
Respirations et positions
d'accouchement, Dussault, Joanne
Soins de la première année de bébé,
Les, Kelly, Paula
Tout se joue avant la maternelle,
Ibuka, Masaru

ÉSOTÉRISME

Avenir dans les feuilles de thé, L,
Fenton, Sasha
Graphologie, La, Santoy, Claude
Interprétez vos rêves, Stanké, Louis
Lignes de la main, Stanké, Louis

Lire dans les lignes de la main,
Morin, Michel
Vos rêves sont des miroirs, Cayla, Henri
Votre avenir par les cartes,
Stanké, Louis

HISTOIRE

* **Arrivants, Les,** Collectif
* **Civilisation chinoise, La,** Guay, Michel
* **Or des cavaliers thraces, L',**
Palais de la civilisation

* **Samuel de Champlain,**
Armstrong, Joe C.W.

JARDINAGE

* **Chasse-insectes pour jardins, Le,**
Michaud, O.
* **Comment cultiver un jardin potager,**
Trait, J.-C.
* **Encyclopédie du jardinier,**
Perron, W. H.
* **Guide complet du jardinage,**
Wilson, Charles
J'aime les azalées, Deschênes, Josée
J'aime les cactées, Lamarche, Claude
J'aime les rosiers, Pronovost, René
J'aime les tomates, Berti, Victor

J'aime les violettes africaines,
Davidson, Robert
Jardin d'herbes, Le, Prenis, John
* **Je me débrouille en aménagement**
extérieur, Bouillon, Daniel et
Boisvert, Claude
* **Petite ferme, T.2- Jardin potager,**
Trait, Jean-Claude
* **Plantes d'intérieur, Les,** Pouliot, Paul
* **Techniques de jardinage, Les,**
Pouliot, Paul
Terrariums, Les, Kayatta, Ken

JEUX/DIVERTISSEMENTS

* **Améliorons notre bridge,**
Durand, Charles
* **Bridge, Le,** Beaulieu, Viviane
* **Clés du scrabble, Les,** Sigal, Pierre A.
Dictionnaire des mots croisés, noms
communs, Lasnier, Paul
Dictionnaire des mots croisés, noms
propres, Piquette, Robert
Dictionnaire raisonné des mots croisés,
Charron, Jacqueline

* **Jouons ensemble,** Provost, Pierre
Livre des patiences, Le, Bezanovska, M.
et Kitchevats, P.
Monopoly, Orbanes, Philip
* **Ouverture aux échecs,** Coudari, Camille
* **Scrabble, Le,** Gallez, Daniel
Techniques du billard, Morin, Pierre

LINGUISTIQUE

Anglais par la méthode choc, L',
Morgan, Jean-Louis
J'apprends l'anglais, Sillicani, Gino et
Grisé-Allard, Jeanne

* **Secrétaire bilingue, La,** Lebel, Wilfrid

LIVRES PRATIQUES

* **Acheter ou vendre sa maison,**
  Brisebois, Lucille
* **Assemblées délibérantes, Les,**
  Girard, Francine
  Chasse-insectes dans la maison, Le,
  Michaud, O.
  Chasse-taches, Le, Cassimatis, Jack
* **Comment réduire votre impôt,**
  Leduc-Dallaire, Johanne
* **Guide de la haute-fidélité, Le,**
  Prin, Michel
  Je me débrouille en aménagement
  intérieur, Bouillon, Daniel et
  Boisvert, Claude
  Livre de l'étiquette, Le, du Coffre,
  Marguerite
* **Loi et vos droits, La,**
  Marchand, Me Paul-Émile
* **Maîtriser son doigté sur un clavier,**
  Lemire, Jean-Paul
* **Mécanique de mon auto, La,** Time-Life
* **Mon automobile,** Collège Marie-Victorin
  et Gouv. du Québec

Notre mariage (étiquette et
planification),
du Coffre, Marguerite
* **Petits appareils électriques,**
  Collaboration
  Petit guide des grands vins, Le,
  Orhon, Jacques
* **Piscines, barbecues et patio,**
  Collaboration
* **Roulez sans vous faire rouler, T.3,**
  Edmonston, Philippe
  Séjour dans les auberges du Québec,
  Cazelais, Normand et
  Coulon, Jacques
  Se protéger contre le vol,
  Kabundi, Marcel et
  Normandeau, André
* **Tout ce que vous devez savoir sur le**
  condominium, Dubois, Robert
  Univers de l'astronomie, L',
  Tocquet, Robert
  Week-end à New York, Tavernier-
  Cartier, Lise

MUSIQUE

Chant sans professeur, Le,
Hewitt, Graham
Guitare, La, Collins, Peter
Guitare sans professeur, La,
Evans, Roger

Piano sans professeur, Le, Evans, Roger
Solfège sans professeur, Le,
Evans, Roger

NOTRE TRADITION

* **Encyclopédie du Québec, T.2,**
  Landry, Louis
  Généalogie, La, Faribeault-Beauregard,
  M. et Beauregard Malak, E.
* **Maison traditionnelle au Québec, La,**
  Lessard, Michel

* **Moulins à eau de la vallée du Saint-**
  Laurent, Les, Villeneuve, Adam
* **Sculpture ancienne au Québec, La,**
  Porter, John R. et Bélisle, Jean
* **Temps des fêtes au Québec, Le,**
  Montpetit, Raymond

PHOTOGRAPHIE

Apprenez la photographie avec
Antoine Désilets, Désilets, Antoine
8/Super 8/16, Lafrance, André
Fabuleuse lumière canadienne,
Hines, Sherman
* **Initiation à la photographie,**
  London, Barbara

* **Initiation à la photographie-Canon,**
  London, Barbara
* **Initiation à la photographie-Minolta,**
  London, Barbara
* **Initiation à la photographie-Nikon,**
  London, Barbara

PHOTOGRAPHIE

* Initiation à la photographie-Olympus,
  London, Barbara
* Initiation à la photographie-Pentax,
  London, Barbara

Photo à la portée de tous, La,
Désilets, Antoine

PSYCHOLOGIE

Aider mon patron à m'aider,
Houde, Eugène
* Amour de l'exigence à la préférence,
  L', Auger, Lucien
Apprivoiser l'ennemi intérieur,
Bach, Dr G. et Torbet, L.
Art d'aider, L', Carkhuff, Robert R.
Auto-développement, L', Garneau, Jean
* Bonheur au travail, Le, Houde, Eugène
Bonheur possible, Le, Blondin, Robert
Ces hommes qui méprisent les
femmes... et les femmes qui les
aiment, Forward, Dr S. et
Torres, J.
Changer ensemble, les étapes du
couple, Campbell, Suzan M.
Chimie de l'amour, La,
Liebowitz, Michael
Comment animer un groupe,
Office Catéchèse
Comment déborder d'énergie,
Simard, Jean-Paul
Communication dans le couple, La,
Granger, Luc
Communication et épanouissement
personnel, Auger, Lucien
Contact, Zunin, L. et N.
Découvrir un sens à sa vie avec la logo-
thérapie, Frankl, D^r V.
* Dynamique des groupes, Aubry, J.-M.
  et Saint-Arnaud, Y.
Élever des enfants sans perdre la
boule, Auger, Lucien
Enfants de l'autre, Les, Paris, Erna
Être soi-même, Corkille Briggs, D.
Facteur chance, Le, Gunther, Max
Infidélité, L', Leigh, Wendy
Intuition, L', Goldberg, Philip
* J'aime, Saint-Arnaud, Yves
Journal intime intensif, Le, Progoff, Ira
Mensonge amoureux, Le,
Blondin, Robert
Parce que je crois aux enfants,
Ruffo, Andrée

Parle-moi... j'ai des choses à te dire,
Salomé, Jacques
Perdant / Gagnant - Réussissez vos
échecs, Hyatt, Carole et
Gottlieb, Linda
* Personne humaine, La ,
  Saint-Arnaud, Yves
* Plaisirs du stress, Les,
  Hanson, Dr Peter, G.
Pourquoi l'autre et pas moi? - Le droit
à la jalousie, Auger, Dr Louise
Prévenir et surmonter la déprime,
Auger, Lucien
* Prévoir les belles années de la retraite,
  D. Gordon, Michael
* Psychologie de l'amour romantique,
  Branden, D^r N.
Puissance de l'intention, La,
Leider, R.-J.
S'affirmer et communiquer, Beaudry,
Madeleine et Boisvert, J.R.
S'aider soi-même, Auger, Lucien
S'aider soi-même d'avantage,
Auger, Lucien
* S'aimer pour la vie, Wanderer, Dr Zev
Savoir organiser, savoir décider,
Lefebvre, Gérald
Savoir relaxer pour combattre le
stress, Jacobson, Dr Edmund
Se changer, Mahoney, Michael
Se comprendre soi-même par les tests,
Collectif
Se connaître soi-même, Artaud, Gérard
Se créer par la Gestalt, Zinker, Joseph
* Se guérir de la sottise, Auger, Lucien
Si seulement je pouvais changer!
Lynes, P.
Tendresse, La, Wolfl, N.
Vaincre ses peurs, Auger, Lucien
Vivre avec sa tête ou avec son cœur,
Auger, Lucien

ROMANS/ESSAIS/DOCUMENTS

* Baie d'Hudson, La, Newman, Peter, C.
* Conquérants des grands espaces, Les,
  Newman, Peter, C.
* Des Canadiens dans l'espace,
  Dotto, Lydia
* Dieu ne joue pas aux dés, Laborit, Henri
* Frères divorcés, Les, Godin, Pierre
* Insolences du Frère Untel, Les,
  Desbiens, Jean-Paul
* J'parle tout seul, Coderre, Émile

Option Québec, Lévesque, René
* Oui, Lévesque, René
* Provigo, Provost, René et
  Chartrand, Maurice
Sur les ailes du temps (Air Canada),
  Smith, Philip
* Telle est ma position, Mulroney, Brian
* Trois semaines dans le hall du Sénat,
  Hébert, Jacques
* Un second souffle, Hébert, Diane

SANTÉ/BEAUTÉ

* Ablation de la vésicule biliaire, L',
  Paquet, Jean-Claude
* Ablation des calculs urinaires, L',
  Paquet, Jean-Claude
* Ablation du sein, L', Paquet, Jean-claude
* Allergies, Les, Delorme, Dr Pierre
Bien vivre sa ménopause,
  Gendron, Dr Lionel
Charme et sex-appeal au masculin,
  Lemelin, Mireille
Chasse-rides, Leprince, C.
* Chirurgie vasculaire, La,
  Paquet, Jean-Claude
Comment devenir et rester mince,
  Mirkin, Dr Gabe
De belles jambes à tout âge,
  Lanctôt, D^r G.
* Dialyse et la greffe du rein, La,
  Paquet, Jean-Claude
Être belle pour la vie, Bronwen, Meredith
Glaucomes et les cataractes, Les,
  Paquet, Jean-Claude
* Grandir en 100 exercices,
  Berthelet, Pierre
* Hernies discales, Les,
  Paquet, Jean-Claude
Hystérectomie, L', Alix, Suzanne
Maigrir: La fin de l'obsession,
  Orbach, Susie
* Malformations cardiaques
  congénitales, Les,
  Paquet, Jean-Claude
Maux de tête et migraines,
  Meloche, Dr J. , Dorion, J.
Perdre son ventre en 30 jours H-F, Bur-
  stein, Nancy et Roy, Matthews

* Pontage coronarien, Le,
  Paquet, Jean-Claude
* Prothèses d'articulation,
  Paquet, Jean-Claude
* Redressements de la colonne,
  Paquet, Jean-Claude
* Remplacements valvulaires, Les,
  Paquet, Jean-Claude
Ronfleurs, réveillez-vous, Piché, D^r J.
  et Delage, J.
Syndrome prémenstruel, Le,
  Shreeve, Dr Caroline
Travailler devant un écran,
  Feeley, Dr Helen
30 jours pour avoir de beaux cheveux,
  Davis, Julie
30 jours pour avoir de beaux ongles,
  Bozic, Patricia
30 jours pour avoir de beaux seins,
  Larkin, Régina
30 jours pour avoir de belles fesses,
  Cox, D. et Davis, Julie
30 jours pour avoir un beau teint,
  Zizmon, Dr Jonathan
30 jours pour cesser de fumer,
  Holland, Gary et Weiss, Herman
30 jours pour mieux s'organiser,
  Holland, Gary
30 jours pour redevenir un couple
  amoureux, Nida, Patricia et
  Cooney, Kevin
30 jours pour un plus grand épanouisse-
  ment sexuel, Schneider, A.
Vos dents, Kandelman, Dr Daniel
Vos yeux, Chartrand, Marie et
  Lepage-Durand, Micheline

SEXUALITÉ

Contacts sexuels sans risques,
  I.A.S.H.S.
* Guide illustré du plaisir sexuel,
  Corey, Dr Robert et Helg, E.
Ma sexualité de 0 à 6 ans,
  Robert, Jocelyne
Ma sexualité de 6 à 9 ans,
  Robert, Jocelyne
Ma sexualité de 9 à 12 ans,
  Robert, Jocelyne
Mille et une bonnes raisons pour le
  convaincre d'enfiler un condom et
  pourquoi c'est important pour
  vous..., Bretman, Patti,
  Knutson, Kim et Reed, Paul

* Nous on en parle, Lamarche, M. et
  Danheux, P.
Pour jeunes seulement, photoroman
  d'éducation à la sexualité,
  Robert, Jocelyne
Sexe au féminin, Le, Kerr, Carmen
Sexualité du jeune adolescent, La,
  Gendron, Lionel
Shiatsu et sensualité, Rioux, Yuki
* 100 trucs de billard, Morin, Pierre

SPORTS

Apprenez à patiner, Marcotte, Gaston
Arc et la chasse, L', Guardo, Greg
Armes de chasse, Les,
  Petit-Martinon, Charles
Badminton, Le, Corbeil, Jean
* Canadiens de 1910 à nos jours, Les,
  Turowetz, Allan et Goyens, C.
Carte et boussole, Kjellstrom, Bjorn
Comment se sortir du trou au golf,
  Brien, Luc
Comment vivre dans la nature,
  Rivière, Bill
Corrigez vos défauts au golf,
  Bergeron, Yves
* Curling, Le, Lukowich, E.
De la hanche aux doigts de pieds,
  Schneider, Myles J. et
  Sussman, Mark D.
Devenir gardien de but au hockey,
  Allaire, François
Golf au féminin, Le, Bergeron, Yves
Grand livre des sports, Le,
  Groupe Diagram
Guide complet de la pêche à la
  mouche, Le, Blais, J.-Y.
Guide complet du judo, Le, Arpin, Louis
Guide complet du self-defense, Le,
  Arpin, Louis
Guide de l'alpinisme, Le,
  Cappon, Massimo
Guide de la survie de l'armée
  américaine, Le, Collectif
Guide des jeux scouts, Association des
  scouts
Guide du trappeur, Le, Provencher, Paul
Initiation à la planche à voile, Wulff, D.
  et Morch, K.

J'apprends à nager, Lacoursière, Réjean
Je me débrouille à la chasse,
  Richard, Gilles et Vincent, Serge
Je me débrouille à la pêche,
  Vincent, Serge
Je me débrouille à vélo,
  Labrecque, Michel et Boivin, Robert
Je me débrouille dans une
  embarcation, Choquette, Robert
Jogging, Le, Chevalier, Richard
* Jouez gagnant au golf, Brien, Luc
* Larry Robinson, le jeu défensif,
  Robinson, Larry
Manuel de pilotage, Transport Canada
Marathon pour tous, Le, Anctil, Pierre
Maxi-performance, Garfield, Charles A.
  et Bennett, Hal Zina
Mon coup de patin, Wild, John
Musculation pour tous, La,
  Laferrière, Serge
* Partons en camping, Satterfield, Archie
  et Bauer, Eddie
Partons sac au dos, Satterfield, Archie
  et Bauer, Eddie
Passes au hockey, Chapleau, Claude
Pêche à la mouche, La, Marleau, Serge
Pêche à la mouche, Vincent, Serge
Planche à voile, La, Maillefer, Gérard
Programme XBX, Aviation Royale du
  Canada
Racquetball, Corbeil, Jean
Racquetball plus, Corbeil, Jean
Rivières et lacs canotables, Fédération
  québécoise du canot-camping
S'améliorer au tennis, Chevalier Richard
Saumon, Le, Dubé, J.-P.

SPORTS

le jour,
éditeur

ANIMAUX

* **Poissons de nos eaux,** Melançon, Claude

ACTUALISATION

Agressivité créatrice, L' - La nécessité de s'affirmer, Bach, Dr G.-R., Goldberg, D^r H.

Aimer, c'est choisir d'être heureux, Kaufman, B.-N.

Arrête! tu m'exaspères - Protéger son territoire, Bach, Dr G., Deutsch, R.

Ennemis intimes, Bach, Dr G., Wyden, P.

Enseignants efficaces - Enseigner et être soi-même, Gordon, D^r T.

États d'esprit, Glasser, W.

Focusing - Au centre de soi, Gendlin, Dr E.T.

Jouer le tout pour le tout, le jeu de la vie, Frederick, C.

Manifester son affection -De la solitude à l'amour, Bach, Dr G., Torbet, L.

Miracle de l'amour, Kaufman, B.-N.

Nouvelles relations entre hommes et femmes, Goldberg, D^r H.

* **Parents efficaces,** Gordon, D^r T.

Se vider dans la vie et au travail - Burnout, Pines, A. , Aronson, E.

Secrets de la communication, Les, Bandler, R., Grinder, J.

DIVERS

* **Coopératives d'habitation, Les,** Leduc, Murielle

* **Hiérarchie ethnique dans la grande entreprise,** Rainville, Jean

* **Initiation au coopératisme,** Bédard, Claude

* **Lune de trop, Une,** Gagnon, Alphonse

ÉSOTÉRISME

Astrologie pratique, L',
    Reinicke, Wolfgang
Grand livre de la cartomancie, Le,
    Von Lentner, G.
Grand livre des horoscopes chinois, Le,
    Lau, Theodora

* Horoscope chinois, Del Sol, Paula
    Lu dans les cartes, Jones, Marthy
    Synastrie, La, Thornton, Penny
    Traité d'astrologie, Hirsig, H.

GUIDES PRATIQUES/JEUX/LOISIRS

* 1,500 prénoms et significations,
    Grisé-Allard, J.

* Backgammon, Lesage, D.

NOTRE TRADITION

* Lettre à un Français qui veut émigrer
    au Québec, Dubuc, Carl

PSYCHOLOGIE/VIE AFFECTIVE ET PROFESSIONNELLE

Adieu, Halpern, Dʳ Howard
Adieu Tarzan, Franks, Helen
Aimer son prochain comme soi-même,
    Murphy, Dʳ Joseph
* Anti-stress, L', Eylat, Odette
Apprendre à vivre et à aimer,
    Buscaglia, L.
Art d'engager la conversation et de se
    faire des amis, L', Gabor, Don
Art de convaincre, L', Heinz, Ryborz
* Art d'être égoïste, L', Kirschner, Joseph
Autre femme, L', Sévigny, Hélène
Bains flottants, Les, Hutchison, Michael
Ces hommes qui ne communiquent
    pas, Naifeh S. et White, S.G.
Ces vérités vont changer votre vie,
    Murphy, Dʳ Joseph
Comment aimer vivre seul,
    Shanon, Lynn
Comment dominer et influencer les
    autres, Gabriel, H.W.
Comment faire l'amour à la même per-
    sonne pour le reste de votre vie!,
    O'Connor, D.
Comment faire l'amour à une femme,
    Morgenstern, M.
Comment faire l'amour à un homme,
    Penney, A.
Comment faire l'amour ensemble,
    Penney, A.

Contacts en or avec votre clientèle,
    Sapin Gold, Carol
Contrôle de soi par la relaxation, Le,
    Marcotte, Claude
Dire oui à l'amour, Buscaglia, Léo
* Famille moderne et son avenir, La,
    Richards, Lyn
Femme de demain, Keeton, K.
Gestalt, La, Polster, Erving
Homme au dessert, Un,
    Friedman, Sonya
Homme nouveau, L',
    Bodymind, Dychtwald Ken
Influence de la couleur, L',
    Wood, Betty
Jeux de nuit, Bruchez, C.
Maigrir sans obsession, Orbach, Susie
Maîtriser son destin, Kirschner, Joseph
Massage en profondeur, Le, Painter, J.,
    Bélair, M.
Mémoire, La, Loftus, Élizabeth
* Mémoire à tout âge, La,
    Dereskey, Ladislaus
Miracle de votre esprit, Le,
    Murphy, Dʳ Joseph
Négocier entre vaincre et convaincre,
    Warschaw, Dʳ Tessa
On n'a rien pour rien, Vincent, Raymond
Oracle de votre subconscient, L',
    Murphy, Dʳ Joseph

PSYCHOLOGIE/VIE AFFECTIVE ET PROFESSIONNELLE

Passion du succès, La, Vincent, R.
Pensée constructive et bon sens, La,
   Vincent, Raymond
* Personnalité, La, Buscaglia, Léo
Petit répertoire des excuses, Le,
   Charbonneau, C., Caron, N.
Pourquoi remettre à plus tard?,
   Burka, Jane B., Yuen, L.M.
Pouvoir de votre cerveau, Le,
   Brown, Barbara
Puissance de votre subconscient, La,
   Murphy, Dr Joseph
Réfléchissez et devenez riche,
   Hill, Napoleon
S'aimer ou le défi des relations
   humaines, Buscaglia, Léo

Sexualité expliquée aux adolescents,
   La, Boudreau, Y.
Succès par la pensée constructive, Le,
   Hill, Napoleon et Stone, W.-C.
Transformez vos faiblesses en force,
   Bloomfield, Dr Harold
Triomphez de vous-même et des
   autres, Murphy, Dr Joseph
Univers de mon subconscient, L',
   Vincent, Raymond
Vaincre la dépression par la volonté et
   l'action, Marcotte, Claude
Vieillir en beauté, Oberleder, Muriel
Vivre avec les imperfections de
   l'autre, Janda, Dr Louis H.
Vivre c'est vendre, Chaput, Jean-Marc

ROMANS/ESSAIS

* Affrontement, L', Lamoureux, Henri
* C't'a ton tour Laura Cadieux,
   Tremblay, Michel
* Cœur de la baleine bleue, Le,
   Poulin, Jacques
* Coffret petit jour, Martucci, Abbé Jean
* Contes pour buveurs attardés,
   Tremblay, Michel
* De Z à A, Losique, Serge
* Femmes et politique, Cohen, Yolande

* Il est par là le soleil, Carrier, Roch
* Jean-Paul ou les hasards de la vie,
   Bellier, Marcel
* Neige et le feu, La, Baillargeon, Pierre
* Objectif camouflé, Porter, Anna
* Oslovik fait la bombe, Oslovik
* Train de Maxwell, Le, Hyde, Christopher
* Vatican -Le trésor de St-Pierre,
   Malachi, Martin

SANTÉ

Tao de longue vie, Le,
   Soo, Chee

Vaincre l'insomnie, Filion, Michel et
   Boisvert, Jean-Marie

SPORT

* Guide des rivières du Québec,
   Fédération cano-kayac

* Ski nordique de randonnée,
   Brady, Michael

TÉMOIGNAGES

Merci pour mon cancer,
   De Villemarie, Michelle

Quinze

COLLECTIFS DE NOUVELLES

* **Aimer,** Beaulieu, V.-L., Berthiaume, A., Carpentier, A., Daviau, D.-M., Major, A., Provencher, M., Proulx, M., Robert, S. et Vonarburg, E.
* **Crever l'écran,** Baillargeon, P., Éthier-Blais, J., Blouin, C.-R., Jacob, S., Jean, M., Laberge, M., Lanctôt, M., Lefebvre, J.-P., Petrowski, N. et Poupart, J.-M.
* **Dix contes et nouvelles fantastiques,** April, J.-P., Barcelo, F., Bélil, M., Belleau, A., Brossard, J., Brulotte, G., Carpentier, A., Major, A., Soucy, J.-Y. et Thériault, M.-J.
* **Dix nouvelles de science-fiction québécoise,** April, J.-P., Barbe, J., Provencher, M., Côté, D., Dion, J., Pettigrew, J., Pelletier, F., Rochon, E., Sernine, D., Sévigny, M. et Vonarburg, E.

* **Dix nouvelles humoristiques,** Audet, N., Barcelo, F., Beaulieu, V.-L., Belleau, A., Carpentier, A., Ferron, M., Harvey, P., Pellerin, G., Poupart, J.-M. et Villemaire, Y.
* **Fuites et poursuites,** Archambault, G., Beauchemin, Y., Bouyoucas, P., Brouillet,C., Carpentier, A., Hébert, F., Jasmin, C., Major, A., Monette, M. et Poupart, J.-M.
* **L'aventure, la mésaventure,** Andrès, B., Beaumier, J.-P., Bergeron, B., Brulotte, G., Gagnon, D., Karch, P., LaRue, M., Monette, M. et Rochon, E.

DIVERS

* **Beauté tragique,** Robertson, Heat
* **Canada — Les débuts héroïques,** Creighton, Donald
* **Défi québécois, Le,** Monnet, François-Marie
* **Difficiles lettres d'amour,** Garneau, Jacques

* **Esprit libre, L',** Powell, Robert
* **Grand branle-bas, Le,** Hébert, Jacques et Strong, Maurice F.
* **Histoire des femmes au Québec, L',** Collectif, CLIO
* **Mémoires de J. E. Bernier, Les,** Therrien, Paul

DIVERS

* **Mythe de Nelligan, Le,** Larose, Jean
* **Nouveau Canada à notre mesure,**
  Matte, René
* **Papineau,** De Lamirande, Claire
* **Personne ne voudrait savoir,**
  Schirm, François
* **Philosophe chat, Le,** Savoie, Roger
* **Pour une économie du bon sens,**
  Bailey, Arthur
* **Québec sans le Canada, Le,**
  Harbron, John D.

* **Qui a tué Blanche Garneau?,**
  Bertrand, Réal
* **Réformiste, Le,** Godbout, Jacques
* **Relations du travail,** Centre des
  dirigeants d'entreprise
* **Sauver le monde,** Sanger, Clyde
* **Silences à voix haute,**
  Harel, Jean-Pierre

LIVRES DE POCHES 10 /10

* **37 1/2 AA,** Leblanc, Louise
* **Aaron,** Thériault, Yves
* **Agaguk,** Thériault, Yves
* **Blocs erratiques,** Aquin, Hubert
* **Bousille et les justes,** Gélinas, Gratien
* **Chère voisine,** Brouillet, Chrystine
* **Cul-de-sac,** Thériault, Yves
* **Demi-civilisés, Les,** Harvey, Jean-Charles
* **Dernier havre, Le,** Thériault, Yves
* **Double suspect, Le,** Monette, Madeleine

* **Faire sa mort comme faire l'amour,**
  Turgeon, Pierre
* **Fille laide, La,** Thériault, Yves
* **Fuites et poursuites,** Collectif
* **Première personne, La,** Turgeon, Pierre
* **Scouine, La,** Laberge, Albert
* **Simple soldat, Un,** Dubé, Marcel
* **Souffle de l'Harmattan, Le,**
  Trudel, Sylvain
* **Tayaout,** Thériault, Yves

LIVRES JEUNESSE

* **Marcus, fils de la louve,** Guay, Michel et
  Bernier, Jean

MÉMOIRES D'HOMME

* **À diable-vent,** Gauthier Chassé, Hélène
* **Barbes-bleues, Les,** Bergeron, Bertrand
* **C'était la plus jolie des filles,**
  Deschênes, Donald
* **Bête à sept têtes et autres contes de
  la Mauricie, La,** Legaré, Clément
* **Contes de bûcherons,**
  Dupont, Jean-Claude
* **Corbeau du Mont-de-la-Jeunesse, Le,**
  Desjardins, Philémon et
  Lamontagne, Gilles

* **Guide raisonné des jurons,**
  Pichette, Jean
* **Menteries drôles et merveilleuses,**
  Laforte, Conrad
* **Oiseau de la vérité, L',** Aucoin, Gérard
* **Pierre La Fève et autres contes de la
  Mauricie,** Legaré, Clément

ROMANS/THÉÂTRE

Achevé   Imprimerie
d'imprimer Gagné Ltée
au Canada   Louiseville